पूर्वांचल प्रदेश में हिंदी भाषा और साहित्य

प्रचार-प्रसार और वर्तमान स्थिति : एक मूल्यांकन

लेखक

डॉ० सी० इ० जीनी

एम० ए०, अनुप्रयुक्त भाषा-
विज्ञान (हिंदी), पी-एच० डी०

केंद्र प्रभारी

केंद्रीय हिंदी संस्थान, शिलांग

वाणी प्रकाशन

नयी दिल्ली-110002

प्यारी बिटिया
ललमुआनपुइ पिसफुल
को

ISBN 81-7055-208-7

वाणी प्रकाशन
4697/5, 21-ए, दरियागंज, नयी दिल्ली-110002
द्वारा प्रकाशित

प्रथम संस्करण : 1990

आवरण : श्री एस० के० बेरी

● मूल्य : 125.00

पारस प्रिंटर्स
नवीन शाहदरा
दिल्ली-110032 में मुद्रित

POORVANCHAL PRADESH MEIN
HINDI BHASHA AUR SAHITYA
by Dr. C. E. JEENI

पूर्वांचल प्रदेश में हिंदी भाषा और साहित्य

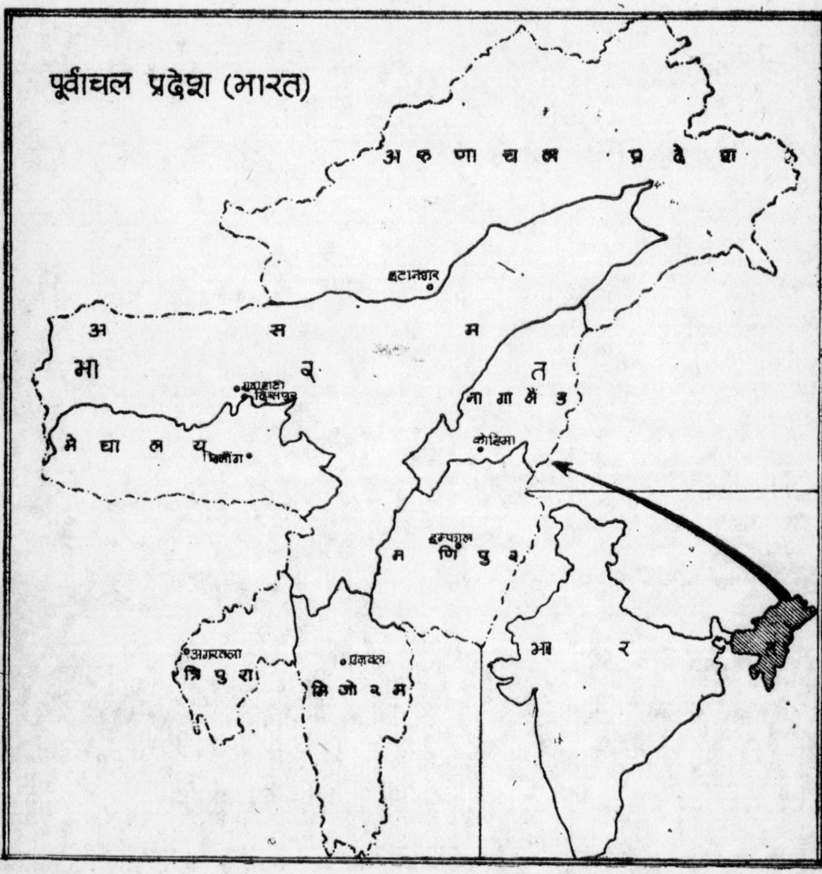

पैमाने के अनुसार नहीं है

आमुख

भारतवर्ष का पूर्वांचल भौगोलिक, प्राकृतिक संपत्ति और सौंदर्य की दृष्टि से अत्यंत महत्त्वपूर्ण तो है ही, नैसर्गिक भाषाओं का भी बड़ा कोश है। उनकी आकर्षक ध्वनि एवं कोमलता सहसा मन को खींच लेती है। इस प्रांतर में बहुत-सी भाषाएँ हैं जो एक-दूसरे से काफी भिन्न हैं। यह तो स्पष्ट है कि भाषा मन को जोड़ने में सबसे महत्त्वपूर्ण साधनों में से एक है। आप कहीं भी हों, पर एक ही भाषा के प्रयोग करने से दूरी दूर हो जाती है। मानव जाति के उत्कर्ष की पहली सीढ़ी है, मन का मेल। इसलिए एक सरल, सुबोध भाषा का बड़ा लाभ है।

हिंदी ने, जिसकी जननी संस्कृत है, बहुत-सी संस्कृतजनित भाषाओं को जोड़ा है और आज बहुत-से ह्लास, प्रह्लास, प्रेम, समझ को भिन्न-भिन्न भाषा-भाषियों के लिए सुलभ बना दिया है। जीवन का मूल्य यही तो है, पर देश के इस दुर्गम छोर में बड़ी मुश्किलें हैं। आओ-हिंदी या नागा भाषा-भाषी छात्रों की कठिनाई के ऊपर खोज हो चुकी है। इस प्रस्तुत ग्रंथ में श्रीमती जीनी ने पूर्वांचल के इतिहास, भूगोल, सामाजिक स्थितियों, धार्मिक विचारों, बोलियों का विस्तार-पूर्वक वर्णन किया है, जो उनकी एतद्विषयक गहरी समझ का परिचायक है। उसके बाद उन्होंने हिंदी की सब प्रांतों में जो स्थिति है, उसका भी दिग्दर्शन कराया है। यहाँ के हिंदी साहित्यिकों की लेखनी से परिचय भी कराया है।

मुझे पूरा विश्वास है कि गहरी अनुभूति एवं अध्ययन और लगन के साथ यह प्रस्तुत शोध ग्रंथ इस अंचल में हिंदी की स्थिति को मूल्यवान बनाने में बड़ा सहायक होगा। श्रीमती जीनी का पांडित्य एवं भाषा पर अधिकार इस प्रबंध में सर्वत्र झलकता है।

रमेन्द्र कुमार मिश्र

उपकुलपति

नॉर्थ-इस्टर्न हिल यूनिवर्सिटी

शिलांग-793001

प्राक्कथन

प्रस्तुत शोध का विषय है—पूर्वांचल प्रदेशों में हिंदी भाषा और साहित्य : प्रचार-प्रसार और वर्तमान स्थिति—एक मूल्यांकन। यह शोध-कार्य सात अध्यायों में पूरा हुआ है।

प्रथम अध्याय में पूर्वांचल की भौगोलिक, ऐतिहासिक और सामाजिक स्थितियों का संक्षिप्त अध्ययन किया गया है और इन प्रदेशों की प्रजातियों का संक्षिप्त परिचय दिया गया है। इसमें मिज़ोरम, त्रिपुरा, मणिपुर, नागालैंड, अरुणाचल, सिक्किम, असम और मेघालय की प्रजातियों का उक्त सभी दृष्टियों से सम्यक् अध्ययन किया गया है।

द्वितीय अध्याय में, प्रथम अध्याय में वर्णित, सभी प्रदेशों और प्रजातियों की बोलियों का ऐतिहासिक परिप्रेक्ष्य में अध्ययन किया गया है और वर्तमान बोलियों और भाषाओं के संदर्भ में हिंदी की स्थिति को स्पष्ट करने का प्रयत्न किया गया है।

तृतीय अध्याय में उक्त प्रदेशों में हिंदी का प्रचार-प्रसार की वर्तमान स्थिति पर प्रकाश डाला गया है और इन प्रदेशों में प्रचाररत स्वैच्छिक हिंदी सेवी संस्थाओं/समितियों के गठन और हिंदी के प्रचार-प्रसार में इनके योगदान का मूल्यांकन किया गया है।

चतुर्थ अध्याय में इन प्रदेशों की सरकारों द्वारा प्राथमिक, उत्तर प्राथमिक, पूर्वमाध्यमिक स्तर पर अन्य भाषा के रूप में हिंदी के निर्धारित पाठ्यक्रम, पाठ्य-पुस्तकें, अध्यापकों की शैक्षिक और व्यावसायिक योग्यताओं, सप्ताह में निर्धारित अंतरों, अन्य विषयों की तुलना में हिंदी को दिया गया महत्त्व, उत्तीर्णांक, विद्यालयों के पुस्तकालयों में हिंदी से संबंधित पुस्तकें, सामाजिक पत्र-पत्रिकाओं की स्थिति, प्रधानाचार्य तथा इनसे ऊपर के शिक्षा विभाग के अधिकारियों की हिंदी के पठन-पाठन के प्रति रुचि और रुझान आदि की सम्यक् समीक्षा प्रस्तुत की गयी है।

पाँचवें अध्याय में केंद्रीय हिंदी संस्थान, आगरा और इस संस्था के गुवाहाटी और शिलांग में स्थित केंद्र; मिजोरम, मणिपुर, असम और नागालैंड की सरकारों

द्वारा स्थापित और संचालित हिंदी शिक्षक-प्रशिक्षण संस्थाओं/महाविद्यालयों द्वारा राष्ट्रभाषा/अन्य भाषा के रूप में अध्ययन-अध्यापन संबंधी सभी पहलुओं के स्तर में अपेक्षित सुधार करने के लिए किये जा रहे कार्यक्रमों का वर्णन और समीक्षा की गयी है। साथ ही मिज़ोरम में भाषा संपर्क की स्थिति, हिंदी के इस प्रदेश में प्रवेश के कारण हिंदी के व्यवहार के विशेष क्षेत्र से संबंधित पहलुओं की समीक्षा भी की गयी है।

छठे अध्याय में पूर्वांचलों के उक्त प्रदेशों में रचित हिंदी साहित्य और साहित्यकारों के संक्षिप्त परिचय के साथ-साथ इस हिंदी साहित्य का संक्षिप्त मूल्यांकन भी प्रस्तुत किया गया है। इस अध्याय में पंद्रहवीं शताब्दी से लेकर वर्तमान युग के प्रमुख हिंदी साहित्यकारों और उनकी प्रमुख रचनाओं को लिया गया है।

सातवें अध्याय में उक्त सभी अध्यायों के निष्कर्षों/उपलब्धियों के उल्लेख के साथ-साथ इस क्षेत्र में आगे किन-किन क्षेत्रों-विषयों में अनुसंधान किया जाये, इसकी चर्चा भी की गयी है और अन्य भाषा/राष्ट्रभाषा के रूप में हिंदी के अध्ययन-अध्यापन के स्तर को ऊँचा उठाने के लिए आवश्यक सुझाव दिये गये हैं। विश्वास है, यह प्रबंध इस क्षेत्र में कार्यरत हिंदी अध्यापकों, प्रचारकों के लिए उपयोगी सिद्ध होगा।

मिज़ोरम राज्य के विद्यालय एवं राजकीय हिंदी शिक्षक-प्रशिक्षण संस्थान में अध्यापन-कार्य करने के साथ-साथ मैं असम राष्ट्रभाषा प्रचार समिति, वर्धा राष्ट्र-भाषा प्रचार समिति एवं मिज़ोरम हिंदी प्रचार समिति की प्रचारिका के रूप में समिति की परीक्षाओं के लिए छात्रों को अतिरिक्त समय में भी हिंदी पढ़ाया करती थी, तभी से मिज़ोभाषी हिंदी छात्रों को हिंदी सीखने में होने वाली कठिनाइयों से परिचय प्राप्त होने लगा था।

इसके पश्चात् मैंने हिंदी का व्यवस्थित अध्ययन करना भी आरंभ किया। इसी समय मुझे विचार आया कि पूरे पूर्वांचल प्रदेश में हिंदी के अध्ययन-अध्यापन कार्य में अपेक्षित सुधार लाने के लिए इस कार्य से संबंधित सभी समस्याओं का विस्तृत और गहरा अध्ययन करना आवश्यक है। इस प्रकार के अध्ययन से ही समस्याएँ स्पष्ट रूप से उभरकर सामने आ सकेंगी। इन समस्याओं का कारण ज्ञात हो सकेगा, तभी इन समस्याओं का समाधान संभव हो सकेगा। इस विचार से प्रेरित होकर मैंने 'पूर्वांचल प्रदेश में हिंदी भाषा और साहित्य : प्रचार-प्रसार और वर्तमान स्थिति—एक मूल्यांकन' पी-एच० डी० की उपाधि प्राप्त करने के लिए शोध के विषय में चुना और अध्ययन आरंभ किया। इस अध्ययन का परिणाम यह पुस्तक है।

मेरी यह साधना पूज्य गुरुवर डॉ० शिवसहाय पाठक के चरण-कमलों में

संपन्न हुई है । यह पुस्तक उन्हीं के उत्तम निर्देशन और कृपा का परिणाम है कि मैं यह प्रबंध प्रस्तुत कर सकी हूँ ।

प्रस्तुत प्रबंध के लेखन में मुझे डॉ० मो० मा० चौहान (आगरा), डॉ० विजय राघव रेड्डी (हैदराबाद), डॉ० परेशचंद्र देव शर्मा (गुवाहाटी), डॉ० प्राग बैंस सिंह (आगरा), श्री रोउजीङा (आइज़ोल), डॉ० राममूर्ति त्रिपाठी (उज्जैन), डॉ० मागध, संप्रति प्रोफेसर एवं अध्यक्ष, मणिपुर विश्वविद्यालय, इम्फाल (मणिपुर) से भी मुझे पर्याप्त सहायता मिली है। मैं इन सबके प्रति हार्दिक कृतज्ञता ज्ञापित करती हूँ।

विक्रम विश्वविद्यालय पुस्तकालय, उज्जैन; स्टेट लाइब्रेरी, मिज़ोरम; सूचना-प्रकाशन पुस्तकालय, आइज़ोल; शिक्षक-प्रशिक्षण संस्थान, आइज़ोल; राजकीय पुस्तकालय, गुवाहाटी; केंद्रीय हिंदी संस्थान, आगरा; राष्ट्रभाषा प्रचार समिति पुस्तकालय, वर्धा से प्रस्तुत अध्ययन में अमूल्य सहायता मिली ।

मैं पूर्वांचल के आठों राज्यों में सामग्री संकलन हेतु अनेक स्थानों पर गयी हूँ । इन शोध-यात्राओं में मुझे अनेक विद्वानों, पुस्तकालयों और शासकीय-अर्ध-शासकीय संस्थानों के अधिकारियों से बहुमूल्य सामग्री, सूचना, जानकारी, सहयोग मिला है—मैं उन सबके प्रति कृतज्ञ हूँ ।

प्रस्तुत प्रबंध की लेखन-प्रक्रिया में जिन महानुभावों, समीक्षकों, कृतिकारों और विद्वानों की कृतियों से मुझे सहायता मिली है—उन सबके प्रति मैं श्रद्धावत् हूँ ।

मेरा निवेदन है कि संपूर्ण भारतीय साहित्य में इस विषय पर यह प्रथम शोध-प्रबंध है । यदि मेरा यह श्रम, सुधी विद्वानों द्वारा समादृत हुआ तो यह मेरा सौभाग्य होगा ।

अंत में, मैं मानव संसाधन विकास मंत्रालय, शिक्षा विभाग, भारत सरकार, शास्त्री भवन, नयी दिल्ली के प्रति आभार प्रकट करना अपना कर्त्तव्य समझती हूँ जिसके अनुदान से इस शोध-कार्य को पुस्तक के रूप में प्रकाशित करना संभव हो सका ।

—सी० इ० जीनी

क्रम

अध्याय 4

अध्याय 5

अध्याय 6

अध्याय 7

अध्याय-1

पूर्वांचल : भौगोलिक, ऐतिहासिक, सामाजिक और धार्मिक स्थितियाँ

(क) भौगोलिक स्थितियाँ

मिज़ोरम

मिज़ोजनों की भूमि—संप्रति मिज़ोरम एक नवगठित छोटा-सा राज्य है। उससे पूर्व मिज़ोरम वृहत्तर असम का एक जिला मात्र था, जिसका नाम था—'लुशाइ पर्वतीय जिला'। (यह नाम इसलिए रखा गया था क्योंकि यहाँ की भराय आदिम जाति का नाम लुशाइ है)।

मिज़ोरम भारतवर्ष के धुर उत्तर-पूर्व में स्थित है, जिसका कुल क्षेत्रफल 21,067 वर्गमील है। मिज़ोरम राज्य की चौहद्दी इस प्रकार है :

(1) **पश्चिम** में बंगलादेश एवं त्रिपुरा राज्य।

(2) **पूर्व-दक्षिण** में बर्मा देश की चिन पहाड़ियों की शृंखला।

(3) **उत्तर** में असम का कछार जिला और मणिपुर राज्य।

उक्त सीमा विवरण से स्पष्ट है कि मिज़ोरम प्रदेश दक्षिण-पूर्व में 435 किलोमीटर बर्मा देश की और पश्चिम में 260 किलोमीटर बंगलादेश की अंतर्राष्ट्रीय सीमा से घिरा हुआ है। परिणामस्वरूप यह प्रदेश सामरिक दृष्टि से अत्यधिक महत्त्वपूर्ण है। कारण—देश की अत्यल्प असावधानी और पड़ोसी देशों की तनिक-सी विद्वेषपूर्ण नियति कभी भी देश को युद्ध के बाहुपाश में जकड़ सकती है और मिज़ोरम की शांति भंग कर (प्रकारांतर से पूरे राष्ट्र को भी) उसके बहुमुखी विकास हेतु चल रही अनेक योजनाओं को ठप कर सकती है।

भूगोल की भाषा में कह सकते हैं, मिज़ोरम 2154 से 2429 उत्तरी अक्षांश और 92 16 से 93 26 पूर्वी देशांतर के मध्य स्थित है। यहाँ उत्तर से

दक्षिण की ओर सात पर्वतमालाएँ हैं, जिनमें सर्वोच्च शिखर की ऊँचाई, 7,100 फीट है और उसका नाम 'भूरा-पर्वत' है। उन्नत पहाड़ियों की बहुलता के कारण यहाँ का जलवायु सुखद और सुहावना है। पहाड़ियों पर स्थित सघन वनों के कारण उस प्रदेश का प्राकृतिक दृश्य अत्यधिक मनोरंजक और लुभावना है।

त्रिपुरा

भारत गणराज्य का पूर्वी सीमांत राज्य त्रिपुरा ऐतिहासिक दृष्टि से यदि पौराणिक काल से ही देश से संबद्ध है, तो भौगोलिक दृष्टि से भी एक महत्त्वपूर्ण प्रदेश है। कारण—इसकी पश्चिमी सीमा बंगलादेश से घिरी हुई है। इसका कुल क्षेत्रफल 10,477 वर्ग किलोमीटर है। त्रिपुरा के उत्तर में भारत का असम राज्य स्थित हैं तो उसकी दक्षिणी और पश्चिमी सीमाओं को बंगलादेश घेरे हुए है और इसके पूर्व में है—भारत का मिज़ोरम राज्य।

भारत का यह सीमांत राज्य त्रिपुरा भी एक पहाड़ी राज्य है। कर्क रेखा इसके मध्य से जाती है। इसके पूर्व क्षेत्र में नदियों का उपजाऊ मैदान है, जो बंगलादेश के डेल्टाई भू-भाग में विलीन हो जाता है। इसके पूर्वी क्षेत्र में मिज़ोरम की पहाड़ियाँ फैली हुई हैं। बंगाल की खाड़ी से उठनेवाले मानसून यहाँ पर घनघोर वर्षा करते हैं।

गर्म तथा नम जलवायु के कारण त्रिपुरा राज्य प्राकृतिक वनस्पति संपदा से संपन्न है। इसके क्षेत्र में उष्ण कटिबंधीय सदाबहार वन होते हैं, जिनसे लकड़ी, बाँस तथा अन्य पदार्थ उपलब्ध हुआ करते हैं।

राज्य के क्षेत्रफल की 60 प्रतिशत भूमि पर वनों का साम्राज्य है। इतना होते हुए भी त्रिपुरा एक कृषि प्रधान राज्य ही है। कृषि की प्रमुख और प्रधान उपज चावल है। इसके अतिरिक्त चाय, जूट, कपास, गन्ना तथा तिलहन की फसलें भी यहाँ होती हैं।

मणिपुर

यह राज्य भारत की पूर्वी सीमा पर स्थित है और बर्मा से मिला होने के कारण सामरिक और सुरक्षा की दृष्टि से अति महत्त्वपूर्ण सीमा राज्य है। मणिपुर की उत्तरी दिशा में नागालैंड तथा असम राज्य स्थित हैं। इसकी दक्षिणी सीमा में मिज़ोरम और त्रिपुरा राज्य विद्यमान हैं। मणिपुर की पूर्वी सीमा पर बर्मा देश और पश्चिमी सीमा पर मेघालय राज्य हैं। भारत के सीमांत राज्य मणिपुर का क्षेत्रफल 22,356 वर्ग किलोमीटर है।

अन्य पूर्वांचल राज्यों की भाँति मणिपुर भी एक पहाड़ी राज्य है। इसके उत्तर में नवीन पर्वतों की बनी नागा तथा दक्षिण में मिज़ोरम राज्य की पहाड़ियाँ

हैं। अराकन योमा पहाड़ एक प्राकृतिक दीवाल के रूप में मणिपुर तथा बर्मा के मध्य खड़ा है। इन पहाड़ों के बीच एक उपजाऊ समतल घाटी है। इसी उपजाऊ समतल घाटी के भू-भाग में मणिपुर राज्य की राजधानी इम्फाल स्थित है। यह घाटी पर्वत श्रेणियों से घिरी हुई है।

मणिपुर राज्य के पर्वतीय ढाल जंगलों से आच्छादित हैं। यातायात के साधनों के अभाववश इन जंगलों का न तो समुचित विकास हो पाया है और न दोहन ही।

मणिपुर राज्य का भी मूल व्यवसाय खेती है। यहाँ के 66 प्रतिशत निवासी कृषि व्यवसाय में लगे हुए हैं। पहाड़ी भूमि का बाहुल्य होने के कारण कृषि-भूमि का यहाँ अभाव है और राज्य के क्षेत्रफल का 30 प्रतिशत क्षेत्र ही खेती के उपयोग में आता है। पहाड़ी ढालों पर चावल, चाय और फलों की खेती की जाती है, साथ ही जंगलों को जलाकर प्राप्त हुई भूमि को भी कृषि के उपयोग में लाया जाता है।

उद्योग-धंधों की दृष्टि से इसे अभी भी पिछड़ा हुआ राज्य ही कहना चाहिए। फिर भी परंपरागत कुटीर उद्योग-धंधों में चमड़े की वस्तुएँ बनाना, बाँस तथा बेंत के सामान तैयार करना और रेशम का उत्पादन विशेष रूप से उल्लेखनीय और सराहनीय है।

नागालैंड

नागालैंड राज्य भारतवर्ष के पूर्वी सीमांत पर स्थित है। वस्तुतः सन् 1961 से पूर्व यह भी असम राज्य का एक जिला था, जो नागा आदिवासियों के सशस्त्र विद्रोह के परिणामस्वरूप पहले केंद्रशासित तदनंतर पूर्व राज्य का स्तर प्राप्त करने में सफल हुआ। नागालैंड असम राज्य के पूर्व में नागा पहाड़ियों के साथ-साथ बर्मा की सीमा के सहारे उत्तर से दक्षिण की ओर फैला हुआ है। इसका कुल क्षेत्रफल 16,527 वर्ग किलोमीटर है। इस राज्य की चौहद्दी इस प्रकार है—पश्चिम में असम, उत्तर में अरुणाचल प्रदेश, पूर्व में बर्मा और दक्षिण में मणिपुर।

नागालैंड राज्य एक पहाड़ी राज्य है। इसका समस्त भूतल असमान है। इस राज्य की नागा पहाड़ियाँ उत्तर-दक्षिण से पूर्व-पश्चिम को फैली हुई हैं और इसकी सभी पहाड़ियाँ सघन जंगलों से आच्छादित हैं।

कृषि नागालैंड का प्रमुख व्यवसाय है और इसके 90 प्रतिशत निवासी कृषि-कार्य से अपनी जीविका चलाते हैं। वर्षा यहाँ पर पर्याप्त मात्रा में होती है। यहाँ की उष्ण तथा नम जलवायु खेती के अनुकूल पड़ती है। चावल यहाँ की प्रमुख कृषि उपज और खाद्यान्न है। चावल की फसल को यहाँ पहाड़ी ढालों पर सीढ़ीदार खेत बनाकर उगाया जाता है। चाय भी यहाँ पैदा होती है। कृषि के बाद

हथकरघा यहाँ का दूसरा प्रमुख उद्योग व्यवसाय है। इस राज्य में एक-एक कारखाना कागज़ और चीनी का भी है।

अरुणाचल

भारतवर्ष की धुर पूर्वी सीमा पर स्थित अरुणाचल 'सूर्योदय की भूमि' के रूप में जाना-माना जाता है। सूर्योदय की भूमि का क्षेत्र विकास की संभावनाओं और प्राकृतिक संसाधनों की दृष्टि से शेष भारत से बहुत कुछ विलग और भिन्न है। भूगोल की शब्दावली में अरुणाचल नाम का यह नवोदित राज्य 26 उत्तरी से 30 उत्तरी अक्षांश तथा 90 पूर्वी से 98 पूर्वी देशांतर के मध्य स्थित है। जिसके पश्चिम में भूटान देश है, उत्तरी दिशा में तिब्बत और चीन जैसे बौद्धदेश हैं, पूर्व में बर्मा देश है तथा दक्षिण में भारत का असम प्रदेश है। यथार्थतः यह पूर्णरूपेण आदिवासी क्षेत्र है, जिसके दूर-दराज क्षेत्रों में लोग बसे हुए हैं। इस केंद्र शासित क्षेत्र की भूमि अत्यधिक ऊबड़-खाबड़ और पर्वतीय है। इसी कारण इसकी विशेषताएँ और समस्याएँ भी अजीबोगरीब हैं।

वर्तमान शताब्दी के प्रारंभ तक इस क्षेत्र के विषय में लोगों की जानकारी शून्यप्राय थी क्योंकि यहाँ की ऊँची-नीची धरातलीय बनावट, बुरे जलवायु और कदम-कदम पर बदलती बोलियों, सघन वनस्पतियों तथा आगंतुकों के प्रति यहाँ के मूल निवासी समुदायों के विद्रोही रुख ने इस भू-भाग को देश की मुख्यधारा से अलग-थलग बनाये रखने में महत्त्वपूर्ण भूमिका अदा की। यहाँ के प्रतिकूल प्राकृतिक वातावरण के कारण ही इस अंचल की बहुत-सी आदिम जातियाँ परस्पर एक दूसरे से अलग बनी रहीं। कहने की आवश्यकता नहीं है कि पूरे देश से आदिवासियों को पृथक् बनाये रखना और उन्हें परस्पर भी एक-दूसरे से अजनबी बनाये रखना भारत में 'ब्रिटिश नीति' का अभिन्न अंग और उसका सुपरिणाम थी। परंतु उस नीति का अनुसरण अब असंभव है क्योंकि वह देश के वर्तमान सामाजिक-राजनैतिक परिवेश में असामयिक तथा अप्रासंगिक हो गयी है।

सीमा द्वार पर चीनी सेनाओं के जमाव को ध्यान में रखते हुए आदिवासी जनों के दूत तथा पूर्ण आधुनिकीकरण और सुनियोजित विकास द्वारा वर्तमान स्थिति का कायापलट करना (के बीच का मार्ग) अपनाना आवश्यक हो गया है। क्योंकि अंग्रेजों की 'हस्तक्षेप न करने की पूर्व नीति के' परिपालन करते रहने की वर्तमान राजनैतिक वातावरण में कल्पना तक दुरूह है। सन् 1962 में हुए चीन के विश्वासघाती आक्रमण के बाद यह अनिवार्य हो गया है कि सुरक्षा और सामरिक दृष्टि से इस क्षेत्र पर 'बको-ध्यान' रखा जाये। इसे प्रत्येक आयाम से निरखा-परखा जाये, साथ ही साथ इसके प्रत्येक अगम सौर दुर्लंघ्य क्षेत्र तक

यातायात के विविध साधन विकसित कर उनके आर्थिक विकास को गति प्रदान की जाये, जिससे कि पूरा क्षेत्र देश की सांस्कृतिक और सामाजिक एकता से कदम मिलाकर चल सके।

सिक्किम

हिमालय की गोद में बसा हुआ सिक्किम राज्य भारत देश की उत्तरी सीमा पर स्थित है। भारत के इस नवीनतम सिक्किम राज्य की उत्तर दिशा में चीन देश है, दक्षिण में पश्चिमी बंगाल है। इसके पूर्व दिशा में भूटान देश है तथा पश्चिम में नेपाल देश। इस प्रकार भारत का यह लघुतम सिक्किम राज्य तीन ओर से चीन, भूटान तथा नेपाल से घिरा होने के कारण सामरिक दृष्टि से बहुत अधिक संवेदनशील तथा महत्त्वपूर्ण है। इसका क्षेत्रफल 7,327 वर्ग किलोमीटर है।

हिमालय के अंचल में स्थित सिक्किम राज्य का धरातल असमान है। चूँकि यह गगनचुंबी हिमाच्छादित पर्वत घाटियों के मध्य स्थित है, अतः इसकी प्राकृतिक सौंदर्य दर्शनीय है। पर्वतीय ढाल हरे-भरे वृक्षों और पुष्पों से लदे हुए दर्शक के मन को अनायास ही मोह लेते हैं। स्वच्छ निर्मल जल के झरने सिक्किम राज्य के प्राकृतिक सौंदर्य में चार चाँद लगा देते हैं। तिस्ता इस राज्य की प्रमुख नदी है, जिसने यहाँ उर्वरा घाटी का सृजन किया है।

कृषि इस राज्य का मुख्याधार है। लेकिन यहाँ की मात्र 153 लाख हेक्टेयर जमीन ही कृषि कार्य के योग्य है। यहाँ का कृषि कार्य मुख्य रूप से वर्षा पर आधारित रहता है। नवीन कृषि प्रणालियों, कृषि यंत्रों, नवीन बीजों तथा रासायनिक उर्वरकों का यहाँ पर अभाव है। इस राज्य में चावल, चाय, मक्का, इलायची, आलू, सेब तथा अनन्नास आदि पैदा किये जाते हैं। यहाँ के खनिज पदार्थों में ताँबा, सीसा, कोयला, जस्ता और चूने का पत्थर उल्लेखनीय हैं।

असम

भारतवर्ष की उत्तरी-पूर्वी सीमा पर स्थित असम प्रदेश का एक अति महत्त्वपूर्ण राज्य है। इस राज्य के उत्तर में तिब्बत, भूटान देश तथा भारत का अरुणाचल प्रदेश है। इसके दक्षिण में बंगलादेश और मेघालय राज्य हैं। इसके पूर्व में बर्मा और पश्चिमी बंगाल हैं। इस प्रकार 78,523 वर्ग किलोमीटर क्षेत्रफलवाला असम राज्य तीन देशों की अंतर्राष्ट्रीय सीमाओं से घिरा हुआ है। अत: इसकी स्थिति सामरिक दृष्टि से बहुत अधिक संवेदनशील और महत्त्वपूर्ण है।

असम राज्य का अधिकांश भू-भाग पहाड़ी है। इसके उत्तर में हिमालय पर्वत के पर्वतीय ढाल हैं, और दक्षिण में गारो, खासी तथा जयंतिया की पहाड़ियाँ हैं। इस राज्य के मध्यवर्तीय भाग में ब्रह्मपुत्र तथा सरमा नदियों की उर्वरा समतल

घाटियाँ हैं।

असम राज्य की प्रमुख उत्पादन सामग्री विश्वविख्यात चाय है। प्राकृतिक संपदाओं से भी इस राज्य की भूमि समृद्ध होने के कारण रत्नगर्भा नाम को सार्थक सिद्ध करती है। प्राकृतिक संपदाओं में तेल का यह विश्व प्रसिद्ध भंडार है। यहाँ की डिगबोई तेल शोधशाला बहुत विशाल है।

यहाँ के निवासियों के जीवन में कृषि का विशेष महत्त्व है। बीस लाख हेक्टेयर भूमि कृषि योग्य है। चावल यहाँ की मुख्य उपज है। जूट की उपज यहाँ की आर्थिक व्यवस्था में महत्त्वपूर्ण भूमिका अदा करती है।

चाय बनाने, तेल साफ करने, रासायनिक पदार्थ बनाने के लिए प्रसिद्ध होने के साथ-साथ असम राज्य बेंत का सामान, बाँस का सामान, पीतल के बर्तन बनाने जैसे कुटीर उद्योग-धंधों के लिए भी विख्यात है।

मेघालय

मेघालय पूर्वी भारत का एक छोटा-सा राज्य है। इसका गठन असम के तीन पहाड़ी जिलों को अलग करके किया गया है। इस नवगठित मेघालय राज्य की उत्तर-पश्चिम सीमा पर असम राज्य है। इसके दक्षिण की ओर बंगलादेश है तथा इसके पूर्व में मिज़ोरम राज्य स्थित है। बंगलादेश तथा असम के मध्य स्थित इस नवगठित मेघालय राज्य का क्षेत्रफल 22,489 वर्ग किलोमीटर है।

मेघालय राज्य भूतपूर्व असम राज्य के गारो, खासी तथा जयंतिया पहाड़ियों पर स्थित है। परिणामस्वरूप इसका सारा का सारा धरातल पहाड़ी तथा पठारी है। इन पहाड़ियों के दक्षिणी ढाल बंगाल की खाड़ी से आनेवाली मानसून हवाओं के सामने पड़ते हैं। यही कारण है कि इस राज्य के चेरापूँजी नामक स्थान पर संसार की सबसे अधिक वर्षा होती है। इसके क्षेत्र में प्रायः हर समय बादल घिरे रहते हैं, अतः इसे मेघालय नाम ठीक ही दिया गया है।

मेघालय राज्य के निवासियों का मुख्य व्यवसाय खेती है, जिससे यहाँ के 80 प्रतिशत निवासी अपना जीवन निर्वाह करते हैं। चूँकि मेघालय राज्य का धरातल असमान है, इसलिए उपजाऊ भूमि और सिंचाई के साधनों की कमी है। पूरा कृषि व्यवसाय प्राकृतिक वर्षा पर निर्भर रहता है। चाय, चावल, गन्ना, कपास, जूट, तंबाकू मसाले, सुपारी यहाँ की मुख्य उपजें हैं। चावल यहाँ की मुख्य उपज के साथ-साथ मुख्य खाद्यान्न है। चाय यहाँ की आर्थिक रीढ़ है। मेघालय के पहाड़ी ढालों पर अनन्नास, नारंगी और केला आदि फल उत्पन्न होते हैं।

(ख) पूर्वांचलीय प्रदेशों की ऐतिहासिक स्थितियाँ : पूर्वांचल की प्रमुख ऐतिहासिक घटनाएँ

मिज़ोरम

अभी हाल तक मिज़ो लुशाइ के रूप में जाने जाते थे और असम की सीमाओं से बाहर के लोगों के लिए लगभग अपरिचित से थे। सन् 1966 में मिज़ो हिल्स जिला के गठन की घटना ने उन्हें प्रमुखता प्रदान कर दी। "लुशाइ शब्द की व्युत्पत्ति लुशे इ शब्द से मानी जाती है, जो कि मिज़ो की एक उपजनजाति है और मिज़ो जाति में एक प्रमुख शासक जनजाति थी। मिज़ो शब्द का अर्थ स्थानीय भाषा में पहाड़ी क्षेत्र का व्यक्ति होता है। लेकिन स्थानीय दृष्टि से सभी पहाड़ी जनजातियाँ मिज़ो नहीं कहलातीं हैं। मणिपुर-बर्मा की चीन, असम की कछार और त्रिपुरा की पहाड़ियों पर रहनेवाली कुछ निश्चित जनजातियाँ ही मिज़ो नाम से जानी जाती हैं, जो कि भाषा, परंपराओं और जीवन-स्तर की दृष्टि से परस्पर समान दिखती हैं। मिज़ो जाति के प्रारंभिक इतिहास के साक्ष्यों का अभाव-सा है। जातीय दृष्टि से मिज़ो मंगोलियन माने जाते हैं और वर्तमान निवास क्षेत्र के पूर्वेतिहास के विषय में निश्चयपूर्वक कुछ कहना बहुत कठिन है। इतिहासकार तथ्यों के आधार पर अब तक इस निष्कर्ष पर पहुँचे हैं कि मिज़ो आज के अपने वर्तमान ऐतिहासिक क्षेत्र में बर्मा की चिन पहाड़ियों से आये। बर्मा के ऐतिहासिक दस्तावेजों से यह भी सिद्ध होता हैं कि मिज़ोजन 1400 ई० से लेकर 1700 ई० तक चिन पहाड़ियों पर निवास करते थे। वहाँ से 19वीं शताब्दी के उत्तरार्ध में भयंकर अकाल के कारण अपने मूल स्थान से चल पड़े और तत्कालीन श्रङखुल, बियते और थदो नाम की कमजोर जातियों को खदेड़कर आज के मिज़ो क्षेत्र में स्थापित हो गये। मिज़ो लोगों ने अपनी सामरिक गतिविधियों को समीप के सिलल्त्, कछार और चटगाँव के पहाड़ी क्षेत्रों तक विस्तार प्रदान किया। सन् 1871-72 में मिज़ो जाति ने कछार के चाय बागानों तक अपना धावा बोला, जिसमें उन्होंने अनेक लोगों को मारने के साथ-साथ एक अंग्रेज कन्या का अपहरण भी कर लिया। परिणामस्वरूप अंग्रेजी सेना ने आपराधिक गतिविधियों को दबाने के लिए मिज़ो पहाड़ियों में प्रवेश किया, जिसके कारण कुछ समय के लिए मिज़ोजनों ने अपनी गतिविधियों को रोक दिया। 1890 में मिज़ोजनों ने अंग्रेजों की किलाबंदी आइजेल (आइजोल) और चाङसिल पर धावा बोल दिया। प्रत्युत्तर में अंग्रेजों ने करारा जवाब दिया और 1891 में मिज़ो क्षेत्र को दो जिलों में विभाजित कर उत्तरी लुशाइ हिल्स को असम और दक्षिणी लुशाइ हिल्स को बंगाल में मिला दिया। 1892 में पुनः मिज़ो विद्रोह उभरा, जिसे अंग्रेजों ने बुरी तरह कुचल दिया। यह ब्रिटिश शासन काल का

अंतिम मिज़ो विद्रोह था।

1889 में दोनों जिलों को पुनः एक लुशाइ हिल्स जिले में परिवर्तित कर असम में मिला दिया। 1930 में मिज़ो हिल्स के सुदूर दक्षिणी भाग को इस जिले से संबद्ध कर दिया गया। ध्यान रहे, इस भाग में अधिकांश लखेर जनजाति के लोग रहते थे। ब्रिटिश अधीक्षक इसका प्रशासक हुआ और यथार्थ शासन ग्राम-प्रमुख पर छोड़ दिया गया जो कि मिज़ो भाषा में 'लल' कहलाता था। ये गाँव-प्रमुख गाँव की व्यवस्था में हर दृष्टि से सर्वोपरि माने गये। यह व्यवस्था वंशानुगत रही और पिता के बाद बड़ा पुत्र इस सुविधा का भोग करता रहा।

एक एक्ट के अनुसार सन् 1933 में यह क्षेत्र गवर्नर के अधीन कर दिया गया। सीमा प्रवेश पंक्ति (इनर लाइन) लागू कर शेष भारत का प्रवेश मिज़ो हिल्स में निषिद्ध कर दिया गया। मिज़ो-संस्कृति, भाषा और रीति-रिवाज को सुरक्षित रखने के नाम पर ऐसा किया गया।

1959 के दुर्भिक्ष काल तक पुरातन नीतियाँ ही प्रशासन में प्रचलित रहीं। यह विलक्षण परंतु सत्य है कि मिज़ो पहाड़ी क्षेत्र हर पचास वर्ष के पश्चात् अकाल का ग्रास बनता रहा हैं। दुर्भिक्ष 'माउताम' के रूप में अपना पूर्वाभास देता हैं। माउताम का मिज़ो भाषा में अर्थ होता हैं, बाँसों का फूल करके सूख जाना। कहा जाता है कि पचास वर्ष के अंतराल के बाद मिज़ोरम में माउताम आया करता है। अंतिम 1959 में उससे पूर्व 1911 में और उससे भी पूर्व 1862 में माउताम ने मिज़ोरम को दुष्प्रभावित किया था। वस्तुतः बाँसों का पतन अथवा विनाश नहीं वरन उसके बाद की दुर्भिक्ष की भयंकर परिस्थितियाँ जन-जीवन को तबाह कर देती हैं। इनमें चूहों द्वारा धान की खेती को विनष्ट कर देना प्रमुख हैं। यद्यपि मिज़ोरम इससे बचने के लिए सुरक्षात्मक कदम उठाते हैं, परंतु सफलता दूर रहती है।

सन् 1959 में भी मिज़ोजन माउताम और तदुपरांत माउताम के आने के विषय में आश्वस्त थे। अतः दुर्भिक्ष विरोधी अभियान में बहुत पहले से जुट गये थे। स्थानीय नेतृत्व ने भी इस अनिवार्य आसन्न आपत्ति के विषय में शासन को सूचित कर दिया था ताकि वह दुर्भिक्ष से निपटने में असफल न हों। परंतु सरकार और जन-नेताओं ने इन चेतावनियों को अंधविश्वास मानकर उपेक्षित कर दिया और अंततः 1959 में जो होना था, वह हुआ। शासन ने अपनी भूल का अनुभव किया परंतु अब पश्चात्ताप के अतिरिक्त उसके हाथ में कुछ न था। समुचित आवागमन के साधनों के अभाव में स्थल मार्ग से मिज़ोरम भूमि में आपूर्ति असंभव थी। यद्यपि वायुमार्ग से खाद्य सामग्री उपलब्ध करायी गयी थी। परंतु उसका वितरण सुदूरवर्ती ग्रामीण अंचलों में असंभव था। भाषा, संस्कृति और परंपरागत रीति-रिवाजों के संरक्षण के नाम पर लागू की गयी सीमा प्रवेश रेखा इस समय

वरदान के स्थान पर अभिशाप सिद्ध हुई, जिसके कारण न केवल मिज़ोजन अपनी आदिम अवस्था से आगे बढ़ सके थे, वरन् मिज़ो भूमि आवागमन के संपर्क साधनों से भी शून्य थी। इन समस्त कठिनाइयों के बावजूद कुछ उत्साही मिज़ो युवा स्वयं-सेवकों के रूप में दुर्भिक्ष से भूखों मरते सुदूर ग्रामीण अंचलों के लोगों की जीवन-रक्षा हेतु खाद्य-सामग्री की पूर्ति और वितरण के लिए आगे आये। इस चुनौती-भरे दायित्व के लिए मिज़ो युवा—ललडेंगा के सभापतित्व में गठित 'दुर्भिक्ष सहायता फ्रंट' के सक्रिय सदस्य बनकर मिज़ो जनता की सेवा में जी-जान से जुट गये।

अन्य जनजातियों की तुलना में सर्वाधिक शिक्षित मिज़ोजनों के लिए सन् 1959 का माउताम राजनैतिक चेतना का कारण सिद्ध हुआ, साथ ही वे आगे नागा जाति के बलिदानों और तद्जनित वरदानों (उपलब्धियों) से भी अवगत थे ही। नागा विद्रोहियों की भी इन उपलब्धियों ने मिज़ो युवा वर्ग को आकर्षित किया। फलतः वे अपने भू-भाइयों के भाग्योद्धार के लिए कुछ कर मर-मिटने के लिए तैयार हो गये। दुर्भिक्ष सहायता समिति की सफलताओं ने उनमें यह विश्वास जगाया कि वे शासन से कहीं अधिक अपने भू-भाइयों का कल्याण कर सकते है। फलतः मिज़ो 'दुर्भिक्ष सहायता फ्रंट' को 'मिज़ो नेशनल फ्रंट' में सन् 1961 में परिवर्तित कर दिया गया। उस फ्रंट का उद्देश्य मिज़ो हिल्स के लिए स्वतंत्रता और प्रभुसंपन्नता प्राप्त कराना था।

वस्तुतः ऐसे दिग्भ्रमित मिज़ो युवाजनों का मूल उद्देश्य निज राज्य की स्थापना करना था, जिसमें चिन मूल के मिज़ो डिस्ट्रिक्ट मणिपुर, पाकिस्तान और बर्मा में रहनेवाले लोगों को सम्मिलित करने का विचार था। इस संदर्भ में बर्मा का उपेक्षा भाव, पाकिस्तान का पलायनवादी रुख देखकर उन्हें चिन राज्य स्थापना का स्वप्न अव्यावहारिक प्रतीत हुआ और उन्होंने स्वाधीनता अथवा स्वायत्तता प्राप्त मिज़ोरम राज्य तक अपने को सीमित कर लिया। मिज़ो नेशनल फ्रंट ने एक सैनिक संगठन भी खड़ा कर लिया, जो मिज़ो राष्ट्रीय सेवा के नाम से जाना गया और जिसके सर्वोच्च अधिकारी ललनुनमोइआ थे। वस्तुतः इन समस्त विद्रोही मिज़ो गतिविधियों के पीछे मिज़ो नेशनल फ्रंट के अध्यक्ष ललडेंगा की सूझबूझ ही कार्यरत थी। 1966 की फरवरी के अंतिम दिन मिज़ो नेशनल फ्रंट ने सरकार के विरुद्ध विद्रोह कर दिया और आइजोल तथा लुङलेइ के सरकारी कोषागार तथा अन्य कार्यालयों के साथ-साथ क्षेत्र के भीतरी भागों में भी आक्रमण किया। इन विद्रोही गतिविधियों से निबटने के लिए सरकार ने सुरक्षा दलों को भेजा जो छह मार्च को आइजोल और तेरह मार्च को लुङलेइ पहुंचे। निःसंदेह विद्रोहियों को सुरक्षा सेना ने दबा दिया था, फिर भी नेशनल फ्रंट के कुछ स्वयं-सेवियों ने सरकारी आदेशों का उल्लंघन और विद्रोही गतिविधियों को जारी

रखा। इस प्रकार की विद्रोही गतिविधियाँ पाक और बर्मी मिज़ो के सहयोग से 1968 तक जारी रही। फलतः पूरे क्षेत्र को अशांत घोषित कर दिया गया और सुरक्षा सेनाओं को प्रशासनिक अधिकारियों की सहायता करने और शांति स्थापित करने के आदेश दे दिये गये थे। इन्हीं परिस्थितियों में मिज़ो क्षेत्र को असम राज्य से पृथक् कर राज्य का दर्जा प्रदान कर दिया गया।

त्रिपुरा

पूर्वांचल के राज्यों में मणिपुर के बाद त्रिपुरा ही एक ऐसा राज्य है, जिसका राज्य के रूप में सदियों पुराना इतिहास है। स्वतंत्रता के पूर्व त्रिपुरा 1300 साल तक एक ही राजवंश के अधिकार में रहा है, इस राज्य के इतिहास का प्रामाणिक वर्णन 'राजमाता' नामक बंगला काव्य में सुरक्षित है।

इस काव्य पुस्तक के अनुसार त्रिपुरा का राजवंश ययाती राजा के पुत्र दुह्य से आरंभ हुआ था। किसी समय त्रिपुरा राज्य का विस्तार बंगाल में सुंदर बाँस से पूर्ण बर्मा तथा उत्तर में असम के कामरूप तक फैला हुआ था। सोलहवीं शताब्दी में तो यहाँ के वीर शासक ने मुगल साम्राज्य की सेना को परास्त कर सिलहट नोआखाली के अधिकांश भू-भाग को अपने अधीन कर लिया था।

सन् 1765 में ब्रिटिश ईस्ट इंडिया कंपनी ने बंगाल की दीवानी हथिया ली फलस्वरूप उसके कदम धीरे-धीरे इधर भी बढ़ने लगे और अंततः सन् 1808 का वह समय भी आ गया जबकि त्रिपुरा के राजाओं को अपने ही सिंहासन पर आसीन होते समय अंग्रेजी शासकों की अनुमति लेना अनिवार्य हो गया। इस प्रकार देश के दूरस्थ कोने में विद्यमान यह त्रिपुरा राज्य भी ब्रिटिश भारत की देशी रियासतों में से एक बन गया और यत्किंचित परिवर्तनों के साथ 15 अगस्त, 1947 तक यही स्थिति यथावत् रूप में चलती रही।

सन् 1947 में ब्रिटिश शासन ने देश को विभाजित कर दिया, तो त्रिपुरा के देशी राज्य का भारत में विलय हो गया और वह मणिपुर के समान ही 'सी' श्रेणी का राज्य बना। तत्कालीन 'सी' श्रेणी का त्रिपुरा राज्य विभाजन के दुष्परिणाम स्वरूप देश के अन्य भागों से अलग-थलग पड़ गया। असम के साथ थल मार्ग में न के बराबर संबंध रह गया। उस समय के पूर्वी पाकिस्तान (अब बंगलादेश) में से रेल तथा जलमार्ग द्वारा कलकत्ता एवं पश्चिम बंगाल के अन्य भागों का त्रिपुरा से संबंध रह गया। परंतु उसका उपयोग तत्कालीन पूर्वी पाकिस्तान (अब बंगलादेश) के मानवीय व्यवहार पर आधारित हो गया। इस परमुखापेक्षिता को दूर करने और अलग-थलग त्रिपुरा को देश के अन्य भागों से जोड़ने की दृष्टि से त्रिपुरा की राजधानी अगरतला को सड़क मार्ग और तदनंतर रेलमार्ग से असम के साथ जोड़ने की व्यवस्था की गयी। असम-अगरतला सड़क

मार्ग त्रिपुरा के लिए प्राण समान है। असम के कालीघाट रेलवे स्टेशन से त्रिपुरा के धर्मनगर स्टेशन को रेलमार्ग द्वारा जोड़ दिया गया है।

"राज्य पुनर्गठन आयोग" की संस्तुतियों को ध्यान में रखकर जब सन् 1956 में राज्यों का पुनर्गठन किया गया, तो त्रिपुरा संघ शासित क्षेत्र बनाया गया। और चीफ कमिश्नर के अधिकार में कर दिया गया। कालांतर में इसकी आवश्यकताओं और विकास को ध्यान में रखते हुए क्षेत्रीय परिषद् की स्थापना की गयी जो बाद में विधान सभा में परिवर्तित कर दी गयी। इसके साथ ही राज्य में मुख्यमंत्री और अन्य मंत्रियों की नियुक्तियां भी कर दी गयीं। अब चीफ कमिश्नर का स्थान उप-राज्यपाल ने कर दिया। जनवरी 1972 में त्रिपुरा को पूर्ण राज्य का स्तर भी प्रदान कर दिया गया।

पूर्वांचल के अन्य छोटे राज्यों की तरह यह त्रिपुरा राज्य भी असम, मेघालय, मणिपुर, नागालैंड, मिज़ोरम के राज्यपाल के अंतर्गत ही आता है। इन सभी राज्यों का उच्च न्यायालय भी एक है, जिसका मुख्यालय गुवाहाटी (असम) में है। पूर्वोत्तर राज्यों के विकास को गति प्रदान करने के लिए गठित की गयी सलाहकार परिषद् का त्रिपुरा राज्य भी एक सदस्य है।

मणिपुर

सन् 33 में जवीष्ठ नाम के मणिपुरी राजा ने मणिपुर को एक स्वायत्त राज्य की तरह सर्वप्रथम स्थापित किया था। इस प्रकार ईसा की प्रथम शताब्दी से ही मणिपुर एक अलग प्रदेश के रूप में किसी-न-किसी रूप में अस्तित्व में रहा है।

मणिपुर का इतिहास सैनिक गौरव से भरपूर रहा है, इसका श्रेय बहुत कुछ प्रदेश की प्राकृतिक रचना को भी रहा है। चारों ओर विद्यमान ऊँचे पर्वतों से सुरक्षित घाटियों और पहाड़ियों की समशीतोष्ण जयवायु में रहनेवाले मणिपुरी लोग संघर्षरत रहते हुए अपनी स्वाधीनता को सुरक्षित रख सके, तो इसका एक कारण यह भी है कि वे घुड़सवारी तथा बाण फेंकने में सिद्धहस्त रहे हैं। 19वीं शताब्दी में भारत के पूर्वांचल में जब अंग्रेजी शासन का सूत्रपात हुआ, तो मणिपुर भी इससे अछूता नहीं रह पाया। सन् 1820 में बर्मा के राजा ने मणिपुर पर आक्रमण करके वहाँ अपना आधिपत्य स्थापित कर लिया। गंबीरसिंह नाम के मणिपुरी सैनिक ने अंग्रेजों से सैनिक सहायता प्राप्त कर मणिपुर भूमि से बर्मा के सैनिकों को खदेड़ डाला और स्वतंत्र मणिपुर राज्य की पुनर्स्थापना कर ली। लेकिन अंग्रेजों से सैनिक सहायता लेने के परिणामस्वरूप मणिपुर में अंग्रेजी रेजिडेंट की व्यवस्था का सूत्रपात हुआ, जिसके कारण मणिपुर में अंग्रेजों के हस्तक्षेप का आरंभ हो गया।

अंतिम राजा के उत्तराधिकार के लिए दो दावेदारों के मध्य संघर्ष हुआ।

उनमें से जिसका पक्ष अंग्रेजों ने लिया, उसके विरुद्ध सन् 1891 में क्रांति हुई जिसके परिणामस्वरूप असम के अंग्रेज चीफ कमिश्नर और बहुत से अंग्रेज अधिकारियों को मौत के घाट उतार दिया गया। प्रतिक्रियास्वरूप मणिपुर में अपनी धाक जमाने के लिए अंग्रेजों ने मणिपुर पर भयंकर आक्रमण किया। परिणामस्वरूप स्वतंत्र मणिपुर राज्य का अस्तित्व सदा-सदा के लिए समाप्त हो गया। अब उसकी स्थिति भी भारत के अन्य रजवाड़ों की तरह बन गयी जो कि 15 अगस्त, 1947 की पूर्व बेला तक चलती रही।

स्वाधीन भारत में 15 अगस्त, 1947 ई० को सत्ता हस्तांतरण के बाद जिन राज्यों को पृथक् प्रशासनिक इकाई के रूप में मान्यता मिली, मणिपुर उनमें से एक था। 26 जनवरी, 1950 ई० को नवीन गणतंत्र भारत में राज्यों की चार श्रेणियाँ अस्तित्व में आयीं, जिनके अनुसार मणिपुर 'सी' श्रेणी का राज्य बना। सन् 1953-55 ई० के राज्य पुनर्गठन आयोग की संस्तुतियों के क्रियान्वयन स्वरूप मणिपुर को संघ शासित क्षेत्र का दर्जा प्रदान किया गया है। सन् 1963 में मणिपुर को सीमित मंत्रिमंडल भी प्रदान किया गया और अन्ततः जनवरी, 1972 में मणिपुर को पूर्ण राज्य बना दिया गया।

मणिपुर का अपना प्रांतीय शासन अलग है, लेकिन पूर्वोत्तर सीमा पर स्थित असम, मेघालय, त्रिपुरा, नागालैंड, अरुणाचल तथा मिज़ोरम के साथ इसका संपर्क बना रहे, इस उद्देश्य से इन सभी राज्यों और प्रदेशों का एक ही राज्यपाल है और एक ही उच्च न्यायालय भी। उच्च न्यायालय की एक खंडपीठ इंफाल में है, जिसका मुख्यालय गुवाहाटी (असम) में है। पूर्वांचल राज्यों और प्रदेशों के आर्थिक तथा सुरक्षा संबंधी समस्याओं का समाधान करने के लिए गठित की गयी 'पूर्वोत्तर परिषद्' का मणिपुर राज्य भी एक सदस्य है।

नागालैंड

मेघालय, मिज़ोरम आदि के समान ही नागालैंड का इतिहास भी अधिक पुराना नहीं है और दो दशक पूर्व यह भी अविभाजित वृहद् असम का एक जिला मात्र था। सन् 1824 में अंग्रेजों ने असम प्रांत का गठन किया। उस असम प्रांत के अंतर्गत ही प्रभावी शासन व्यवस्था का संचालन करने के लिए सन् 1881 में 'नागा पहाड़ी जिला' गठित किया गया। परिणामस्वरूप नागाओं ने नरमुंड शिकार परंपरा का परित्याग किया। गाँवों के पारस्परिक आक्रमण समाप्त हो गये, नागाजन शांतिपूर्वक जीवनयापन करने लगे। कृषि और व्यापार को अपनी जीविका का साधन स्वीकार करने लगे और इस नवगठित जिले की शासन व्यवस्था "अनुसूचित जिला अधिनियम, 1824" के अनुसार चलने लगा।

सन् 1919 के भारत सरकार अधिनियम ने गवर्नर-जनरल इन कांउसिल

को अधिकृत किया कि वह भारत के अंतर्गत किसी भी क्षेत्र को 'पिछड़ा क्षेत्र' घोषित कर सके। तद्नंतर साइमन कमीशन (सन् 1929-30) और उसके अनुसार सन् 1935 के भारत सरकार अधिनियम के आधार पर 1 अप्रैल, 1937 को नागा पहाड़ी जिला उत्तर-पूर्व सीमांत क्षेत्र लुशाइ पहाड़ी उत्तरी कछारी पहाड़ियाँ असम प्रांत के अंतर्गत ही पृथक् क्षेत्र घोषित कर दिये गये। फलतः गवर्नर की अनुमति के बिना कोई भी केंद्रीय अथवा प्रांतीय व्यवस्थापिका अधिनियम इन क्षेत्रों में प्रभावी नहीं हो सकता था।

ऐतिहासिक दृष्टि से इन क्षेत्रों के स्वतंत्र राज्य बनने की भूमिका यहीं से प्रारंभ हो चुकी थी।

सत्ता हस्तांतरण के बाद 15 अगस्त, 1947 को स्वतंत्र भारत में भी यही व्यवस्था स्वीकार की गयी परंतु अंतर यह आया कि गवर्नर के अधिकार मंत्रिमंडल में सन्निहित कर दिये गये, जिसे एक नया राजनैतिक विकास कह सकते हैं। सन् 1950 के भारत के नवीन संविधान में पृथक् और आंशिक पृथक् क्षेत्रों का स्थान अनुसूचित तथा जनजाति क्षेत्रों ने ले लिया। इस प्रकार प्रशासन की पुरातन व्यवस्थाएँ ही परिवर्तित और विकसित रूप में नवीन संविधान में स्वीकार कर ली गयीं--पुरातन व्यवस्था में केवल संरक्षण पर बल था, तो नूतन व्यवस्था में संरक्षण के साथ-साथ विकास पर भी बल दिया गया है। संविधान का छठवाँ अनुच्छेद एतद्विषयक प्रावधानों पर विशेष प्रकाश डालता है।

इस प्रशानिक व्यवस्था से पर्याप्तपूर्ण सन् 1918 में कोहिमा तथा मोकोकचंग में नागा क्लब का गठन हो चुका था। जनवरी, 1929 में कोहिमा में साइमन कमीशन को 'नागा क्लब' ने एक स्मरण पत्र दिया था, जिसमें किसी भी नयी सुधार योजना से नागा क्षेत्र को पृथक् रखने का निवेदन किया गया। इसी क्रम में अप्रैल, 1945 में सी० आर० पावसी ने 'नागा हिल्स डिस्ट्रिक्ट जनजाति परिषद्' की स्थापना की। मार्च, 1946 में काउंसिल ने 'वोखा' की बैठक में अपना नया नाम कर लिया—'नाग राष्ट्रीय परिषद्' जिसने कुछ काल तक 'नागा नेशन' नाम का पत्र भी प्रकाशित किया।

जून, 1947 में परिषद् ने नागा हिल्स को भारत से पृथक् कर स्वतंत्र राज्य की घोषणा कर दी। फलतः असम के राज्यपाल सर अकबर हैदरी ने भारत के पहाड़ी द्वारा कोहिमा की यात्रा की, जिसके परिणामस्वरूप 9-सूत्री समझौता हो गया।

सन् 1952 के संसद तथा विधान सभा के सार्वजनिक चुनावों में नागाओं ने मतदान न करके बहिष्कार और असहयोग का मार्ग पकड़ा। मार्च, 1956 को नागा संघीय सरकार की स्थापना कर दी गयी। इसी महीने की 22 तारीख को रेंगमा गाँव—फेंसिनूय में अपना राष्ट्रीय ध्वज फहराया। नागा सेना का गठन कर

लिया गया। दूसरे महायुद्ध की शिकार हेतु छिपायी गयी युद्ध सामग्री को एकत्रित किया गया। अन्य आवश्यक युद्ध साधनों को मणिपुर आदि से जुटाने का प्रयत्न किया गया। भारतीय पुलिस चौकियों पर छापा मारकर अस्त्र-शस्त्र लूटे गये। कोन्याक नागा पहले से ही बंदूक निर्माण में लगे हुए थे। अब वे तीन इंची मोरटार बनाने लगे, ताकि छीना गया तीन इंची मोरटारों का गोला-बारूद भी उपयोग में लाया जा सके। नागा दल दुकान लूटने, शिक्षकों का अपहरण करने, रेलवे स्टेशनों और रेलगाड़ियों को लूटने में संलग्न हो गये। इतना होने पर भी भारतीय सेना ने स्थानीय प्रशासन को सहयोग देने की नीति ही अपनायी, संघर्ष और जवाबी कार्यवाही नहीं की।

जुलाई, 1960 में 15 सदस्यीय नागा प्रतिनिधि-मंडल दिल्ली में विदेश मंत्रालय के अधिकारियों से मिला और मोकोकचंग कन्वेंशन में स्वीकृत 16-सूत्रीय स्मरण पत्र प्रस्तुत किया। भारतीय संविधान की सीमाओं के अंतर्गत उसे पर्याप्त विचार-विमर्श के बाद स्वीकार कर प्रधानमंत्री की सहमति के लिए भेजा गया। 1 अगस्त, 1960 को भारतीय संसद में अंतिम निर्णय की घोषणा कर दी गयी। तदनंतर संवैधानिक औपचारिकताओं की पूर्ति करते हुए 1 दिसंबर, 1963 से नागालैंड को पूर्ण राज्य का दर्जा प्रदान कर दिया गया।

अरुणाचल

सन् 1826 में बर्मी शासन को समाप्त कर निचले असम के शासन की बागडोर अंग्रेजों ने अपने हाथ में ले लीं। और सदिया तथा असम के अतिरिक्त ऊपरी असम का शासन अंतिम अहोम राजा पुरंदर के हाथ में रहा। दुर्योगवश अहोम राजा पुरंदर सिंह बर्मी आक्रमण का मुकाबला करने में असमर्थ साबित हुए और पूरे क्षेत्र में अव्यवस्था फैल गयी। इस स्थिति का राजनैतिक लाभ उठाते हुए सन् 1835 ई० में अंग्रेजों ने संपूर्ण असम का नियंत्रण स्वयं संभाल लिया और उसे ब्रिटिश भारत के अंतर्गत 'नान रेगुलेशन प्राविंस' बना दिया। पहले तो इस क्षेत्र के संबंध में परिचय प्राप्त करने मात्र से संतोष रखते हुए अंग्रेज क्रमशः अपनी स्थिति को सुदृढ़ बनाने में लगे रहे और अंततः प्रशासनिक कदम उठाने लगे। इसी क्रम में उन्होंने 1873 के पूर्व बंगाल रेगुलेशन प्रथम के द्वारा सीमा प्रवेश रेखा (इनर लाइन्स) का सूत्रपात किया, जिसके आगे बढ़ने के लिए शासन से अनुमति लेना अनिवार्य हो गया। परिणामस्वरूप इसके बाहर की रेखा अंतर्राष्ट्रीय सीमा समझी जाने लगी। यह बाहरी रेखा प्रशासनिक सुविधार्थ थी। इसका उतरी भू-भाग भारतीय ब्रिटिश साम्राज्य का अभिन्न अंग था। इस प्रवेश रेखा में समय-समय पर समकालीन शासन की सूचनाओं द्वारा परिवर्तन भी होते रहे।

इसी बीच शासन ने विशेष प्रशासनिक प्रयासों द्वारा उत्तर पूर्वांचल भारत के जनजातीय समुदायों के विषय में अधिकाधिक ज्ञान प्राप्त करने और उनसे अच्छे संबंध विकसित करने की पहल की। इस प्रकार वर्ष 1881-82 में राजनैतिक अधिकारियों के पदों का सृजन किया गया, जिनका दायित्व सीमा क्षेत्र रेगुलेशंस, 1880 के अंतर्गत इन जनजातीय क्षेत्रों की देखभाल करते रहना था।

सितंबर, 1914 में यह उत्तर-पूर्व जनजातीय क्षेत्र तीन सीमा क्षेत्रों में विभाजित कर दिया गया जो इस प्रकार थे :

(1) उत्तर-पूर्व सीमा क्षेत्र का केंद्रीय और पूर्वी भाग। जिसके अंतर्गत अबोर, मिरि और मिशिङ सम्मिलित थे।

(2) पश्चिमी भाग (उत्तरी-पूर्वी क्षेत्र का) जिसमें मोबपा, अका, डेफला तथा मिरि और अबोर के क्षेत्रांश।

(3) लखीमपुर सीमा क्षेत्र : मार्च, 1919 में असम के मुख्यायुक्त श्रीयुत बिस्टनबेल की संस्तुति के आधार पर पश्चिमी भाग का नामकरण बलिपाड़ा सीमा क्षेत्र कर दिया गया। इसी क्रम में केंद्रीय पूर्वी भाग को सदिया सीमा क्षेत्र कहा जाने लगा।

तीन जनवरी, 1921 को जारी की गयी सूचना के अनुसार गवर्नर-इन-कौंसिल अथवा गवर्नर-जनरल इन कौंसिल के निर्देशानुसार ही उस क्षेत्र की शासन व्यवस्था संचालित होनी शुरू हुई। 1935 के गवर्नमेंट आफ इंडिया एक्ट के अनुसार प्रांतीय स्वायत्तता का शासन में सूत्रपात हुआ। परंतु ये जनजातीय क्षेत्र पूर्णतः अथवा अंशतः इस एक्ट के बाहर रहे। 1943 में तिरप सीमांत क्षेत्र नाम के डिविजन का लखीमपुर और सदिया सीमांत क्षेत्र को अबोर हिल्स और मिशिङ हिल्स में विभाजित कर दिया गया। सन् 1954 में इस पूरे क्षेत्र का नाम 'नार्थ ईस्ट फ्रंटियर एजेंसी' रख दिया गया। जो कि 'नेफा' के रूप में अधिक प्रचलित रहा। इस नेफा क्षेत्र की शुरुआत कमेड, सुबानश्री, सियाङ, लोहित, तिरप और तुइंसाङ नाम के छह सीमांत डिविजनों से हुई। 5 जनवरी, 1954 को तुइंसाङ सीमांत डिविजन नागा हिल्स जिले में मिला दिया गया है, और इस प्रकार नेफा में केवल पाँच सीमांत डिविजन रह गये। 1964 से ये पाँचों सीमांत डिविजनों को जिले की संज्ञा दे दी गयी। वैधानिक रूप से नेफा असम का भाग था जो कि विशेष रूप से असम के गवर्नर द्वारा भारत के राष्ट्रपति के एजेंट के रूप में प्रशासित होता था। अंततः 20 जनवरी, 1972 से नेफा को भारत सरकार के केंद्रीय क्षेत्र का दर्जा प्रदान कर दिया गया। और इटानगर को इसका मुख्यालय बना दिया गया है। पहले यह क्षेत्र मुख्यायुक्त के माध्यम से भारत के राष्ट्रपति द्वारा शासित होता था। कुछ समय

पूर्व केंद्रीय मंत्री-परिषद के निर्णयानुसार यहाँ विधान सभा और मंत्री-परिषद का गठन भी कर दिया गया है।

सिक्किम

भारतवर्ष के पूर्वोत्तर भू-भाग से लेपचा लोगों के आगमन से लगभग तेरहवीं शताब्दी से सिक्किम का इतिहास शुरू होता है। राज्य के रूप में सिक्किम की स्थापना सन् 1642 में हुई थी। इस वर्ष तीन लामा परस्पर सहमति से नामग्याल वंश के कुंतशोंग नामक व्यक्ति को सिक्किम का राजा घोषित करने को तैयार हो गये। जिसका पद चोग्याल रखा गया। चोग्याल का अर्थ होता है, धर्मराज। सिक्किम पर तिब्बत, नेपाल और भूटान ने कई बार आक्रमण कर इसका बहुत-सा भू-भाग अपने अधीन कर लिया। अभी हाल तक तिब्बत में स्थित चुंबी घाटी किसी समय सिक्किम राज्य की सीमा में आती थी। पूर्व नेपाल में स्थित या वर्तमान लान क्षेत्र और भूटान कीहा नामक घाटी मूल रूप से सिक्किम के अंतर्गत ही थी।

अठारहवीं सदी में अंग्रेजी सत्ता ने भारत में प्रवेश प्रारंभ किया और इसी तारतम्य में सन् 1835 में अंग्रेजों ने अपने रोगी कर्मचारियों को स्वास्थप्रद वायु-सेवन कराने के लिए सिक्किम के चोग्यालों से दार्जिलिंग जिला उपहार रूप में प्राप्त कर लिया। कालक्रम से सिक्किम ने अंग्रेजी शासन का संरक्षण स्वीकार कर लिया। फलस्वरूप सन् 1838 में गंगटोक में अंग्रेज रेजिडेंट की नियुक्ति कर दी गयी। अब बहुत सीमा तक सिक्किम भारत देश के अन्य राजघरानों की श्रेणी में आ चुका था। सिक्किम के चोग्याल महाराजा के रूप में जाने जाते थे। देशी राजाओं की संस्था नरेश मंडल (चेंबर आफ प्रिंसेस) भी सिक्किम का सदस्य बन गया। 15 अगस्त, 1947 को भारत स्वतंत्र हुआ तो भारत सरकार ने सिक्किम के साथ सर्वप्रथम यथास्थिति संधि (स्टेंड स्टिल एग्रीमेंट) की, ताकि वहाँ की परिस्थिति में भारत के राजनैतिक परिवर्तन से कोई रुकावट न पड़ने पाये। उसके पश्चात् 5 दिसंबर, 1950 को राष्ट्रपति की ओर से भारत के राजकीय अधिकारी और सिक्किम के महाराजा के मध्य संधियाँ हुईं, जिनके अनुसार सिक्किम ने भारतीय संरक्षण स्वीकार किया। फलस्वरूप सिक्किम भारत का संरक्षित राज्य बन गया। इन संधियों के अनुसार सिक्किम के विदेशी मामले, रक्षा एवं संचार व्यवस्था भारत सरकार के हाथों में आ गयी। सिक्किम की सुरक्षा और एकता का उत्तरदायित्व भी भारतवर्ष के कंधों पर आ गया।

जब भारत स्वतंत्र हुआ था तभी से सिक्किम में लोकतंत्र की माँग उठने लगी थी परंतु सन् 1949 में राज्य के कई नेताओं के पकड़े जाने पर राजनैतिक स्थिति विकराल रूप धारण करने लगी। जनता ने गंगटोक की ओर प्रस्थान किया।

चोग्याल के महल को घेर लिया और चोग्याल को संवैधानिक प्रमुख बनाकर सिक्किम में उत्तरदायी सरकार के स्थापना की माँग करने लगे। परिणामस्वरूप ऐसी सरकार बनी, परंतु अधिक समय तक न चल सकी। जनमानस असंतुष्ट रहा, मतभेद समाप्त न हुए। चोग्याल ने राज्य परिषद नाम की सलाहकार संस्था का गठन किया, जिसमें निर्वाचित और मनोनीत दोनों प्रकार के सदस्य सम्मिलित थे। बहुसंख्यक नेपाली और अल्पसंख्यक लेपचा, भोटिया आदि के बीच संतुलन बनाये रखने के लिये चुनाव जातिगत आधार पर पृथक् मतदान पद्धति से स्वीकार किए गये। परंतु जनमानस फिर भी असंतुष्ट रहा।

सन् 1972 के जून में भारतीय दीवान निवृत्त हुए तो चोग्याल ने अन्य भारतीय को दीवान नियुक्त न करके शासन की सारी बागडोर अपने हाथ में ले ली। फरवरी, सन् 1973 में राज्य परिषद के चुनाव हुए, जिसमें चोग्याल समर्थक राष्ट्रीय पक्ष को 9 तथा 'जनता कांग्रेस' तथा सिक्किम राष्ट्रीय कांग्रेस को केवल 7 स्थान प्राप्त हुए। 27 मार्च को आपत्तिजनक भाषण देने के अपराध में जनता कांग्रेस के प्रमुख को सरकार ने गिरफ्तार कर लिया। प्रतिक्रियास्वरूप राज्य के समस्त भागों से जनमानस गंगटोक की ओर उमड़ पड़ा। जनता कांग्रेस और राष्ट्रीय कांग्रेस की संयुक्त संघर्ष समिति ने चोग्याल शासन के विरुद्ध प्रचंड आंदोलन किया। भयभीत चोग्याल ने भारत सरकार से सहायता माँगी और परिणामस्वरूप सिक्किम में एक भारतीय अधिकारी मुख्य शासक के रूप में नियुक्त हुआ, जिसे जनता कांग्रेस और राष्ट्रीय कांग्रेस के संयुक्त समिति ने अनुमोदित किया। सिक्किम के भारत के साथ संबंध सुदृढ़ हैं और भारत के संरक्षण में रहते हुए सिक्किम लोकतंत्र की ओर अग्रसर रहे, इस पर दोनों पक्ष सहमत हुए।

चोग्याल और जन-प्रतिनिधि एक बार फिर मैदान में उतर पड़े। इस बार जन-प्रतिनिधि सिक्किम राज्य की पूर्ण रूप से भारत में मिलाने की माँग कर रहे थे। इस माँग पर समस्त दल एक हो गये। 10 अप्रैल, 1975 को राज्य विधान सभा ने चोग्याल संस्था को समाप्त कर सिक्किम को भारतवर्ष में संघ क्षेत्र के रूप में पूर्ण राज्य का दर्जा दिलाने के लिए प्रस्ताव रखा और इसी वर्ष 14 अप्रैल को जनमत संग्रह में सिक्किम की जनता ने बहुमत विलय के पक्ष में दिया। 26 अप्रैल, 1975 को भारत की संसद में संवैधानिक तौर पर सिक्किम को अपना 22वाँ राज्य घोषित किया।

असम

असम का प्राचीन नाम कामरूप और प्रागज्योतिषपुर भी रहा है। कामरूप के सीमोल्लेख के आधार पर कह सकते हैं कि महाभारत के एक प्रतिभागी शैलाधि-

पति भगदत्त के राज्य में आज का समस्त असम समेत उत्तरांचल की सारी पहाड़ी भूमि सम्मिलित थी। इस प्रकार इस राज्य की सीमा कश्मीर से लगी हुई थी। कश्मीर के साथ कामरूप के वैवाहिक संबंध भी थे। कल्हण की राजतरंगिणी इस तथ्य की प्रतिपादक है।

इस प्रदेश से ही वाणासुर, नरकासुर, घटोत्कच, बभ्रुवाहन आदि अनेक पौराणिक असुर अथवा किरातजात संबंधित रहे हैं। यादवराज श्रीकृष्ण की पत्नी रुक्मिणी की जन्मस्थली यही असम प्रदेश समझा जाता है। उषा, चित्रलेखा, हिडिंबा, चित्रांगदा आदि पौराणिक नारियों की मातृभूमि भी इसी कामरूप राज्य को माना जाता है।

भगदत्त के वंशज भास्कर वर्मा स्थाणीश्वर (वर्तमान थानेश्वर) के शासक हर्षवर्धन के समकालीन और मित्र थे। भास्कर वर्मा का यह असम राज्य वर्तमान बिहार तक फैला हुआ था। भास्कर वर्मा की राज सभा में प्रसिद्ध चीनी यात्री ह्वेनसांग बहुत दिनों तक रहा था और उसने तत्कालीन कामरूप के धर्म, समाज और भाषा पर अपने यात्रा वर्णनों में पर्याप्त प्रकाश डाला है।

महाराज आरिमत्त के शासन काल तक इस प्रदेश में असुर और हिंदुओं का राज्य चलता रहा। हिंदू शासन के सांध्यकाल में यह राज्य पूर्व में आहोम वंश, पश्चिम में पाल वंश और दक्षिण में कछारी वंश में राजाओं के राज्य में विभाजित हो गया।

असम के किरातीय अथवा हिंदू राज्य में जब पारिवारिक संघर्ष चला तो 1228 ई० में इस भू-भाग पर शान-देशीय शासक का बीज हो गये। इसी समय पाल वंशीय शासन को मुसलमानों ने समाप्त कर दिया और वहाँ कोच वंश का राज्य स्थापित हो गया। फलत: कामरूप राज्य के पूर्व और पश्चिम में दो महान शासक जातियाँ फल-फूल उठीं, जिन्होंने असम में स्वर्ण-युग के स्वप्न को भंग कर दिया।

भारतवर्ष पर भवन शासन स्थापित हो चुका था और बंगाल उनके आधिपत्य में आ चुका था। समय गुजरने के साथ क्रोच राज्य का अधिकांश भू-भाग भी उनके राज्य में समाहित हो चुका था। परिणामस्वरूप अब भवन शासकों की गृद्ध दृष्टि आहोम शासन पर टिक गयी। उन्हें यह सहन न हो सका कि एक छोटा सा राज्य उनके सामने स्वतंत्र बना रहे। फलत: भवन शासक आक्रमण पर आक्रमण करने लगे। परंतु असम के वीर पुत्र लाचित बरफुकन ने अंतिम बार मुगल सेनाओं को ऐसा छकाया कि उन्हें असम की ओर आँखें न उठाने का संकल्प करना पड़ा।

इस तरह असम 19वीं सदी तक अपनी स्वतंत्रता की रक्षा करता रहा। आहोम राजा शिवसिंह के पश्चात् यहाँ एक धार्मिक संघर्ष ने जन्म लिया और वह

लगभग डेढ़ दशक तक चलता रहा, जिसके कारण न केवल राज सत्ता समाप्त हो गयी, वरन् सारा असम क्षत-विक्षत हो गया। असंख्य लोग बेघरबार हो गये। नौकरशाही में कलह पड़ गयी। अंततः गुवाहाटी अंचल के शासक बदनचंद राज विपत्ति के कारण बरफुकन ब्रह्मदेश को भाग गये। असम देश और उसके राजा विपत्ति में हैं के आधार पर उन्होंने सैन्य सहायता माँगी। देश में संघर्ष शुरू हो गया। अनेक वर्षों तक अशांति कायम रही और अंततः 'असम के उद्धार' की आड़ में ईस्ट इंडिया कंपनी की सेनाएँ इस क्षेत्र में घुस पड़ीं और पूरे असम को अपनी जकड़ में ले लिया।

सन् 1826 में असम में अंग्रेज शासन का सूत्रपात हुआ, जिसने 1835 ई० तक सारे असम को अपने अधीन कर लिया। स्वाधीनता प्राप्त करने के लिए प्रयत्नरत हुए असम वीर पियलिफुकन को फाँसी के तख्ते पर लटका दिया गया। 1857 के प्रथम स्वाधीनता संग्राम काल में अनेक स्वतंत्रता सेनानियों के साथ-साथ असम के अंतिम सम्राट के प्रधानमंत्री मणिराम देवान को भी प्राण-दंड दिया गया और इस प्रकार भारत के साथ-साथ असम भी पराधीनता की बेड़ियों में जकड़ गया।

राष्ट्रपिता महात्मा गांधी के नेतृत्व में देश को स्वाधीन कराने के लिए अहिंसापूर्ण असहयोग आंदोलन ने जोर पकड़ा। असम प्रांत के समकालीन तरुण रामफुकन, नवीनचंद्र बरदलै, गोपीनाथ बरदलै आदि राष्ट्रभक्त नेताओं ने गांधी मार्ग का अनुसरण किया। फलतः असम असम न रहकर भारत का एक अंग बन गया और स्वाधीनता संघर्ष में सारे देश के साथ कंधे से कंधा लड़ाकर चलने लगा। सन् 1942 की जनक्रांति में इसके कुशल कोवर, कनकलता मुकुंद काकति, भोगेश्वरी फुकननी जैसे साहसी पुत्र-पुत्रियाँ बलिदानी बन गये। अंततः सारे देश के साथ असम भी 15 अगस्त, 1947 को भारत के एक अंग रूप में स्वाधीनता की साँस लेने में सफल हुआ।

26 जनवरी, 1950 को भारतवर्ष में नये संविधान को स्वीकार किया गया। नवीन संविधान के अनुसार संपूर्ण भारत में चार स्तर के राज्य बने। जिसके अनुसार असम 'ए' श्रेणी के राज्यों में रखा गया और गवर्नर (राज्यपाल) उसका शीर्ष अधिकारी माना गया। राज्य की इस गठन व्यवस्था में भौगोलिक समीपता, भाषिक समता और सांस्कृतिक एकरूपता मुख्य आधार स्वीकार की गयी। इसी आधार पर असम राज्य में नागा हिल्स जिला(आज का नागालैंड राज्य), लुशाइ हिल्स जिला (वर्तमान मिज़ोरम राज्य), खासी जयंतिया हिल्स (वर्तमान मेघालय राज्य) सम्मिलित कर दिये गये।

सन् 1953 में कजल अली की अध्यक्षता में तीन सदस्यीय राज्य पुनर्गठन आयोग नियुक्त हुआ; जिसके अन्य दो सदस्य सर्वश्री हृदयनाथ कुंजरू और के०

एम० पनिकर थे। अक्टूबर, 1955 में राज्य पुनर्गठन संबंधी अपनी आख्या प्रस्तुत की। इस आख्या ने राज्य पुनर्गठन के निम्नलिखित निदेशक सिद्धांत संस्तुत किये :

(1) देश की एकता एवं सुरक्षा का संरक्षण।
(2) भाषिक एवं सांस्कृतिक समरूपता।
(3) वित्तीय आर्थिक एवं प्रशासनिक सुविधा।
(4) राष्ट्रीय योजनाओं का सफल क्रियान्वयन।

साथ ही राज्य पुनर्गठन आयोग ने यह भी संस्तुत किया कि 'बी' श्रेणी के राज्य 'ए' श्रेणी के राज्यों के समकक्ष माने जायें और राजप्रमुखों के पद समाप्त कर दिये जायें। आयोग ने यह भी संस्तुत किया कि 'सी' श्रेणी के राज्य या तो पड़ोसी राज्यों में मिला दिये जायें या फिर सुरक्षा तथा अन्य प्रत्यक्ष कारणों को ध्यान में रखते हुए उन्हें पूर्व की तरह केंद्र शासित राज्य रखा जाये।

इस प्रकार असम राज्य उक्त संस्तुतियों से प्रभावित होने लगा और 16 अगस्त, 1960 को प्रधानमंत्री पंडित जवाहरलाल नेहरू ने लोकसभा में 16वें राज्य नागालैंड के निर्माण संबंधी बिल को लोक सभा में प्रस्तुत करने की घोषणा की और अंततः 1 दिसंबर, 1963 को कोहिमा में उन्होंने स्वयं इस राज्य का उद्‌घाटन कर दिया। इस प्रकार असम से नागालैंड पृथक कर दिया गया।

उक्त संस्तुतियों से प्रेरित होकर मिज़ो विद्रोहियों की बढ़ती माँग के परिप्रेक्ष्य में सन् 1972 में भारत सरकार ने मिज़ोरम राज्य की स्थापना को स्वीकार कर उसके पृथक अस्तित्व की घोषणा कर दी। इसी प्रकार खासी जाति के पृथक राज्य की बढ़ती हुई माँग को भारत सरकार ने अंततः स्वीकार कर लिया। फलतः सन् 1975 में खासी जयंतिया हिल्स जिले को पूर्ण राज्य का दर्जा प्रदान कर दिया गया। इस प्रकार 15 अगस्त, 1947 के अविभाजित वृहत्तर असम से नागालैंड, मिज़ोरम और मेघालय राज्य कालक्रम से पृथक होते गये और तत्कालीन असम सिमटते-सिमटते आज के राजनीतिक स्वरूप में आ गया।

मेघालय

अविभाजित असम के खासी और गारो जिलों का नवगठित राज्य ही मेघालय है। मेघालय क्षेत्र विश्व में सर्वाधिक वर्षा के लिए प्रख्यात है। दूसरे शब्दों में पूरा क्षेत्र बादलों से घिरा रहता है। अपने इस प्राकृतिक गुण के कारण ही इस राज्य ने मेघालय नाम पाया। चेरापूंजी इसी राज्य में स्थित है। भूतपूर्व असम के अंग रूप में ही इसके कुछ गणमान्य नेताओं ने सांस्कृतिक राजधानी तुरा शहर में सन् 1954 में अलग पर्वतीय प्रदेश बनाने का प्रस्ताव किया। राज्य पुनर्गठन आयोग

ने अपनी आख्या में पृथक पर्वतीय राज्य की स्थापना के विरुद्ध टिप्पणी देते हुए कहा कि इस प्रकार की प्रवृत्ति से आदिम जातियों में पृथकता की भावना को बल मिलेगा, जो इनके स्वयं के हित में न होगी।

खासी और गारो नेताओं को इससे धक्का तो लगा, परंतु वे निराश न हुए और अपने प्रस्ताव के समर्थन में शांतिपूर्ण अभियान चलाते रहे। इसी बीच सन् 1960 में असम सरकार असमिया भाषा को राज्य की सरकारी भाषा बनाने के लिए विधान सभा में बिल ले आयी। यद्यपि इस बिल का मंतव्य राज्य में बसे बंगालियों को असमिया की अस्मिता स्वीकार कराना था, परंतु पर्वतीय जातियों ने आशा के विपरीत यह अनुभव किया कि असमिया को उन पर लादने का यह एक षड्यंत्र है। गारो नेता श्री विलियमसन संगमा ने असम मंत्रिमंडल सदस्यता से अपना त्याग पत्र दे दिया। पर्वतीय नेताओं की शिलांग में एक बैठक आयोजित की गयी, जिसमें सभी राजनैतिक दलों के नेता सम्मिलित हो गये। परिणामस्वरूप सर्वदलीय पर्वतीय सम्मेलन (आल पार्टी हिल्स लीडर्स) का शुभारंभ हुआ, जिसने आगे आने वाले समय में पृथक पर्वतीय राज्य आंदोलन को अपना नेतृत्व दिया।

अंततः सितंबर, 1968 में केंद्र सरकार ने असम राज्य के गारो और खासी जिलों को स्वायत्त राज्य बनाने का निर्णय घोषित किया। आवश्यक कार्यवाही करने के पश्चात् 2 अप्रैल, 1970 में 'मेघालय पर्वतीय राज्य' के नाम से असम में उपराज्य के रूप में अस्तित्व में आया। असम और मेघालय की संयुक्त राजधानी शिलांग में प्रधानमंत्री श्रीमती इंदिरा गाँधी ने इस नवोदित उपराज्य का उद्घाटन किया। इस उपराज्य को ही 20 जनवरी, 1972 को मेघालय नाम से पूर्ण राज्य बना दिया गया। परंतु राज्यपाल, उच्च न्यायालय, लोकसेवा आयोग, असम और मेघालय के एक ही रखे गये।

नवीन व्यवस्था में असम, मेघालय, मणिपुर, त्रिपुरा, नागालैंड राज्यों तथा अरुणाचल, मिज़ोरम संघ क्षेत्रों के एक ही राज्यपाल होते हैं। इन पूर्ण दर्जा प्राप्त राज्यों और संघ क्षेत्रों के लिए राज्यपाल की अध्यक्षता में गठित 'पूर्वोत्तर परिषद' आर्थिक बिकास के कार्यक्रमों पर विचार और उनका क्रियान्वयन करती है। राज्यों के मुख्यमंत्री इस परिषद के पदेन सदस्य होते हैं।

(ग) पूर्वांचलीय प्रदेशों की सामाजिक स्थितियाँ

किसी भी अंचल की सामाजिक और सांस्कृतिक गतिविधियाँ उस अंचल के समाज के गठन पर निर्भर रहती हैं। प्रकारांतर से उस समाज के जन-समुदाय का निर्माण करने वाली विभिन्न नस्लों या प्रजातियों (रेसेस) उनके विशिष्ट गुण, आकाक्षाएँ,

उनकी जातिगत अस्मिता, संचेतना, निष्ठा और उनके पारस्परिक संबंध, उनके धर्म और तत्त्व संबंधी विश्वास एवं रीति-रिवाज, उनकी भाषाएँ और भाषिक संस्कृति, लोक विश्वास और साहित्य आदि ही किसी अंचल की सामाजिक और सांस्कृतिक गतिविधियों को प्रभावित किया करते हैं। इस दृष्टि से हम पूर्वांचल की संज्ञा से संबोधित होने वाले आठ राज्य—मिज़ोरम, त्रिपुरा, मणिपुर, नागालैंड, अरुणाचल, असम, मेघालय की सामाजिक और सांस्कृतिक गतिविधियों का अध्ययन करने पर पाते हैं कि इनमें कुछ ऐसी विलक्षणताएँ, जो देश की मूल धारा में शायद ही देखने को मिलती हों।

देश की मूल धारा की तुलना में पूर्वांचल भौगोलिक और प्राकृतिक संपदा की दृष्टि से सर्वथा अनोखा ही है। यह अंचल सदियों से विभिन्न प्रकार के नस्ल या प्रजाति, धर्म, संस्कृति एवं भाषाओं का संगम स्थल रहा है। जिन्होंने इसकी विलक्षणता को और पुख्ता बनाया है। सिलिगुरी के पास एक कोण से मुख्य भाग मुख्य भू-भाग से जुड़ा हुआ त्रिभुजाकार इस भू-खंड का पूरा हिस्सा भूटान, तिब्बत, चीन, बर्मा और बंगलादेश से घिरा हुआ है। इस कारण यह विशेष सामरिक महत्त्व भी रखता है। देश के 2,55,028 वर्ग किलोमीटर क्षेत्रफल में फैले इस भू-भाग में 2,66,09,085 लोग रहते हैं। राज्यवार क्षेत्रफल 1971 और 1981 का आबादी का विवरण तथा एक दशक में आबादी में हुई वृद्धि के प्रतिशत आदि का विवरण नीचे दिया गया है।

आबादी में हुई वृद्धि के प्रतिशत आदि का विवरण

राज्य	क्षेत्रफल	आबादी (1971)	आबादी (1981)	प्रतिशत (वृद्धि का)
मिज़ोरम	21087	382390	487174	46-56
त्रिपुरा	10477	1556342	2060189	32-37
मणिपुर	22347	1072753	1433691	33-64
नागालैंड	16527	516449	773281	49-73
अरुणाचल	83578	467511	628050	34-32
असम	78523	14957542	19902826	33-06
मेघालय	22489	1011699	1323874	30-85
योग	255028	19964686	26609085	33-61

नोट : असम की 1981 में जनगणना नहीं हुई। असम से संबंधित जनगणना के आँकड़े जनगणना कार्यालय गणना के द्वारा अनुमान के आधार पर दिए गए हैं।

पूर्वांचल के इस पौने तीन करोड़ की आबादी में आर्य और द्रविड़ के अतिरिक्त मंगोल प्रजाति से संबंधित अनेक उपजातियाँ और आस्ट्रिय प्रजाति से संबंधित मोठ ख्मेर जाति के लोग सम्मिलित हैं।

(1) पूर्वांचल की नस्लें या प्रजातियाँ और उनकी प्रजातिगत गतिविधियाँ

मानव-शास्त्री विश्व की अधिकांश जनजातियों के आचार-विचार, धार्मिक विश्वास और संस्कृतियों के अध्ययन में जुटे हुए हैं। भारतवर्ष के मानव-शास्त्री सर्वेक्षण विभाग ने अन्य अंचलों के साथ-साथ पूर्वांचल की कुछ जनजातियों का भी अध्ययन प्रस्तुत किया है। मानव-शास्त्र की शाखा के विकास होने के पहले तक मानव-शास्त्रीय यह समझते थे कि भौतिक मानव-शास्त्रीय लक्षण जैसे नस्ल, खोपड़ी, नाक-नक्श का आकार-प्रकार, खून के प्रकार आदि जैसे विभेदक तत्त्व होते हैं, जो जातिगत अस्मिता के मूल आधार बनते हैं। लेकिन बाद में यह देखा गया है कि एक ही नस्ल या समान शरीर रचना से संबंध रखते हुए भी लोगों में भिन्न-भिन्न धर्म एवं भाषाएँ विद्यमान हैं। ऐसी स्थिति में यह कहना अब मुश्किल हो गया है कि अमुक नस्ल या शरीर रचना से संबंधित लोग अमुक धर्म के अनुयायी होते हैं अथवा अमुक आचार-विचार के मानने वाले होते हैं अथवा अमुक भाषा से संबंधित भाषाएँ बोला करते हैं। इस कारण से ऊपर गिनाये गये भौतिक मानव-शास्त्रीय लक्षणों की प्रामाणिकता अब अस्वीकृत की जाने लगी है। वास्तव में विभेदक तत्त्व होते हैं—संस्कृति के विशेष अभिलक्षण। संस्कृति के यह विशेष अभिलक्षण अथवा घटक होते हैं—भाषा, लोक कला, रीति-रिवाज, धार्मिक अनुष्ठान, व्यवहार के प्रतिमान, आचार-विचार, आदि-आदि।

एक ही मूल पुरुष के विकसित होने का विश्वास भी जनजातियों को सांस्कृतिक एकता के सूत्र में बाँधने में बहुत बड़ा रोल अदा करता है। पूर्वांचल की इन जनजातियों की लोककथाएँ ऐसे विश्वासों से भरी पड़ी हैं। संस्कृति के ऊपर बताये गये अटल घटकों एवं एक ही मूल पुरुष से विकसित होने के विश्वास के वैशिष्ट्य से जातिगत विभेदकता परखी जा सकती है। इन जातिगत विभेदकताओं के आधार पर ही विभिन्न जातियों की गतिविधियाँ क्रियाशील रहती हैं और उनमें जातिगत संचेतना जाग्रत होती रहती है।

इस अंचल में प्रभावकारी या विकसित बहुसंख्यक आर्य समुदाय की तुलना में अपेक्षाकृत छोटे एवं तथागत पिछली जातियों के अल्पसंख्यक समुदाय के लोग बसे हुए हैं। इनमें जो जातिगत निष्ठा अथवा संचेतना जाग्रत हुई हैं उसके पीछे प्रभावशाली आर्य समुदाय के प्रभावों से अपनी जाति को बचाते हुए अपनी निजी

जातिगत अस्मिता को बनाये रखने की उत्कट अभिलाषा भी दिखायी पड़ती है। इस अंचल के छोटे-बड़े सभी प्रदेशों में जो जन-समुदाय बसा हुआ है। उसका गठन इन बहुसंख्यक और अल्पसंख्यक प्रजातियों से ही निर्मित हुआ है। प्रत्येक राज्य के प्रजातिगत संतुलन को परखने पर हमें इसका बोध हो जाता है कि वास्तव में यह अंचल मानव-शास्त्रियों के अध्ययन और अनुसंधान के लिए एक चुनौती प्रस्तुत करता है। आगे की पंक्तियों में इसी दृष्टि से हम राज्यवार जन-समूह के गठन का विवरण प्रस्तुत कर रहे हैं।

मिज़ोरम

नवगठित छोटा-सा राज्य मिज़ोरम पहले असम राज्य के अंतर्गत एक जिले के रूप में था, जिसका नाम पहले 'लुशाइ पहाड़' और बाद में 'मिज़ो पहाड़' था। मिज़ोरम दो शब्दों के संयुक्तकरण का परिणाम है। ये दो शब्द 'मिज़ो' और 'रम'। 'मिज़ो' का अर्थ हैं—आदमी अथवा जाति-विशेष और 'रम' का अर्थ है—क्षेत्र या भूमि। इस प्रकार 'मिज़ोरम' का अर्थ होता है—मिज़ो जाति की भूमि या क्षेत्र। यह सारा प्रदेश उत्तर से दक्षिण तक फैले छह समानांतर पर्वत श्रेणियों से बना है, जहाँ उनके बीच में गहरी नदी-घाटियाँ हैं। पूरे प्रदेश का क्षेत्रफल 21,087 वर्ग किलोमीटर और आबादी लगभग पाँच लाख है। जैसा कि पहले बताया गया है कि यह मिज़ो जाति की भूमि है। पूरे प्रदेश में मिज़ो इतर लोगों के प्रतिशत का अनुपात 87 और 13 है। पूरी आबादी में ईसाई लगभग 87 प्रतिशत हैं। मिज़ोरम के लगभग सभी मूल निवासी ईसाई बन गये हैं। प्रजातिगत गठन की दृष्टि से मिज़ोरम की स्थिति इस प्रकार है—

(1) मिज़ो—71 प्रतिशत
(2) पोइ—6 प्रतिशत
(3) लखेर—4 प्रतिशत
(4) नेपाली (हिंदू)—3 प्रतिशत
(5) चकमा (बौद्ध)—7 प्रतिशत

(2) त्रिपुरा

त्रिपुरा के जन-समूह को प्रजातिगत विभाजन की दृष्टि से तीन वर्गों में बाँट सकते हैं। वे वर्ग हैं :

(1) मूल निवासी,
(2) आगत जनजातियाँ और
(3) नवागत बंगला भाषी।

मूल निवासियों की प्रमुखतः तीन जनजातियाँ हैं :

(1) त्रिपुरी, जो अपने को हिंदू कहते हैं तथा देवी-देवताओं को मानते हैं।

(2) मघ जो बौद्ध हैं तथा भरेवाद संप्रदाय के हैं।

(3) रियाङ हिंदू हैं। रियाङ में से कुछ ईसाई बन गये हैं।

आगत जनजातियाँ समूह में जमातिया तथा नवोतिया हिंदू हैं। चकमा बौद्ध हैं तथा मिज़ो ईसाई हैं।

नवागत बंगला भाषी समुदायों में हिंदू और मुसलमान सम्मिलित हैं। ये लोग देश के विभाजन के बाद आकर बढ़ गये हैं और अब स्थिति यह है कि बंगलाभाषियों की आबादी त्रिपुरा में सर्वाधिक हो गयी है।

(3) मणिपुर

भौगोलिक दृष्टि से दो भागों में बँटा है—(1) मैदानी इलाका, और (2) पहाड़ी इलाका। मैदानी इलाका बीच में है और उसके चारों ओर पहाड़ हैं। मैदानी इलाके में मेथेई (मणिपुरी), हिंदू और बंगाली मुसलमान रहते हैं। पहाड़ों में जनजाति के लोग रहते हैं। मणिपुर की पूरी आबादी में मेथेई तथा अन्य हिंदू लोगों की आबादी का प्रतिशत 59, बंगाली मुसलमानों तथा अन्य अनुसूचित जनजातियों का प्रतिशत 31-18 है। अधिसंख्यक जनजाति के लोग ईसाई धर्मानुयायी हो गये हैं। मणिपुर की कुल आबादी में ईसाइयों का प्रतिशत 26 है। मणिपुर में जो विभिन्न अनुसूचित जनजातियाँ हैं, उनकी संख्या 29 हैं। वे हैं :

(1) अंगामि, (2) आइमोल, (3) अनाल, (4) कबुई, (5) कच्चा, (6) कोइरें, (7) कोम, (8) खोइराउ, (9) गडते, (10) चिरू, (11) चोथे, (12) जोउ, (13) तांखुल, (14) थादो, (15) पइते, (16) पुरूम, (17) मरम, (18) मरि, (19) माओ, (20) म्हार, (21) मिज़ो, (22) मोनसाङ, (23) मोयोन, (24) रालते, (25) लम्गां, (26) वाइफे, (27) सहते, (28) सिम्ते और (29) सेमा।

ये जनजातियों के लोग झूम[1] (खेती) करते हैं। मेथेई जाति की अपनी भव्य प्राचीन सांस्कृतिक और साहित्यिक परंपरा है। आजादी से पहले तक मणिपुर में मेथेई राजवंश का शासन था।

(4) नागालैंड

नागालैंड जनजाति बहुल राज्य है, जहाँ की कुल आबादी में उनका प्रतिशत 89 है। नागालैंड की मूल जनजातियों में 14 जातियाँ प्रमुख मानी जाती हैं, जिनकी अपनी-अपनी भाषाएँ तथा प्रजातिगत रीति-रिवाज एवं व्यवस्थाएँ प्रचलित हैं। ये जनजातियाँ हैं :

---

1. झूम—एक स्थान से दूसरे स्थान पर कृषि-कार्य परिवर्तित करते रहना।

(1) आओ, (2) रियाड, (3) कोन्याक, (4) सेमा, (5) अंगामि, (6) लोथा, (7) साउतम, (8) फोम, (9) चाड, (10) खियमडन, (11) मिचिङ, (12) अेलियाड, (13) चखेसाड और (14) रेडमा।

इनके अलावा कुकी आदि अन्य 4 जनजाति के लोग भी नागालैंड में रहते हैं। ये लोग पहाड़ों में झूम-पद्धति से खेती करते हैं। इनमें से अधिकांश लोग ईसाई हो गये हैं। नागालैंड में ईसाइयों का प्रतिशत लगभग 67 है, जो ईसाई नहीं बने हैं और आदिम धर्म को मानते हैं, उनका प्रतिशत लगभग 21 है।

(5) अरुणाचल

पूर्वांचल का यह दूसरा केंद्रशासित प्रदेश है और क्षेत्रफल की दृष्टि से सबसे बड़ा है। यह भी जनजाति-बहुल प्रदेश है। छोटी-बड़ी भिन्न-भिन्न प्रकार की कई जनजातियों के लोग यहाँ बसते हैं। फिर भी प्रजाति एवं धर्म के आधार पर इन जातियों को मोटे रूप से 4 वर्गों में बाँट सकते हैं, जो इस प्रकार हैं :

(1) बौद्ध धर्म की अनुयायी जनजाति, जो पूरी आबादी में 14 प्रतिशत है।

(2) आदिम धर्म की अनुयायी जनजाति, जो प्रदेश की कुल आबादी का 64 प्रतिशत है।

(3) वैष्णव धर्म के अनुयायी—असमिया।

(4) बर्मी संस्कृति से संबंधित जनजाति।

आदिम धर्म के अनुयायी जनजाति के लोग सूर्य और चंद्र के उपासक हैं। यहाँ की भाषाओं में सूर्य को दोन्यों और चंद्र को पोलो कहा जाता है। अतः इनके धर्म को दोन्यों-पोलो भी कहा जाता है।

वैष्णव धर्म में असमिया भाषियों के अतिरिक्त स्थानीय जनजातियों में 'वोक्ते' जाति के लोग भी सम्मिलित हैं। कहा जाता है कि 'वोक्ते' जाति के एक सरदार ने असम के महापुरुष शंकरदेव से दीक्षा ग्रहण की थी तथा अपना नाम नरोत्तम रखा था। इस दृष्टि से 'वोक्ते' एवं असमिया वैष्णव धर्म के अनुयायियों में सांस्कृतिक संपर्क और साम्य दिखायी पड़ता है। ये अपने को हिंदू कहते हैं।

बर्मा संस्कृति से संबंधित जनजातियों में पाँचू तथा ताङसा प्रमुख हैं। ये दोनों जनजातियाँ अरुणाचल प्रदेश के तिरपु जिले में रहती हैं, जो बर्मा से सटा हुआ है। इस भौगोलिक स्थिति के कारण बर्मा की जनजातियों से इनका परस्पर सामाजिक और सांस्कृतिक संबंध है।

(6) असम

असम प्रदेश सदियों से अनेक जातियों-प्रजातियों का संगम स्थल रहा है। वर्तमान

असम से पहले का जो वृहत्तर असम अथवा अंग्रेजी में 'ग्रेटर असम' कहलाता था, अविभाजित असम भौगोलिक एवं सांस्कृतिक दृष्टि से अपने-आप में एक विलक्षणता और पृथकता लिए हुए था। भौगोलिक दृष्टि से ये तीन महान संस्कृति वाले भू-भागों—हिंदचीन (इंडो-चाइनीज), हिंद-मलय (इंडो-मलाया) और हिंदुस्तान के मुख्य भू-भाग के संधि-स्थल पर है। इस कारण इस प्रदेश में शुरू से निकटवर्ती भू-भागों के अर्थात तिब्बत, चीन, बर्मा, थाइलैंड और हिंदुस्तान के मुख्य भू-भाग से जन-समूह आकर बसता रहा है। कहा जाता है कि बोरो जनजाति समुदाय पूर्वी तिब्बत से आया था। इस समुदाय ने ही तिब्बत से अहोमों के आने से पहले (सन् 1200) बड़े भू-भाग में राज किया था। आस्ट्रिक जाति के मोनखमेर समुदाय थाइलैंड से आकर यहाँ बस गया था, जो आजकल खासी जयंतिया कहलाते है। चीन, तिब्बत नस्लों से संबंधित शान प्रजाति की अहोम शाखा के लोग दक्षिण चीन से आकर यहाँ आ बसे थे, जिन्होंने अहोम साम्राज्य स्थापित कर छह सदियों तक (1200-1700) असम में राज किया था। इसी प्रकार सातवीं सदी में मध्य देश (हिंदुस्तान) से आकर आर्यों ने यहाँ राज्य स्थापित किये और बस गये। ऐतिहासिक महत्त्व के ऊपर बतायी गयी जिन जातियों ने यहाँ राज्य किया, उनके अतिरिक्त अनेक जातियों के छोटे-छोटे समुदाय भी यहाँ आकर बसते रहे। ऐतिहासिक कालक्रम में अनेक जातियों का आपस में समन्वय होता गया। कुछ जातियाँ अपनी भाषा, धर्म एवं संस्कृति की विशेषताओं को त्यागकर असम की मुख्य असमिया जाति का अभिन्न अग बन गयीं। वर्तमान समय में अपने पृथक् अस्तित्व को बनाये हुए जो समुदाय असम में रह रहे हैं, उनको मोटे रूप से दो भागों में और प्रत्येक भाग को कुछ उपभागों में विभाजित किया जा सकता है। इसे सारिणी 1 में दर्शाया गया है (सारिणी पृष्ठ 40 पर देखें)।

असम प्रदेश को भौगोलिक दृष्टि से घाटी या मैदानी इलाका और पहाड़ी इलाका के रूप में विभाजित किया जाता है। घाटी को पुनः ब्रह्मपुत्र नदी घाटी और बरक नदी घाटी में विभाजित किया जाता है। इन दोनों नदियों की घाटी का इलाका मैदानों से भरा पड़ा है। पहाड़ी इलाके को भी दो भागों में विभाजित किया जाता है। ये हैं—कार्बी, आडलाड और उत्तर कछार। इन दोनों नामों से असम में दो पहाड़ी जिले भी निर्मित किये गये हैं, जहाँ स्वायत्त जिला प्रशासन की व्यवस्था है, जो संविधान की छठी अनुसूची में दिये गये प्रावधान के अनुसार है।

ब्रह्मपुत्र की घाटी मुख्यतः असमिया भाषी और बरक घाटी में बंगला भाषी किसान समुदाय रहता है, जिसमें हिंदू और मुसलमान दोनों ही संप्रदायों के लोग सम्मिलित हैं। इन किसान समुदायों को एक प्रकार से उत्तर भारत के किसान

सारिणी—1 : असम का जनसमुदाय

- मैदानी जन-समूह
  - असमिया एवं बंगाली किसान जन-समूह
    - असमिया
      - हिंदू
      - मुसलमान
    - बंगाली
      - हिंदू
      - मुसलमान
  - बोरो-जन समूह
    - (1) बोरो कछारी
    - (2) रभा
    - (3) लालुङ
    - (4) सोनवाल
    - (5) चुतिया
  - मिशिङ जन-समूह
    - मिशिङ
  - पहाड़ों से नवागत जन-समूह
    - (1) गारो
    - (2) कार्बी
    - (3) खामरी
    - (4) नागा
- पहाड़ी जन-समूह (कार्बी-आङलाङ और उत्तर कछार जिलों में)
  - कार्बी जन-समूह
    - कार्बी
  - डिमासा जन-समूह
    - डिमासा

समुदायों का विस्तारण कह सकते हैं। असमिया भाषी किसान समुदाय के हिंदू और मुसलमानों में धार्मिक दृष्टि से कोई कट्टरता नहीं दिखायी देती। दोनों में आपसी स्नेह और सद्भाव की जो स्थिति है, वह देश के अन्य भागों में कम देखने को मिलती है। इस समुदाय की इस सहिष्णुता के कारण ही जनजाति के समुदाय भी सहयोग और सौहार्द्र से रह सके हैं। इस वजह से मैदानी इलाकों में रहने वाली बहुत-सी जनजातियों के समुदाय सदियों से अपने को असमिया हिंदू समाज का अभिन्न अंग समझते रहे हैं।

बरक घाटी में जो जन-समुदाय रहता है और जिसका केंद्रीयकरण कछार जिले में अधिक है; वस्तुतः वह बंगला भाषी किसान समुदाय है, जिसमें हिंदू और मुस्लिम दोनों ही सम्मिलित हैं। इस समुदाय को पूर्वी बंगाल के समुदाय का विस्तारण भी कह सकते हैं।

ब्रह्मपुत्र के घाटी-मैदानों के इलाकों में असमिया संप्रदाय के साथ जो जनजाति का समूह रहता है, उसे असमिया समाज में समाहित हुए स्तर के अनुसार और उनकी अपनी जातिगत विशेषताओं के आधार पर अध्ययन की सुविधा के लिए तीन समूहों में रख सकते हैं

(1) बोरो, (2) मिशिङ और (3) पहाड़ों से नवागत।

इन तीनों समूहों का संक्षिप्त विवरण क्रमशः इस प्रकार है :

(i) **बोरो का जनसमूह**—जैसा कि पहले उल्लेख किया जा चुका है, वस्तुतः बोरो जनसमूह सदियों पहले पूर्वी पाकिस्तान से आकर यहाँ बस गया था और उसने अहोमों के आने से पहले यहाँ अपना साम्राज्य स्थापित कर शासन किया था। इसकी दो शाखाओं से संबंधित कोछ और कछार राजवंशों ने बाद में भी अंग्रेजों के आने तक शासन किया था। कोछ राज्य उत्तर बंगाल में स्थापित था, तो कछार राजवंश का राज्य असम के दक्षिण में वर्तमान नागालैंड, कछारू, उत्तर कछार तथा त्रिपुरा तक फैला हुआ था। इस समुदाय में प्रमुखतः पाँच समूह सम्मिलित हैं। ये हैं—बोरो, कछारी, रमा, लालुड (तिया), सोनवाल और चुतिया। ये जातियाँ मैदानी जनजातियाँ कहलाती हैं, जो पूरी ब्रह्मपुत्री घाटी में पूरब से लेकर पश्चिम तक फैली हैं। वैसे बोरो, कछारी, रमा, कामरूप, दरङ और गोलपारा में लालुङ नाडगाँव में सोवाल लखीमपुर, डिब्रूगढ़, चुतिया, लखीमपुर जिलों में अधिक संख्या में बसे हुए हैं। ये सारी जातियाँ अपने को काफी हद तक हिंदू कहती हैं। जहाँ तक भौतिक संस्कृति का संबंध है, इनका एकीकरण असमिया समाज से हो गया है। मैदानों में रहने के कारण ये झूम-खेती की प्रथा से अपरिचित हैं। इनमें से कुछ लोगों ने अपनी जनजाति भाषाओं को छोड़कर असमिया भाषा को अपना लिया है। इनमें से कुछ अपने पारंपरिक पूजा-पाठ विधान को छोड़कर शिव और कामाख्या की पूजा करने लगे हैं। फिर भी इनमें

से कुछ में पारंपरिक बुद्ध (वंश) व्यवस्था (क्लांड सिस्टम) कायम है तथा वे अपनी भाषा एवं परंपरा को सुरक्षित बनाये हुए हैं। इस प्रकार वे अपनी पृथक् पहचान बनाये रखना चाहते हैं।

(ii) **मिशिङ जनसमूह**—यह समूह पहले मिरिजन समूह के नाम से जाना जाता रहा है। ये वास्तव में पहले पहाड़ों में रहते रहे थे। कभी भूतकाल में ये भी पहाड़ों से आकर मैदानों में बस गये। भौतिक संस्कृति तथा अन्य स्थितियों में इनकी बोड़ो जनसमूह से बहुत कुछ समानता है। सजातीयता या सगोतीयता की दृष्टि से ये हिलमिरि या पहाड़ी मिरि से अधिक नजदीक दिखायी देते हैं। इनके यहाँ जाति-प्रथा नहीं है। समाज में पुरुष-सत्तात्मक व्यवस्था कायम है। लेकिन ग्राम-व्यवस्था पारंपरिक है, जहाँ युवकों के लिए शयनागार (डोरमीटरी) कायम है। ये असमिया वैष्णव धर्म के रूप के अनुयायी हैं। ये अपनी भाषायी (मिशिङ) अस्मिता को बनाये हुए हैं। अपनी जनजाति संस्कृति को पुनः स्थापित करने एवं अपने अलग अस्तित्व को बनाये रखने की रुझान से संपृक्त दिखायी पड़ते हैं।

(iii) **पहाड़ों से नवागत जनसमूह**—वास्तव में ये पहाड़ी जनजातियाँ हैं, जो किन्हीं कारणों से पहाड़ों से उतरकर मैदानों में बस गये हैं। इन जातियों के अधिक जनसमूह अभी असम के पहाड़ों या निकटवर्ती प्रदेशों के पहाड़ों में बसे हुए हैं। ऐसी जातियों में गारो, कार्बी (मिकिर प्रमुख थे), खाम्ती तथा कुछ नागा जातियाँ हैं। इनमें से गारो, ग्वालपाड़ा, कामरूप, दरंड में कार्बी, नाउगाँव में खाम्ती, डिब्रूगढ़ तथा शिवसागर में नागा बसे हुए हैं। इन्होंने एक ओर तो अपनी परंपराओं को सुरक्षित रखा है और दूसरी ओर मैदानी इलाके के जन-समुदाय की भौतिक संस्कृति के तौर-तरीकों को भी ये अपना चुके हैं।

कार्बी जनसमूह—असम के दो पहाड़ी जिलों में कार्बी आडलाड एक हैं। इसमें कार्बी जनजाति के लोग केंद्रित हैं। पहले इन्हें मिकिर और इस जिले को मिकिर हिल्स डिस्ट्रिक्ट्स कार्बी पहाड़ी जनजाति के माने जाते हैं, क्योंकि ये मैदानों में नहीं रहते और ये झूम-खेती करते हैं। इनमें से कुछ अपने-आपको हिंदू कहते हैं। कार्बी भाषा में गेय रूप मे रामायण भी प्रचलित है। कुछ लोग ईसाई धर्म के अनुयायी भी हो गये हैं। शेष अपने आदिम धर्म को मानते हैं। इनके देवता का नाम 'बरिथे' है। इनमें चिताड, रोडाड, अमरी एवं दुमराली नामक चार प्रमुख शाखाएँ हैं। संविधान की छठी अनुसूची के अनुसार इन्हें शासन की सुविधा प्राप्त है। इस तरह कार्बी आडलाड जिला असम में एक स्वायत्त जिला है।

दिमासा जनसमूह—असम का दूसरा स्वायत्त जिला उत्तर कछार है। इस जिले में दिमासा लोग रहते हैं। दिमासा लोग अपने को बोड़ो के वंशज मानते हैं। ये भी झूम खेती करते हैं। इनके यहाँ 40 पितृ-सत्तात्मक तथा 42 मातृ-सत्ता-

त्मक शाखाएँ हैं। संपत्ति का वितरण पुरुष एवं स्त्रियों में होता है। इनके आदि देवता का नाम दिरबो है और धर्म के मुखिया को ये गिसिया कहते हैं।

(7) मेघालय

मेघालय पूर्णतः पहाड़ी राज्य है, जिसमें प्रमुख रूप से दो जनजातियाँ गारो और खासी रहती हैं। गारो तिब्बती-चीनी परिवार से संबंधित हैं तो खासी आस्ट्रिक परिवार से। इस तरह इन दोनों में भाषिक और सांस्कृतिक एकरूपता नहीं है। लेकिन दोनों में मातृ-सत्तात्मक व्यवस्था है। भौगोलिक निकटता और जनजातीयता होने के कारण दोनों के राजनैतिक गठबंधन से अलग मेघालय राज्य की स्थापना की गयी है। गारो लोगों में 55 प्रतिशत ईसाई हैं। शेष परंपरागत धर्म को मानते हैं। इनमें होजाड, रमा और कोछ उपजातियों में कुछ हिंदू रीति-रिवाजें प्रचलित हैं। खासी में जयंतिया एक उपजाति है। 16वीं सदी से जयंतिया लोग हिंदू धर्म के अनुयायी हैं। इस पर भी कुछ अपनी परंपरागत रीति-रिवाजों से बँधे हुए हैं। खासी में अधिकांश लोग ईसाई हो गये हैं। कुछ खासी आबादी में ईसाइयों का प्रतिशत 63 है।

(घ) पूर्वांचल की धार्मिक स्थिति

पूरा पूर्वांचल भौगोलिक, सामाजिक, सांस्कृतिक और जातीय दृष्टि से तो वैविध्य-पूर्ण है ही साथ ही धार्मिक दृष्टि से भी वह एकाधिक धर्मों का संगम स्थल है। यह कहना असगत न होगा कि भारत राष्ट्र की विलक्षणता 'एकता में अनेकता' के भारत के इस अंचल में पग-पग पर साक्षात् दर्शन किये जा सकते हैं।

यद्यपि शेष भारतवासियों के लिए पूर्वांचलजन पहाड़ी हैं, परंतु राष्ट्रीय ज्ञान की दृष्टि से यह अभिशाप है कि हम अपने ही राष्ट्रवासियों के विषय में ठीक से जानकारी नहीं रखते हैं। फलस्वरूप पूर्वांचलजन इस तथ्य से सुपरिचित जनों की दृष्टि में इस अज्ञानता के कारण उपहास-भाजन बना करते हैं। पूर्वांचलवासी केवल पहाड़ी ही नहीं, वरन् अनेक जनजाति बहुल हैं और उनकी अपनी पृथक्-पृथक् सामाजिक थातियाँ और सांस्कृतिक धरोहरें हैं। साथ ही वे धार्मिक दृष्टि से भी एक-दूसरे से पृथक् हैं। इन धर्मों में आदिम धर्म हिंदू धर्म, बौद्ध धर्म, इस्लाम धर्म और ईसाई धर्म विशेष रूप से उल्लेखनीय हैं।

राज्यवार धर्मों और उनके अनुयायियों तथा उनका कुल आबादी का प्रतिशत का लेखा-जोखा आगे की पंक्तियों में प्रस्तुत है।

मिज़ोरम

मिज़ोरम में अनुसूचित जनजातियों के लोगों की संख्या 3,13,299 है, जो कि

कुल जनसंख्या का 14-26 प्रतिशत है। हिंदू धर्म के मानने वाले लोग 21,229 हैं जो प्रतिशत की दृष्टि से 6-38 हैं। इस्लाम धर्म के अनुयायियों की संख्या 1,882 है, जो प्रतिशत की दृष्टि से 0-56 है। नवोदित ईसाई धर्म में विश्वास करने वालों की संख्या 2,86,141 है और प्रतिशत की दृष्टि से 86-08 है। बौद्ध धर्म के अनुयायियों की गिनती 22,646 है, जिनका प्रतिशत 6-81 है। आदिम धर्म के लोगों की संख्या नगण्य 61 है।

त्रिपुरा

त्रिपुरा राज्य में अनुसूचित जनजाति के 4,50,544 लोग रहते हैं, जिनका प्रतिशत 28-95 होता है। हिंदू धर्म के लोग संख्या की दृष्टि से 13,93,689 हैं, जो कि प्रतिशत की दृष्टि से 89-55 है। इस्लाम धर्म के मानने वाले 1,03,962 हैं, जो कि 6-68 प्रतिशत हैं। ईसाई लोगों की संख्या 15,713 है, जो कि प्रतिशत की दृष्टि से 1 है। बौध धर्मोपासक लोगों की संख्या 42,285 है, जिनका प्रतिशत 2-71 पड़ता है। आदिम धर्म के लोगों की यहाँ पूर्णतः अनुपस्थिति है।

मणिपुर

मणिपुर राज्य में जनजाति के 3,34,466 लोग रहते हैं, जो प्रतिशत की दृष्टि से 31-18 है। यहाँ हिंदू धर्म में विश्वास रखने वालों की संख्या 6,32,597 और प्रतिशत 58-96 है। इस्लामोंपासकों की संख्या 70,969 है, जो कि प्रतिशत की दृष्टि से 6-61 होते हैं। ईसाई अनुयायियों की संख्या यहाँ पर 2,79,243 है, जिनका प्रतिशत 26-03 है। बौद्ध लोग नाम मात्र के लिए 495 हैं। आदिम धर्म वालों की संख्या 83,169 और प्रतिशत 7-75 है।

नागालैंड

नागालैंड में अनुसूचित जनजाति के रहने वाले लोगों की संख्या 4,57,602 है, जिनका प्रतिशत 88-61 है। 59,031 हिंदू धर्म के लोग हैं, जिनका प्रतिशत 11-43 है। इस्लाम धर्म के मानने वाले 2,966 हैं, जो प्रतिशत की दृष्टि से 0-58 होते हैं। ईसाई जनों की संख्या 3,44,798 है, जो प्रतिशत की दृष्टि से 66-76 होते हैं। बौद्ध धर्म के अनुयायियों की संख्या यहाँ भी नाममात्र की 179 है। आदिम धर्म के लोग संख्या की दृष्टि से 1,08,169 है और जिनका प्रतिशत 20-94 है।

अरुणाचल

अरुणाचल प्रदेश में अनुसूचित जनजाति के लोग 3,69,408, हिंदू धर्म के लोग

1,02,832, इस्लाम धर्म के लोग 842, ईसाई धर्म के लोग 3,684, बौद्ध लोग 61,400 और आदिम धर्म के 2,96,674 लोग हैं। जो कि प्रतिशत की दृष्टि से क्रमश: 79-02, 21-99, 0-18, 0-78, 31-31 और 63-45 है।

असम

असम राज्य में अनुसूचित जनजाति के 16,67,657 लोग रहते हैं, जिनका प्रतिशत 11-15 है। हिंदू धर्मोपासकों की संख्या 1,06,25,847 और प्रतिशत 71-04 है। इस्लाम धर्म के लोग, संख्या और प्रतिशत की दृष्टि से क्रमशः 35,94,006 तथा 24-03 हैं। ईसाई जन 6,67,151 की संख्या में हैं, जिनका प्रतिशत 4-46 पड़ता है। संख्या की दृष्टि से बौद्धजन 44-212 है, जो प्रतिशत में 0-30 हैं। आदिम धर्म के मानने वालों की संख्या केवल 62 हैं।

मेघालय

मेघालय में 8,!4,230 लोग जनजाति के हैं जिनका प्रतिशत 80-48 है। हिंदू धर्म वालों की संख्या और प्रतिशत क्रमश: 1,87,140 तथा 18-50 है। इस्लाम जनसंख्या की दृष्टि से 26,347 हैं और उनका प्रतिशत 2-60 है। ईसाई जनसंख्या की दृष्टि से 4,74,267 और प्रतिशत की दृष्टि से 46-98 है। बौद्ध लोग 1,878 हैं, जिनका प्रतिशत 0-18 है। आदिम धर्म के मानने वालों की संख्या यहाँ पर 3,18,168 और प्रतिशत 31-41 है।

अध्याय-2

पूर्वांचलीय भाषाएँ, बोलियाँ और हिंदी

वर्गीकरण के आधार

(1) भाषा : परिवारों के आधार पर

पूर्वांचल भाषा बाहुल्य की दृष्टि से सर्वाधिक विलक्षण क्षेत्र है। 'कोस-कोस पर पानी बदले, चार कोस पर बानी' कहावत यहाँ पूर्ण रूप से फलितार्थ ही नहीं होती है, बल्कि चार कोस से पहले ही यहाँ बोली बदलती दिखलायी पड़ती है। इस दृष्टि से पूर्वांचल के राज्यों और केंद्र शासित राज्यों का जो रूप सामने आता है, वह भाषिक अजायबघर कहा जाय तो अतिशयोक्ति न होगी।

भाषिक सर्वेक्षण से ज्ञात होता है कि मिज़ोरम 8, त्रिपुरा में 9, मणिपुर में 11, नागालैंड में 14, अरुणाचल में 16, सिक्किम में 3, असम में 24, और मेघालय में 6 बोलियाँ बोली जाती हैं। भाषा वैज्ञानिकों ने इन समस्त बोलियों को भाषा-परिवार के आधार पर इस प्रकार विभाजित किया है।

पूर्वांचल की समस्त बोलियाँ तिब्बती-चीनी-परिवार के अंतर्गत आती हैं। पुनः जिन्हें तिब्बती-बर्मी उप-परिवार में रखा जाता है, उस तिब्बती-बर्मी उप-परिवार को भाषा वैज्ञानिकों ने तीन शाखाओं में रखा है। ये तीन शाखाएँ इस प्रकार हैं :

(1) तिब्बती हिमालय शाखा,

(2) उत्तरीय असमिया शाखा, और

(3) असमिया-बर्मी शाखा को पुन. बोड़ो-समूह, नागा समूह, कुकी-चिन समूह और बर्मी समूह में रखा गया है।

तिब्बती-हिमालय शाखा में भोटिया समूह अथवा सिक्किम-भोटिया समूह गिना जाता है, जिसके अंतर्गत लेप्चा और भोटिया बोलियाँ आती हैं।

उत्तरीय असमिया शाखा के मिरि समूह के अंतर्गत निम्नलिखित भाषाएँ

गिनायी जाती हैं—

(1) आपातानी, (2) आदि, (3) कछारी, (4) गालोङ, (5) तगिन, (6) निशि, (7) मिजु, (8) मिनियोङ, (9) मिशिङ और (10) मेछ।

असमी-बर्मी-शाखा के बोड़ो समूह के अंतर्गत—

(1) कार्बी, (2) कोछ, (3) गारो, (4) जामातिया, (5) त्रिपुरी, (6) दिमासा, (7) बोड़ो, (8) देउरी, (9) रभा, (10) रियाङ और (11) लालुङ बोलियाँ सम्मिलित की जाती हैं।

असमी-बर्मी शाखा के दूसरे नागा-समूह में जो भाषाएँ सम्मिलित की जाती हैं, वे इस प्रकार हैं—

(1) अंगामि, (2) आआ, (3) कबुइ, (4) कोन्याक, (5) खियमडन, (6) चाङ, (7) चाखेसाङ, (8) जेलियाङ, (9) जोउ, (10) तंखुल, (11) ताडसा, (12) नोक्ते, (13) फोम, (14) पाओ, (15) चिमचुङर, (16) रेडमा, (17) लोथा, (18) वाङ्चू, (19) साडतम और (20) सेमा।

असमी-बर्मी शाखा के तीसरे कुकी-चिन समूह में 9 भाषाएँ निम्नलिखित हैं—

(1) कुकी, (2) थादो, (3) पाइते, (4) मणिपुरी, (5) म्हार, (6) मिज़ो, (7) लखैर, (8) वाइफे और (9) विष्णुप्रिया।

असमी-बर्मी शाखा के चौथे बर्मी समूह में मद्य अथवा मग भाषा बतायी जाती है।

(2) संविधान में स्वीकृत भाषाएँ एवं अन्य भाषाएँ

भारतीय संविधान के अनुच्छेद 8 के अनुसार निम्नलिखित भाषाएँ स्वीकार की गयी हैं—

(1) असमी, (2) बंगाली, (3) गुजराती, (4) हिंदी, (5) कन्नड़, (6) उर्दू, (7) मलयालम, (8) मराठी, (9) उड़िया, (10) पंजाबी, (11) तमिल, (12) तेलगु, (13) अंग्रेजी, (14) संस्कृत और (15) सिंधी।

सिंधी का अपना कोई क्षेत्र विशेष नहीं है, परंतु सिंधियों के भावात्मक लगाव को ध्यान में रखते हुए इसे संविधान में स्थान दिया गया है। संस्कृत का भी व्यवहार की दृष्टि से कोई भौगोलिक क्षेत्र निर्दिष्ट नहीं है, परंतु भारतीय भाषाओं की जननी होने और प्राचीन वाङ्मय की भाषा होने के कारण उसे संविधान में स्थान दिया गया है। अंग्रेजी यद्यपि विदेशी भाषा है, परंतु वह सदियों से देश की राजभाषा रही है और आज भी देश के कई राज्यों ने उसे अपनाया है, अतः उसे भी संविधान में स्थान देना पड़ा। शेष समस्त भाषाएँ अपने-अपने क्षेत्रों की जन-भाषाएँ एवं राजभाषाएँ हैं।

संविधान में स्वीकृत उक्त भाषाओं की राज्यवार स्थिति इस प्रकार है—

राज्य	**राज्यभाषा**
मिज़ोरम	अंग्रेजी
त्रिपुरा	अंग्रेजी
मणिपुर	अंग्रेजी
नागालैंड	अंग्रेजी
अरुणाचल	अंग्रेजी
असम	असेमी/बंगाली
मेघालय	अंग्रेजी

(3) जनसंख्या के आधार पर

जनसंख्या के आधार पर जब हम पूर्वांचल की भाषाओं पर विचार करते हैं तो तिब्बती-चीनी परिवार के तिब्बती-बर्मी उप-परिवार में आने वाली असमी-बर्मी शाखा के कुकी-चिन समूह की मणिपुरी। मेथेइ एक मात्र ऐसी भाषा है, जिसके बोलने वालों की संख्या पाँच लाख से ऊपर है।

असमी-बर्मी शाखा के बोड़ो समूह की गारो, बोड़ो और त्रिपुरी तथा कुकी-चिन समूह, लुशाइ अथवा मिज़ो ऐसी भाषाएँ हैं, जिनके बोलने वालों की संख्या एक-एक लाख है।

दस हजार और उससे अधिक व्यक्तियों द्वारा बोली जाने वाली पूर्वांचल की भाषाओं का राज्यवार विवरण इस प्रकार है—

मिज़ोरम—(1) मिज़ो (2) चकमा (3) लखेर
(4) रियाड और (5) नेपाली।

त्रिपुरा— (1) बंगला (2) त्रिपुरी (3) जामातिया
(4) रियाड (5) कुकी (6) चकमा और
(7) मग।

मणिपुर— (1) मणिपुरी (2) तांखुल (3) कुबुई
(4) थादो (5) म्हार (6) पाइते
(7) माओ (8) वाइफे (9) जोउ और
(10) मिज़ो।

नागालैंड—(1) रियाड (2) कोन्याक (3) आॅआ
(4) सेमा (5) अंगामि (6) लोवा
(7) साडतम (8) फोम (9) चाड
(10) खियमडन (11) चिमचुडर (12) जेलियाड
(13) चाखेताड़ और (14) रेड़मा।

अरुणाचल—(1) मिजु (2) गालोड (3) निशि
(4) वाडचु (5) आदि (6) नोकते
(7) मोनपा (8) तगिन (9) बडनी
(10) मिनियाड (11) आपातानी (12) ताडसा और
(13) असमिया।

असम— (1) असमी (2) बंगला (3) बोड़ो
(4) कार्बी (5) मिशिङ (6) रभा
(7) दिमासा (8) कछारी (9) देउरी
(10) विष्णुप्रिया (11) कोछ (12) मेघ
(13) लालुड (14) गारो और (15) म्हार।

मेघालय—(1) गारो (2) खासी (3) रभा
(4) कोछ (5) असमी (6) बंगला और
(7) नेपाली

(4) राज्य की राजभाषा और अल्पसंख्यक भाषाओं के आधार पर

मिज़ोरम—राज्य में यद्यपि 8 भाषाएं व्यवहृत होती हैं परंतु वहाँ की राजभाषा अंग्रेजी है और राजकाज में अंग्रेजी तथा मिज़ो दोनों का समान प्रयोग किया जाता है।

त्रिपुरा—राज्य में लगभग 9 भाषाएँ प्रयोग में आती हैं, जबकि उसकी राजभाषा अंग्रेजी है और राजकाज में अंग्रेजी, बंगाली तथा त्रिपुरी का भी व्यवहार होता है।

मणिपुर—राज्य में 11 भाषाएं बोली जाती हैं परन्तु राजभाषा अंग्रेजी है और राजकीय कार्यों में अंग्रेजी तथा मणिपुरी दोनों का प्रयोग किया जाता है।

नागालैंड—राज्य में लगभग 14 भाषाएँ व्यवहार में आती हैं। यहाँ की राजभाषा अंग्रेजी है परंतु राजकाज में अंग्रेजी और नागामीस का प्रयोग समान रूप से होता है।

अरुणाचल—राज्य में 16 भाषाएँ व्यवहृत होती हैं परंतु राजभाषा और राजकाज की भाषा अंग्रेजी है।

असम—राज्य में सबसे अधिक भाषाएँ बोली जाती हैं जिनकी संख्या लगभग 24 है। यहाँ की राजभाषाएँ बंगाली और असमिया हैं परंतु राजकाज में अंग्रेजी, हिंदी, असमिया और बंगाली भी प्रयोग में आती हैं।

मेघालय—राज्य में 6 भाषाएँ हैं। अंग्रेजी यहाँ की राजभाषा और राजकाज की भाषा है।

पूर्वांचल की भाषिक स्थिति और हिंदी

पूर्वांचल की भाषिक स्थिति

पहले विद्वानों का यह मत था कि मानव जाति अथवा शरीर रचना का भाषा के साथ सापेक्ष संबंध स्थापित किया जा सकता है। अनेक मानव जातियों, उनकी भाषाओं एवं भाषाई दक्षता के अध्ययन करने के उपरांत भाषा विज्ञानी अब इस निष्कर्ष पर पहूँच गये हैं कि मानव जाति और भाषा में कोई सीधा अथवा सापेक्ष संबंध नहीं है। इसी तरह यह कहना भी सत्य संगत नहीं है कि अमुक भाषाई परिवार समूह की भाषाएँ बोलने वाले जनजातियों से भिन्न होते हैं। पूर्वांचल में जहाँ एक ओर आर्य परिवार की भाषा 'चकमा' बोलने वाले जनजातीय माने जाते हैं तो दूसरी ओर 'कुकी' चिन समूह की भाषा मणिपुरी बोलने वाले मणिपुरी मैतेइ लोग जनजातीय नहीं हैं।

दस हजार अथवा उससे अधिक लोगों के द्वारा बोली जाने वाली भिन्न-भिन्न परिवारों की 57 भाषाएँ यहाँ प्रचलित हैं। इन भाषाओं के वर्गीकरण का विवरण परिशिष्ट 1 में दिया गया है। इनमें से कौन भाषा किस प्रदेश में बोली जाती है और उसके बोलने वालों की संख्या कितनी है, आदि का विवरण भाषाओं के अकारादि क्रम से परिशिष्ट 2 में दिया गया है। परिशिष्ट 3 में जनसंख्या के क्रम से इन 57 भाषाओं की सूची प्रस्तुत की गयी है। इन विवरणों से स्पष्ट है कि इन 57 भाषाओं में से 55 ऐसी हैं, जो तिब्बती-चीनी परिवार के तिब्बती-बर्मी उप-परिवार की: (1) तिब्बती हिमालय, (2) उत्तरीय असमी, और (3) असमी-बर्मी शाखाओं के अंतर्गत गिनाए जाने वाले (क) भोटिया, (ख) हिमालय, (ग) मिरि, (घ) बोरो, (ङ) नागा, (च) कुकी-चिन, और (छ) बर्मी समूहों से संबंध है। इस विवरण से यह भी विदित होता है कि पूर्वांचल के प्रत्येक राज्य में उसके आगे दिखायी गयी संख्या में ये 57 जनजातीय बोलियाँ प्रमुख रूप से बोली जाती हैं—

प्रदेश	बोलियों/भाषाओं की संख्या
अरुणाचल	13
असम	14
त्रिपुरा	5
नागालैंड	14
मणिपुर	10
मिज़ोरम	4
मेघालय	2
सिक्किम	2

इन 57 में से निम्नलिखित बोलियाँ/भाषाएँ ऐसी हैं, जिनके बोलने वालों की संख्या एक लाख या उससे अधिक है। शेष सभी की संख्या एक लाख से कम है।

खासी	384006
गारो	411532
त्रिपुरी	268948
बोरो	509006
मणिपुरी	780871
मिकिर	198973
मिज़ो	270312
मिरि	180684

स्वतंत्रता से पहले पूरा पूर्वांचल (सिक्किम को छोड़कर) राजनैतिक दृष्टि से तीन भागों में विभाजित था। असम, मणिपुर और त्रिपुरा। आजादी के बाद असम के पाँच टुकड़े हुए। इसके कई कारण थे। इन कारणों में भाषा विवाद का कारण भी प्रमुख था। अंग्रेजों के चाय-बागानों में काम करने के लिए बंगाल से अधिक संख्या में लोग असम में आकर बस गये थे। उस समय असम के मैदानी इलाकों में सर्वत्र असमी बंगला की द्विभाषिक स्थिति मौजूद थी। बंगला भाषा-भाषी अपने को असम वालों से तथा अपनी भाषा को असमी भाषा से श्रेष्ठ समझने लगे। देश के विभाजन के समय मुस्लिम लीग चाहता था कि पूरे असम को पूर्वी पाकिस्तान में सम्मिलित किया जाये। जब यह संभव नहीं हुआ तो लीग के अनुरोध पर असम के बंगला बहुल सिलहट जिले में जनमत संग्रह लिया गया, जिसके फलस्वरूप सिलहट जिले को पूर्वी पाकिस्तान में मिलाया गया। फलतः असम में बंगला भाषी समुदाय अल्पसंख्यक हो गया और असमी भाषी अधिक संख्यक और प्रमुख वर्ग बन गये। काफी अर्से से बंगला भाषियों से वर्चस्व से आतंकित असमी भाषियों ने उसे छुटकारा पाने के बाद अपनी जाति, अपनी संस्कृति की सुरक्षा तथा विकास में अधिक तत्परता से जुट गये। इसी क्रम में 1960 ई० में असम की विधान सभा में असमी राजभाषा विधेयक पेश किया गया। इससे असम में (विशेष रूप से कछार में जहाँ बंगला भाषी अधिक संख्या में हैं) असमी-बंगला भाषा विवाद उठ खड़े हुए और अनेक दंगे हुए। बंगला भाषी चाहते थे कि असम में असमी के साथ-साथ बंगला को भी राजभाषा का दर्जा दिया जाए। उस समय असम की आबादी में जनजातियों की संख्या पर्याप्त मात्रा में थी। खासी, गारो, मिज़ो और मिकिर आदि प्रमुख जनजातियों ने भी इस विधेयक का विरोध किया। नागा लोग तो अपने अलग राज्य के लिए संघर्षरत थे ही। समस्त जनजातियों के लिए जैसे असमी विजातीय भाषा है वैसे ही बंगला

भी। अतः इन समस्त जातियों के नेताओं ने मिलकर विधान सभा में तथा बाहर भी यह प्रस्ताव रखा था कि अंग्रेजी को ही असम की राजभाषा के रूप में बनाए रखा जाए। संविधान के निर्देश के अनुसार जिस तरह जब सारे भारत में अंग्रेजी के स्थान पर हिंदी राजभाषा का स्थान ग्रहण करेगी, उसी तरह तब असम में भी अंग्रेजी की जगह हिंदी को प्रतिष्ठित किया जायेगा। सारे विरोधों के बावजूद अक्टूबर, 1960 में असम विधान सभा ने असमी को राजभाषा के रूप में स्वीकृत किया। इसके बाद से पूर्वांचल की समस्त जनजातियों में भी अपनी भाषा, संस्कृति, रीति-रिवाज तथा रहन-सहन की विशिष्टता के प्रति अत्यधिक लगाव उत्पन्न हुआ। वे अपनी अस्मिता को महसूस करने लगे। इसके ठोस प्रमाण हैं—आज पूर्वांचल में अस्तित्व में आये छोटे-छोटे राज्य और कुछ राज्यों के अंतर्गत गठित स्वायत्त जिलों की प्रशासनिक व्यवस्था। नीचे क्रमशः सिक्किम सहित पूर्वांचल के सभी राज्यों एवं केंद्र शासित प्रदेशों की वर्तमान भाषिक स्थिति का संक्षिप्त परिचय इस प्रकार है—

मिज़ोरम

तमिलनाडु जैसे एकाध राज्य को छोड़कर शेष समस्त अहिंदी भाषी राज्यों के स्कूली शिक्षा-क्रम में त्रिभाषा सूत्र के अंतर्गत हिंदी अनिवार्य विषय के रूप में पढ़ाई जाती है। किसी राज्य में वह तीन साल, किसी में वह पाँच साल और किसी में हाईस्कूल की परीक्षा में अनिवार्य विषय भी है। उत्तर पूर्वांचल के राज्यों में अरुणाचल प्रदेश में वह हाईस्कूल की परीक्षा में अनिवार्य विषय है, तो बाकी राज्यों में किसी न किसी स्तर पर अनिवार्य रूप में पढ़ाई जाती है। अहिंदी प्रदेश विशेष कर तिब्बती-बर्मी कुल के भाषा-भाषी (बहुल) परिवार वाले राज्यों में होने वाले हिंदी शिक्षण के विषय में कुछ लोगों के मत में शंकाएँ हो सकती हैं कि वहाँ हिंदी की पढ़ाई के नाम पर खाना-पूरी हो रही होगी, लेकिन ऐसी बात नहीं है।

वस्तुतः शिक्षा-क्रम में किसी विषय की पढ़ाई का स्तर चाहे वह मातृभाषा हो, अंग्रेजी हो, हिंदी हो अथवा कोई भाषेत्तर विषय हो, इस प्रदेश के संपूर्ण शिक्षा-क्रम की व्यवस्था पर निर्भर करता है। संपूर्ण शिक्षा-क्रम की जहाँ अच्छी व्यवस्था हो, वहाँ पढ़ाई का स्तर भी अच्छा हो सकता है। अच्छी व्यवस्था राज्य के शिक्षा विभाग में कार्यरत अधिकारी एवं कर्मचारियों की अपने कार्यों के प्रति प्रतिबद्धता, उनकी लगन एवं सूझ-बूझ पर निर्भर रहती है। इसके साथ ही राज्य के शिक्षा मंत्री भी यदि शिक्षाविद् हों, तो उस राज्य में संपूर्ण शिक्षा-क्रम की व्यवस्था अधिक अच्छी हो सकती है।

मिज़ोरम के शिक्षा-क्रम को और उसकी व्यवस्था को यदि हम इस कसौटी

पर कसते हैं, तो हम पाते हैं कि संप्रति यहाँ श्री जाइरेमथडा शिक्षा मंत्री हैं, जो इससे पूर्व इस राज्य के शिक्षा विभाग में जिला विद्यालय निरीक्षक थे। मिज़ोरम राज्य के निदेशक श्री एफ० श्रानथङा हैं। इससे पूर्व आप इसी विभाग में संयुक्त निदेशक थे। इन दोनों के निर्देशन में शिक्षा विभाग के अन्य लगनशील अधिकारियों के सहयोग से स्कूली शिक्षा का कार्यक्रम सुचारु रूप से संपन्न किया जा रहा है।

अच्छी शिक्षा व्यवस्था की दूसरी कसौटी होती है, साक्षरता का प्रतिशत। इस दृष्टि से मिज़ोरम का स्थान देश में चौथा है। केरल (69.17), चण्डीगढ़ (64.68), और दिल्ली (61.06) के बाद मिजोरम में साक्षरता का प्रतिशत (59.05) है। 21,090 वर्ग किलोमीटर के क्षेत्र और 4,87,174(1981), के आबादी वाले इस छोटे से केंद्र शासित प्रदेश में इस समय लगभग 1074 स्कूल हैं, जो सुदूर सीमावर्ती छोटे से छोटे गाँव से लेकर राजधानी तक फैले हुए हैं, जिनमें सवा लाख अर्थात पूरी आबादी का लगभग 113 हिस्सा उन स्कूलों में शिक्षा प्राप्त कर रहा है। इसका अर्थ यह हुआ कि वहाँ स्कूल जाने लायक आयु वाले सभी लड़के-लड़कियाँ स्कूलों में पढ़ रहे हैं। इस तरह हमारे संविधान की आकांक्षा —सभी को प्राथमिक शिक्षा—मिज़ोरम राज्य चरितार्थ कर रहा है। मिज़ोरम के प्राथमिक, माध्यमिक और हाई स्कूलों में इस समय कुल मिलाकर 6095 शिक्षक काम कर रहे हैं, जिनमें प्रशिक्षित शिक्षकों को संख्या 2002 है और बाकी के लिए एक सुनियोजित कार्यक्रम के अंतर्गत प्रशिक्षण की व्यवस्था की जा रही है।

यहाँ यह उल्लेखनीय है कि कई अभियानों के बाद बहुत मुश्किल से सन् 1890 में अंग्रेजी सरकार लुशाइ पहाड़ों (वर्तमान मिज़ोरम उस समय लुशाइ पहाड़ों के नाम से जाना जाता था) को अपने अधिकार में कर पायी थी। बाद में वहाँ ईसाई धर्म के प्रचार के वास्ते दो ईसाई मिशन स्थापित हुए—बैपटिस्ट मिशन(11-1-1894) और वेल्श प्रेसबेटेरियन मिशन(31-8-1897)। स्थानीय लोगों को उनकी अपनी मातृभाषाओं में धर्मप्रचार करने अपने मूल सिद्धांत के अंतर्गत इन मिशनरियों ने तब तक लिपि रहित और मौखिक रूप में ही प्रचलित मिज़ो भाषा को 1894 में रोमन लिपि प्रदान की और बाइबिल को मिज़ो भाषा में अनुदित किया। मिज़ो भाषा में प्रस्तुत बाइबिल को मिज़ो भाषी पढ़ सकें तथा ईसाइयत को अपना सकें, इस उद्देश्य से मिज़ो लोगों को साक्षर बनाने की आवश्यकता (मिशनरियों को) महसूस हुई और तब उन्होंने मिजोरम में सन् 1903 ई० में प्राइमरी स्कूल खोल दिये। तब तक निरक्षर मिज़ो जाति भी क्रमशः अधिक संख्या में खुलते गये। स्वाधीनता के पहले तक इन सारे स्कूलों को प्राइमरी और मिडिल परीक्षाएँ मिशन ही संचालित कर प्रमाण-पत्र

वितरित करता रहा। मैट्रिक की परीक्षा विश्वविद्यालय द्वारा ही ली जाती थी। सन् 1910 ई० में जाकर पृथक मिज़ो मैट्रिक पास कर पाया। सन् 1924 में पृथक मिजो ग्रेज्युएट बना तो 1945 में दूसरा मिज़ो पहली बार एम० ए० पास कर सका। इसे एक सुखद विस्मयकारी घटना ही मानेंगे कि जो जाति सदैव से निरक्षर रही, वह इतने अल्प काल में अधिक साक्षर बनी तथा अपनी शिक्षा व्यवस्था को सुदृढ़ और वैज्ञानिक बनाने में एक नया कीर्तिमान स्थापित करने में सफल हुई। इस आश्चर्यजनक सफलता का श्रेय जहाँ एक ओर मिज़ो जाति की लगनशीलता को मिलना चाहिए वहीं दूसरी ओर ईसाई मिशनरियों के अनवरत प्रयास को भी।

यह जानकर भी आनंद की अनुभूति होती है कि एकाध अपवाद को छोड़कर सभी विषयों के शिक्षक मूलतः मिज़ो वासी हैं, जबकि पूर्वांचल के अन्य राज्यों में बहुत से ऐसे शिक्षक कार्यरत हैं, जो मूलतः अन्य राज्यों से आये हैं। इस समय मिज़ोरम के 294 मिडिल स्कूलों में कार्यरत हिंदी शिक्षक भी उक्त कथन के अपवाद नहीं हैं।

स्कूली शिक्षा-क्रम में जहाँ तक हिंदी की पढ़ाई का संबंध है, मिज़ोरम में मिडिल स्कूलों में ही कक्षा 5, 6 और 7 में हिंदी अनिवार्य विषय के रूप में पढ़ायी जाती है। मिज़ोरम की जनता और सरकार अपने प्रदेश के विकास के लिए अन्य विकास के कार्यक्रम के साथ-साथ हिंदी की पढ़ाई को भी एक अनिवार्य आवश्यकता मानती है। शुद्ध उपयोगिता के दृष्टिकोण से ही वहाँ के शिक्षा विभाग ने हिंदी की पढ़ाई की व्यवस्था की है न कि किसी बड़े प्रयोजन की पूर्ति के लिए—जैसे साहित्य का अध्ययन-अध्यापन या किसी अन्य भावना से प्रेरित होकर। शिक्षा-विभाग यह भली भाँति जानता है कि विशाल भारत के एक सुदूर कोने में अवस्थित अपने छोटे से प्रदेश की जनता का सर्वांगीण विकास तभी संभव हो सकता है, जब वह मुख्य धारा के लोगों के सतत् संपर्क में बना रहे। यह सतत् संपर्क तभी संभव हो सकता है, जब वह अधिसंख्यक लोगों के द्वारा प्रयुक्त हिंदी भाषा का व्यावहारिक ज्ञान प्राप्त करे। इसी एक व्यावहारिक ज्ञान को प्राप्त करवाने के अपने स्पष्ट उद्देश्य को ध्यान में रखकर मिज़ोरम के शिक्षा विभाग ने अपने स्कूली हिंदी पाठ्यक्रम को भाषा केंद्रित बनाया है न कि अन्य अधिकांश अहिंदी भाषी राज्यों के समान साहित्य केंद्रित या बहु-उद्देश्य केंद्रित। ऐसे भाषा केंद्रित पाठ्यक्रमों के लिए नये प्रकार की शिक्षण सामग्री शिक्षक हिंदी प्रशिक्षण की आवश्यकता को दृष्टि में रखते हुए मिज़ोरम का शिक्षा विभाग देश में उपलब्ध हर संभव स्रोत से पूरा-पूरा लाभ उठाने का प्रयत्न कर रहा है।

हिंदी शिक्षा—इस प्रदेश के हिंदी शिक्षण के इतिहास पर ध्यान देने पर पता चलता है कि यह केवल 25 वर्ष पुराना है। हिंदी शिक्षण को क्रम विकास की

दृष्टि से हम इन 25 वर्षों को तो कालों में विभाजित कर सकते हैं—

(1) छठा दशक—प्रारंभिक काल

(2) सातवाँ दशक—प्रचार-प्रसार काल

(3) आठवाँ दशक—वैज्ञानिक प्रगतिकाल

प्रारंभिक काल (छठा दशक)—केंद्र शासित राज्य का स्तर प्राप्त करने से पूर्व मिज़ोरम असम प्रदेश के अंतर्गत एक जिला मात्र था, जिसका नाम था लुशाइ हिल्स डिस्ट्रिक्ट। इस लुशाइ पहाड़ी जिले में सन् 1952 में स्कूली पाठ्यक्रम के अंतर्गत एक पाठ्य विषय के रूप में स्थान दिया गया। प्रस्तुत प्रसंग में ध्यान रखने की बात यह है कि दक्षिण भारत के स्कूली पाठ्यक्रम में हिंदी को पाँचवें दशक के उत्तरार्द्ध में ही स्थान मिला। हिंदी प्रचार के अग्रदूत माने जाने वाले सर्वश्री सेलेतथङा और देङछुङा उस समय असम सरकार द्वारा तीताबारी में संचालित एकवर्षीय हिंदी शिक्षण प्रशिक्षण पाठ्यक्रम में दीक्षित होकर मिज़ोरम लौट आये और तदुपरांत स्कूलों में पढ़ने वाले मिज़ो लड़के-लड़कियों को हिंदी सिखाने का कार्य करने लगे।

इन दोनों अग्रणी हिंदी शिक्षक प्रचारकों के निरंतर प्रयास स्वरूप उस समय के स्कूली छात्र-छात्राओं के अतिरिक्त वयस्क लोग भी हिंदी पढ़ने लगे। उन वयस्कों में से कुछ असम राष्ट्रभाषा प्रचार समिति, गुवाहटी द्वारा संकलित हिंदी की प्रारंभिक परीक्षाओं में बैठते और उनमें उत्तीर्ण होते रहे। उन्हीं दिनों उनमें से कुछ अधिक अत्साही मिज़ो युवा असम सरकार द्वारा संचालित मिसामारी केंद्र में हिंदी शिक्षक प्रशिक्षण पाठ्यक्रम पास करने में सफल रहे। इस तरह सीमित और केंद्र की परीक्षाओं में सफल व्यक्ति असम सरकार द्वारा मिज़ो जिले के स्कूलों में हिंदी अध्यापक नियुक्त होते रहे और अपने-अपने विद्यालयों में असम राष्ट्रभाषा प्रचार समिति द्वारा प्रकाशित पाठ्य पुस्तकों की सहायता से हिंदी पढ़ाते रहे। इस प्रकार 1952 से 1960 के अंतराल को हिंदी शिक्षण के संदर्भ में प्रारंभिक काल माना जाना चाहिए क्योंकि इस बीच कोई विशेष गुणात्मक अथवा संख्यात्मक प्रगति नहीं हो सकी, लेकिन हिंदी शिक्षण को वर्तमान स्थिति अथवा स्वरूप प्रदान करने में उसकी ऐतिहासिक भूमिका है, जिसकी नींव पर आज की हिंदी शिक्षण व्यवस्था का भव्य भवन खड़ा हुआ है।

प्रचार-प्रसार काल (सातवां दशक)—मिज़ोरम के इतिहास में हिंदी शिक्षण की दृष्टि से यह सातवाँ दशक एक नया मोड़ लेकर आया। यहाँ की राजनैतिक और सामाजिक गतिविधियों ने इस प्रदेश की ओर पूरे देश का ध्यान आकर्षित कर लिया। इस अवधि में प्रदेश के प्रत्येक क्षेत्र में अनेकानेक परिवर्तन हुए। फलतः प्रदेश की शिक्षा और हिंदी शिक्षण के कार्यक्रम भी इन राज्य व्यापी परिवर्तनों से अछूते नहीं रह सके। इस दशक में हिंदी के प्रचार-प्रसार और

शिक्षण के क्षेत्र में असम के साथ-साथ बाहर की हिंदी संस्थाओं ने भी अपना सहयोग देना प्रारंभ कर दिया था। राष्ट्रभाषा प्रचार समिति, वर्धा और भारत सरकार द्वारा स्थापित केंद्रीय हिंदी संस्थान ऐसी दो उल्लेखनीय संस्थाएँ हैं, जिन्होंने इस प्रदेश में हिंदी के प्रचार-प्रसार में संलग्न व्यक्तियों को शिक्षित-प्रशिक्षित करने की व्यवस्था की। फलतः इस दशक के प्रथमांश में दर्जनों उत्साही युवा अपने प्रदेश से वर्धा और आगरा जैसे सुदूरवर्ती नगरों में जाकर हिंदी सीखने लगे। इस प्रकार उन युवकों को पहली बार हिंदी शिक्षण के कारण भारत राष्ट्र की विशालता का बोध हुआ और साथ ही हिंदी के वातावरण में रहकर हिंदी भाषियों के संपर्क में हिंदी सीखने का सुअवसर मिला।

इस अवधि में जो शिक्षक वर्धा जाते थे, उन्हें राष्ट्रभाषा प्रचार समिति, वर्धा की परिचय परीक्षा (मैट्रिक के समकक्ष हिंदी परीक्षा) के लिए तैयार किया जाता था और जो आगरा जाते थे, उन्हें हिंदी शिक्षण प्रवीण और पारंगत (क्रमशः बी० ए० और बी० एड० के समकक्ष हिंदी परीक्षाएँ) परीक्षाओं के लिए तैयार किया जाता था।

इस अवधि में राष्ट्रभाषा प्रचार समिति, वर्धा ने असम राष्ट्रभाषा प्रचार समिति, गुवाहाटी के सहयोग से मिज़ो छात्रों के लिए हिंदी कक्षाओं की भी व्यवस्था की थी। इस प्रकार हिंदी की दोनों समितियों और केंद्रीय हिंदी संस्थान के सहयोग से मिज़ो प्रदेश में हिंदी शिक्षण का कार्य नयी दिशा की ओर बढ़ ही रहा था कि इसी बीच 1966 में प्रदेश राजनैतिक उथल-पुथल में फंस गया। परिणाम स्वरूप सामाजिक और शैक्षणिक कार्यक्रमों के साथ-साथ प्रचार-प्रसार कार्य को भी धक्का लगा। फिर भी, यह मानना पड़ेगा कि सामान्य स्थिति में हिंदी के प्रचार-प्रसार की दिशा में यहाँ जो कार्य इस अवधि में हुआ, वह मिज़ोरम के हिंदी शिक्षण इतिहास में महत्त्वपूर्ण स्थान रखता है।

प्रगतिकाल (आठवाँ दशक)—मिज़ो लोगों के इतिहास में 21 जनवरी, 1972 का दिन एक महत्त्वपूर्ण दिवस है। इसी दिन मिज़ो लोगों की भूमि होने के कारण इस प्रदेश का नाम 'मिज़ोरम' रखा गया। तब से यह प्रदेश केंद्र शासित राज्य के रूप में अपनी अलग पहचान के साथ उभर कर आया है। तभी से मिज़ोरम बहुमुखी प्रगति की ओर द्रुतगति से बढ़ रहा है। शिक्षा के क्षेत्र में और साथ ही साथ हिंदी शिक्षण के क्षेत्र में भी यह राज्य प्रगति की ओर अग्रसर है। शिक्षा निदेशक की देख-रेख में हिंदी के कार्य को गति प्रदान करने के उद्देश्य से एक पृथक अनुभाग की स्थापना की जा चुकी है। राजधानी नगर आइजोल में एक हिंदी उपशिक्षा निदेशक का और एक हिंदी अधिकारी का कार्यालय है। हिंदी के शिक्षण-प्रशिक्षण कार्यक्रम को समुचित दिशा प्रदान करने के लिए चार सहायक हिंदी शिक्षा अधिकारी भी नियुक्त किये जा चुके हैं, जिनके मुख्यालय

आइजोल पूर्व, आइजोल पश्चिम, लुडलेइ और साइहा में स्थापित हैं।

हर क्षेत्र में हिंदी के प्रति दिलचस्पी—मिज़ोरम के प्रत्येक क्षेत्र में हिंदी के प्रति रुचि दिखलायी पड़ती हैं। सामान्य बाजारों के अतिरिक्त सब्जी बाजारों तक स्थानीय दुकानदारनी (मिज़ोरम में लगभग सभी दुकानों को महिलाएँ चलाती हैं) अपने गैर मिज़ो ग्राहकों से हिंदी (टूटी-फूटी ही सही) में बातचीत करती हैं। यदि कोई दुकानदारनी हिंदी से अपरिचित होती है, तो हिंदी की जानकार उसकी पड़ोसिन उसकी मदद के लिए आगे आती है। सरकारी और गैर सरकारी प्रतिष्ठानों के कुछ व्यक्ति तो हिंदी शिक्षण के प्रति इतने उत्सुक हैं कि वे हिंदी के प्रचार-प्रसार से संबंधित कार्य हेतु आने-जाने वाले विद्वानों और अधिकारियों से पूछ लिया करते हैं कि हिंदी की पढ़ाई स्कूलों में कैसी चल रही है। अन्य हिंदी राज्यों के स्कूलों में हिंदी शिक्षण के स्तर की दृष्टि से मिज़ोरम का हिंदी शिक्षण स्तर कैसा है?

मिज़ोरम का भाषाई मानचित्र

मध्य चिन उपसमूह : (1) **लुशाइ**—जिस प्रकार चिन पर्वत में लै पारस्परिक व्यवहार की भाषा है, उसी प्रकार लुशाइ पर्वत में 'लुशेइ' है। यह क्षेत्र अनेक देशांतर गमन करने वालों का अड्डा रहा है। यहाँ समय-समय पर बराबर विभिन्न जातियाँ आती रही हैं तथा उन्होंने अपने पूर्व निवासियों को पश्चिम एवं उत्तर की ओर जाने के लिए बाध्य किया है। आजकल इस क्षेत्र में मुख्य रूप से लुशाइ लोग रहते हैं। ऐसा प्रतीत होता है कि ये लोग उन्नीसवीं शताब्दी के प्रारंभ में, दक्षिण पूर्व से आगे बढ़ने लगे। सन् 1840 तथा 1850 के बीच इन्होंने उत्तरी लुशाइ पर्वत से अपने पूर्व निवासी थादो लोगों को कछार की ओर भेजकर उस पर अंतिम रूप से अपना अधिकार जमा लिया और इस प्रकार ये सर्वप्रथम अंग्रेजों के संपर्क में आये। इसके परिणाम स्वरूप इनकी उत्तर की ओर की प्रगति सर्वदा के लिए रुक गया। इसके बाद से, इनका अंग्रेजी राज्य से संबंध इतिहास की वस्तु है। इनके नाम की वर्तनी लुशाइ है किंतु इनकी भाषा 'लुशेइ' या 'मिज़ो' कहलाती है। ये अपने को दुलिएन तथा अपनी भाषा को 'दुलिएन टोङ' कहते हैं। इसकी कई बोलियाँ हैं, जिनमें सर्वाधिक प्रसिद्ध 'डेनते' है। इसे दक्षिण लुशाइ पर्वत में देनागिरी के पड़ोस के गाँवों तथा पश्चिमी हाउलौंङ के गाँवों में गैर लुशाइ जाति के लोग बोलते हैं। परिनिष्ठित 'लुशेइ' या मिज़ो भाषा अन्य भाषाओं की अपेक्षा सुविख्यात है। इसके कई व्याकरण लिखे गये हैं, जिनमें से आरंभिक मिशनरियों, लोरेन तथा सैविज द्वारा लिखित व्याकरण अत्यंत महत्त्वपूर्ण है। इसके साथ ही इन लोगों ने इसका एक पूर्ण कोष भी लिखा है।

(2) **लखेर**—लै की एक बोली 'लखेर' लुशाइ पर्वत के दक्षिण में बोली

जाती है। चिन लोग इसके बोलने वालों को 'जओ' या 'जो' कहकर संबोधित करते हैं। ये लोग 'त्लन्त्लंग' के लोगों की एक शाखा हैं। अंग्रेज लोगों को, इनसे सर्वप्रथम भेंट अराकन तथा चटगाँव की सीमा पर हुई थी। वहाँ ये लोग 'शेङ' कहलाते थे।

प्राचीन कुकी उपसमूह : (1) **म्हार**—म्हार भाषा आज भी लुशाइ प्रदेशों में बोली जाती है तथा म्हार लोगों ने लुशाइ लोगों का प्रभुत्व स्वीकार कर लिया है। अंत में, सुदूर दक्षिण कोलडयन नदी के तट पर, चाव लोग चाव भाषा बोलते हुए मिलते हैं। ये लोग प्राचीन कुकी दासों के वंशज हैं। आज से तीन शताब्दी पूर्व अराकन प्रदेश की एक धार्मिक रानी ने इन्हें एक स्थानीय बौद्ध-मंदिर (पगोडा) को दान कर दिया था।

उत्तरी चिन उपसमूह : (1) **राल्ते**—राल्ते लोग मुख्य रूप से लुशाइ पर्वत के पश्चिमी भागों में पाये जाते हैं किंतु आजकल इनके अनेक समूह कछार के मैदानों एवं पहाड़ों में बस गये हैं।

(2) **पइते**—पइते लोग लुशाइ पर्वत पर चारों ओर फैले हुए हैं और यहाँ के प्रत्येक गाँव में इस जाति के कुछ न कुछ लोग अवश्य मिल जाते हैं। इन्होंने 'दुलिएन' लोगों की प्रभुता स्वीकार कर ली है किंतु बोलते ये अपनी ही भाषा हैं। राल्ते की भाँति ही इनकी भाषा में भी लुशेइ या मिज़ो का अत्यधिक सम्मिश्रण है।

मिज़ोरम टू-डे के 1962 के प्रथम त्रैमासिक के अनुसार मिज़ोरम प्रदेश की कुल आबादी 4,87,774 है और इस प्रदेश में विभिन्न भाषाओं के बोलने वाले मिल जाते हैं। उपर्युक्त भौगोलिक पृष्ठभूमि में यदि हम मिज़ोरम की भाषागत स्थिति को सामने रखकर देखें तो हम पायेंगे कि पूरे प्रदेश में अनेक बोलियाँ बोली जाती हैं, जिनके बोलने वालों की संख्या यद्यपि बहुत कम है।

1963 के अनुसार मिज़ोरम में बोली जाने वाली भाषाओं और उनके बोलने वालों की संख्या इस प्रकार है—

म्हार	—	10,165
कुकी	—	5,044
नेपाली	—	5,000 (अनुमानित)
लखेर	—	9,531
लुशाइ (मिज़ो)	—	2,15,884
पाइते	—	1,583
राल्ते	—	90

इनके अलावा मिज़ोरम के उत्तर पश्चिम क्षेत्र में चकमा भाषा-भाषी समुदाय के लोग भी हैं, जो मिज़ोरम के ही नागरिक हैं। मुख्य-मुख्य शहरों में व्यवसायी

वर्ग के रूप में बंगला भाषा और केंद्रीय सेवाओं में कार्य करने वाले अन्य प्रदेशों के लोग भी हैं, जो भारत के भिन्न-भिन्न प्रांतों के निवासी हैं। इन लोगों में से कुछ मिज़ोरम के नागरिक बन गये हैं, शेष प्रवासी हैं।

मिज़ोरम की मुख्य भाषा का नाम लुशाइ या मिज़ो है। यह मिज़ोरम की राज्य भाषा है। चूँकि यह भाषा प्रांतीय संपर्क का माध्यम है, अतएव मिज़ोरम के प्राय: सभी क्षेत्रों में इसका कामोवेश प्रचार-प्रसार है। मिज़ो भाषा अपनी बोलियों से तो संबद्ध है ही, निकटवर्ती अन्य भाषाओं से भी उसका संपर्क हुआ है। चूँकि सिलचर असम के कछार जिले का मुख्यालय है और उससे मिज़ोरम का बड़ा घनिष्ठ संबंध है। अत: लुशाइ का संपर्क असमिया से भी स्थापित हो जाता है। मिज़ोरम के पश्चिम में चकमा जाति के लोगों की आबादी है। जिनकी भाषा बंगला और असमिया से जुड़ी हुई है। अतः लुशाइ पर चकमा के माध्यम से बंगला और असमिया का भी प्रभाव है। मिज़ोरम के पूर्व में बर्मा है। बर्मा के सीमावर्ती बोलियों के प्रभाववश पाइते, राल्ते तथा म्हार आदि मिज़ो की उप-बोलियों में कुछ विशेष प्रकार के तत्त्व आ गये हैं और इन तत्त्वों का प्रभाव भी मिज़ो पर पड़ा है। उत्तर पूर्व में मणिपुरी से प्रभावित मिज़ो उप-भाषाएँ बोली जाती हैं तथा सुदूर दक्षिण में लखेर और पोई भाषाओं का प्रचलन है।

इन भाषाओं के संपर्क में होने के कारण मिज़ो भाषा में कई नवीन तत्त्व आ मिले हैं। मिज़ोरम में ईसाई धर्म का व्यापक प्रचार एवं प्रसार है और धर्म के प्रभाव के कारण अंग्रेजी का भी काफी गहरा प्रभाव लुशाइ (मिज़ो) पर पड़ा है। इसके अलावा राष्ट्रीय संपर्क की दृष्टि से मिज़ोरम हिंदी से भी जुड़ा हुआ है।

मिज़ोरम में हिंदी

हिंदी चूँकि भारत की संपर्क भाषा है और राष्ट्रीय स्तर पर होने वाले आदान-प्रदान का माध्यम है, अतएव मिज़ोरम में भी इसका अध्ययन-अध्यापन किया जाता है। हिंदी फिल्म और आकाशवाणी के विविध कार्यक्रमों के माध्यम से भी हिंदी मिज़ोरम के कोने-कोने में पहुँच गयी है। चूँकि मिज़ोरम सीमावर्ती प्रांत है और दो-दो देशों की सीमाएँ उससे लगी हुई हैं। अत: क्षेत्रीय सुरक्षा की दृष्टि से सेनाओं के विभिन्न दल पूरे प्रांत भर में फैले हुए मिल जाते हैं। लोगों के साथ संपर्क होने के कारण सैनिकों के माध्यम से हिंदी काफी भीतर तक प्रचलित है।

इस प्रकार लुशाइ के ऊपर पड़ने वाले प्रभाव को दो दृष्टियों से विवेचित किया जा सकता है—आंतरिक प्रभाव और बाह्य प्रभाव। आंतरिक प्रभाव की दृष्टि से पूरे प्रांत और सीमावर्ती इलाकों में बोली जाने वाली विभिन्न बोलियों

का प्रभाव और बाह्य प्रभाव की दृष्टि से हिंदी, अंग्रेजी आदि भाषाओं का प्रभाव विवेचित किया जा सकता है।

लुशाइ और हिंदी के संपर्क की विभिन्न स्थितियाँ हैं। मिज़ोरम में सरकारी सेवा के अंतर्गत कार्यरत लोगों में लगभग 30 प्रतिशत लोग बाहर के हैं। इनकी उपस्थिति के कारण बाजार में मिज़ो भाषा के बाद जो दूसरी महत्त्वपूर्ण संपर्क भाषा है, वह हिंदी है। मिज़ोरम में प्रचलित बोलचाल हिंदी में लुशाइ के तत्त्व विभिन्न स्तरों पर देखे जा सकते हैं। इसी प्रकार लुशाइ में भी हिंदी के प्रभाव को देखा जा सकता है।

उदाहरण—

1. यह बड़ा बरामदा है। (वरंदा)
2. ललटीन जल रहो है। (लालटेन)
3. लड़की साबुन से कपड़ा धो रही है। (सह्‌बोन)
4. मैं दाल नहीं खाती। (दइलुउह)

लुशाइ (मिज़ो) और हिंदी—समानताएँ और असमानताएँ

ऐतिहासिक दृष्टि से हिंदी और लुशाइ दो भिन्न-भिन्न स्रोतों से विकसित भाषाएँ हैं। लुशाइ भाषा तिब्बती-बर्मी परिवार की कुकी-चीनी की शाखा से संबंधित भाषा है। हिंदी भारोपिय परिवार की भारतीय ईरानी शाखा की भाषा है। इसके रूप निर्माण में उत्तरी भारत की विभिन्न बोलियों का योगदान तो है ही, क्योंकि मध्य देश की भाषा निरंतर विदेशी भाषाओं से प्रभावित होती ही है। अत: हिंदी के ऊपर फारसी, अरबी, तुर्की, पुर्तगाली, डच, फ्रेंच, अंग्रेजी आदि का स्पष्ट प्रभाव पड़ा है।

मिज़ो तथा हिंदी का व्यतिरेकी विवेचन करने पर पता चलता है कि—वर्णनात्मक दृष्टि से दोनों भाषाओं में पर्याप्त अंतर है। इनके मध्य पाये जाने वाले समान और असमान बिंदुओं को इस प्रकार विवेचित किया जा सकता है।

पदक्रम—सर्वनाम/संज्ञा कर्ता—पदक्रम की दृष्टि से दोनों भाषाओं में अंतर उसी अवस्था में दिखायी देता है, जब कभी कोई सर्वनाम पर है। उदाहरण—मैं रोटी खाऊँगा।

Chhang ka ei ang.
रोटी मैं खा ऊँगा (अन्य पुरुष एकवचन भविष्यकाल)
तुम रोटी खाओगे।
Chhang i ei ang.
रोटी तुम खा ऊँगा।
तू रोटी खायेगा।

Chhang i ei ang.

रोटी तुम खा ऊँगा ।

सर्वनाम कर्ता पदक्रम की दृष्टि से कर्म के बाद तथा क्रिया के पूर्व आता है। जबकि संज्ञा तथा क्रिया के पूर्व आता है । जबकि संज्ञा कर्ता वाले वाक्यों में क्रम कर्ता, कर्म और क्रिया का होता है, कर्म, कर्ता; और क्रिया का नहीं । संज्ञा पद-बंध की रचना की दृष्टि से हिंदी में भी यही स्थिति है ।

उदाहरण के लिए—

1. राम रोटी खाता है।

   Raman chhang a ei

2. राम रोटी खायेगा।

   Raman chhang a ei ang.

3. लड़के रोटी खायेंगे।

   Mipanaupangten chhang an ei ang.

4. लड़का रोटी खायेगा ।

   Mipanaupanign chhang a ei ang.

इस दृष्टि से दोनों भाषाओं में समानता है । हिंदी में दोनों ही स्थितियों में क्रम कर्ता, कर्म, क्रिया, का ही होगा ।

निषेधवाचक शब्द—हिंदी में निषेधवाचक शब्द मुख्य क्रिया के पूर्व प्रयुक्त होते हैं। मिज़ो भाषा में निषेधवाचक लो (Lo) वाक्य के अंत में मुख्य क्रिया के बाद आता है । यदि क्रिया संयुक्त है तो निषेधवाचक शब्द मुख्य और सहायक क्रियाओं के बीच में प्रयुक्त होगा ।

उदाहरण—

1. वह घर **नहीं** गया ।   Inah a kal lo.

   घर में वह जा **नहीं** ।

2. वह चलता **न** रहे ।   Kal reng lo sela.

   जा चलता **न** रहे ।

प्रश्नवाचक—प्रश्नवाचक वाक्यों में हिंदी में प्रश्नसूचक शब्द वाक्य के प्रारंभ में रखा जाता है। मिज़ो भाषा में यह अंत में आता है। हिंदी में 'कब' और 'कहाँ' क्रिया के पहले प्रयुक्त होते हैं, मिज़ो भाषा में ये दोनों वाक्य के प्रारंभ में आते हैं। 'क्यों' वाले वाक्यों की दृष्टि से दोनों भाषाओं में पदक्रम की समानता है ।

उदाहरण—

1. क्या आप स्कूल जायेंगे ?   Sikul ah i kal angem ?

   स्कूल में आप जा ग क्या ?

2. गाड़ी कब छूटेगी ?	Engtikahnge motor a chhuah ang ? कब गाड़ी वह छूट गा ?
3. वह कहाँ जायेगा ?	Khawiah nge a kal ang ? कहाँ वह जा गा ?
4. मोहन दिल्ली क्यों गया ?	Mohana Delhi engvangnge ? मोहना दिल्ली क्यों a kal ? वह जा ?

अन्विति—हिंदी में अन्विति दो स्तरों पर प्राप्त होती है—

1. पदबंध स्तर—(अच्छा लड़का—अच्छी लड़की, अच्छे लड़के)

2. वाक्य स्तर—(लड़का जाता है—लड़की जाती है, लड़के जाते हैं)

मिज़ो भाषा में अन्विति का दर्शन किसी भी स्तर पर नहीं होता। नियमन की कुछ स्थितियाँ अवश्य दिखाई देती हैं, किंतु वे हिंदी से भिन्न स्थितियाँ हैं। जैसे मिज़ो भाषा में 'ने' का समानार्थक परसर्ग (—ने) सकर्मक क्रियाओं में वाली रचना में भूत, भविष्य, वर्तमान—तीनों कालों में प्रयुक्त होता है। दूसरी महत्त्वपूर्ण बात यह हैं कि मिज़ो भाषा में 'ने' सिर्फ संज्ञा, कर्ता के साथ ही आता है। सर्वनाम कर्ता कहीं भी प्रयुक्त नहीं होता।

हिंदी में 'ने' सकर्मक क्रियाओं के पूर्ण भूतकाल की रचना में कर्ता के साथ प्रयुक्त होता है, कर्ता चाहे सर्वनाम हो अथवा संज्ञा।

प्रेरणार्थक क्रिया—प्रेरणार्थक क्रिया रचना की दृष्टि से हिंदी में प्रथम प्रेरणा और द्वितीय प्रेरणा के अलग रूप बनते हैं। मिज़ो भाषा में प्रेरणा का एक ही रूप बनता है। द्वितीय प्रेरणा की अभिव्यक्ति के लिए अतिरिक्त सर्वनाम तथा प्रेरणार्थक शब्द का प्रयोग किया जाता है। उदाहरण के लिए—

1. राम खाता है। Raman a ei.
राम वह (खा है सामान्य वर्तमान)
राम ने वह खा।

2. राम मोहन को रोटी खिलाता है।
Raman Mohana chhang a ei tir.
रामने मोहन रोटी वह खा (प्रेरणा का प्रतीक)

3. राम मोहन से बच्चे को खाना खिलवाता है।
Raman Mohana hmangin naupang chu chaw.
रामने मोहन द्वारा (से) बचा वह खाना
a ei tir
वह खा (प्रेरणा का प्रतीक)

तृतीय वाक्य में 'वह' सर्वनाम के दो रूप मिलते हैं, पहला है चु (chu) जो वास्तविक कर्ता अर्थात् व्यापार के संपादक बच्चे के लिए आया है, कर्म कारक की विभक्ति इसमें अंतर्निहित है। दूसरा सर्वनाम (a) राम के लिए प्रयुक्त हुआ है, जो प्रेरक कर्ता है। प्रेरणार्थक क्रिया रचना की दृष्टि से हिंदी में प्रथम प्रेरणा और द्वितीय प्रेरणा के भिन्न रूप बनते हैं। मिज़ो भाषा में प्रेरणा का एक ही रूप बनता है द्वितीय प्रेरणा की अभिव्यक्ति के लिए सर्वनाम का प्रयोग, अतिरिक्त रूप से एक रूढ़ि के रूप में होता है, उसकी अपनी कोई अर्थवत्ता नहीं होती।

वाच्य—हिंदी में कर्तृवाच्य और कर्मवाच्य की स्पष्ट व्यवस्था है। रूपांतरण और व्युत्पादन की दृष्टि से कर्तृवाच्य को कर्मवाच्य में और कर्मवाच्य को कर्तृवाच्य में परिवर्तित किया जा सकता है। कर्मवाच्य में 'जाना' सहायक क्रिया का प्रयोग निश्चित रूप से किया जाता है। उदाहरण के लिए—

1. संस्थान पुस्तक भेज देगा।
   Sansthanin Lehkhabu a thawn ang.
   संस्थान ने पुस्तक वह भेज भविष्यत।
2. संस्थान द्वारा पुस्तक भेज दी जाएगी।
   Sansthan hmangin lehkhabu thawn ani ang.
   संस्थान द्वारा पुस्तक भेज दी भविष्यत।

कर्मवाच्य में यह स्थिति नहीं है। प्रयोग आवृत्ति की दृष्टि से हिंदी में कर्तृवाच्य एवं कर्मवाच्य के वाक्य सहज रूप में प्रयुक्त होते देखे जा सकते हैं। मिज़ो भाषा में कर्मवाच्य का प्रचलन बहुत कम है, अनुवाद की भाषा में ही यह अधिकतर दिखायी पड़ता है।

समान-असमान बिंदु—इस तरह दोनों भाषाओं में समानताएँ और असमानताएँ दोनों हैं। असमानता के कुछ अन्य बिंदु इस प्रकार हैं—

1. मिज़ो तान (Tone) भाषा है, हिंदी नहीं।
2. हिंदी में शब्द स्तर पर तान का कोई खास महत्त्व नहीं। ध्वनि स्तर पर हिंदी के उत्क्षिप्त व्यंजन/ड़ ढ़ / मिज़ो भाषा में नहीं है। इसी तरह मूर्द्धन्य ष/और तालव्य/श/का भी मिज़ो भाषा में अभाव है। सबसे महत्त्वपूर्ण अभाव घोष, महाप्राण/घ ढ भ/ध्वनियों का है।
3. रूप स्तर पर दोनों भाषाओं में काफी अंतर है। रूप वैज्ञानिक दृष्टि से जो अंतर मिलते हैं, उन्हें इस प्रकार रखा जा सकता है—

(क) हिंदी में कारकीय विभक्ति और परसर्ग साथ-साथ आते हैं।

जैसे—लड़के ने कहा

उसमें—

लड़के—लड़का + ए (तिर्यक रूप)
लड़के + ने (कर्ता कारक परसर्ग)

हिंदी में संज्ञाओं के विकारी रूप प्रयुक्त होते हैं किंतु मिज़ो में संज्ञा का रूप नहीं बदलता अपितु कर्ता, कर्म आदि सूचक प्रत्यय संज्ञा के अविकारी रूप के साथ जुड़ जाते हैं। जैसे—

लड़के ने कहा
Mipanaupangin a sawi
लड़का कर्तासूचक (वह) कहा
लड़के को इनाम मिला।
Mipanaupangin lawmman a hmu.

(ख) हिंदी में—

वह गया (था)	—भूतकाल
वह जाता है	—वर्तमानकाल
वह जायेगा	—भविष्यकाल

क्रिया के साथ जब काल बोधक पक्ष का प्रयोग होता है तो क्रिया रूपों में पक्ष बोधक प्रत्यय लगते हैं। ऐसी स्थिति में क्रिया रूप अपरिवर्तित रहता है किंतु भूतकाल, वर्तमानकाल तथा भविष्यकाल के लिए उपयुक्त सूचक-शब्द प्रयुक्त होते हैं। यथा—

जा	—	गया
जा	—	जाता
जा	—	जाये-जायेगा

मिज़ो भाषा में उपर्युक्त क्रिया रूपों को इस प्रकार रखा जा सकता है—

A Kal tawh ani	(काल तत्त्व सूचक शब्द)
वह जो भूतकाल	(tawh ani)
A Kal ani	
वर्तमानकाल	
A Kal ang	
भविष्यकाल	

स्पष्ट है कि क्रिया में काल के प्रभाव से कोई विकार नहीं होता। कालसूचक शब्द—tawh ani (भूतकाल), ani वर्तमान काल—सत्तार्थक और ang (भविष्य काल) अलग से जोड़े जाते हैं।

इस प्रकार वर्णनात्मक दृष्टि से विचार करने पर मिज़ो और हिंदी भाषाओं की व्यवस्था में पर्याप्त असमान बिंदु हैं।

हिंदी में प्रत्येक पदबंध काफी बड़े और संश्लिष्ट हो सकते हैं।

लड़का

आने वाला लड़का

रोज सुबह की बस से सामान के साथ आने वाला लड़का (नहीं आया)

इस प्रकार के बड़े संज्ञा पदबंध मिज़ो भाषा में भी बन सकते हैं। मिज़ो भाषा में हिंदी के इन पदबंधों का अनुवाद क्रमशः इस प्रकार हो सकता है—

Mipanaupangn

Lo Kal tur mipanaupang

Nitin Bus a bungrua nena lo

Kal thin mipanaupang (a lo Kal lo)

पदबंध रचना में काफी महत्त्वपूर्ण असमानता क्रिया पदबंधों के संदर्भ में मिलती है। हिंदी में क्रिया पदबंध काफी बड़े और संश्लिष्ट हो सकते हैं--

वह बोलता चला जा रहा है।

मिज़ो भाषा में इतने बड़े पदबंधों की रचना नहीं होती। यदि होती है, तो पदक्रम बदल जाता है। उदाहरण के लिए—

Sawi Chengin a Kal mek Zel ani

बोलते हुए वह जा रहा है।

इस प्रकार वर्णनात्मक दृष्टि से विचार करने पर मिज़ो और हिंदी भाषाओं की व्यवस्था में पर्याप्त समान एवं असमान बिंदु मिल सकते हैं।

त्रिपुरा

त्रिपुरा में बहुसंख्यक समाज बंगला का है। अतः सर्वत्र यहाँ तक कि स्कूली पाठ्यक्रम में भी बंगला भाषा का प्रभुत्व है। यहाँ जनजातीय भाषाओं में बर्मी शाखा की एक मात्र भाषा मोछ, भारोपीया परिवार की भाषा चकमा बोड़ो परिवार की भाषा जमातीय, त्रिपुरी एवं रियाड बोली जाती है। चकमा एवं रियाड मिज़ोरम में भी बोली जाती है। त्रिपुरा में मणिपुरी भी बोली जाती है। यहाँ की इन जनजातीय भाषाओं एवं मणिपुरी को लेखन में अंकित करने का मौका दिया गया, वहाँ वे बंगला लिपि में ही अंकित की गयी हैं। संबंधित जनजाति समाजों के अनुरोध पर कुछ वर्ष पहले त्रिपुरा प्रशासन ने प्राथमिक कक्षाओं में सीमित मात्रा में इन भाषाओं की पढ़ाई की व्यवस्था की है। लेकिन रियाड आदि समाज अपने पड़ोसी राज्यों के प्रभाव से अपनी भाषाओं के लिए रोमन लिपि के प्रयोग की माँग कर रहे हैं। और निजी तौर पर उन्होंने रोमन लिपि में पुस्तकें प्रकाशित करना शुरू कर दिया है।

मणिपुर

पहाड़ों की कोणियों से घिरा मणिपुर भारत की सुदूर पूर्वी सीमा पर स्थित एक छोटा-सा राज्य है, जिसको 'भारत का मणि' कहा जाता है और जो धरती पर एक सौंदर्य-बिंदु है। इसके मखमली हरे-हरे खेत, आर-पार दिखायी देने वाले निर्मल सरोवर, घुमावदार पहाड़ी वेगवती नदियाँ और बढ़िया जलवायु प्रदेश हैं।

इस सुंदर प्रदेश का निर्माण भूगर्भशास्त्रियों के अनुसार मणिपुर, कछाड़, गारो पहाड़ और बंगाल का कुछ हिस्सा पहले पानी के भीतर था। इन डूबे हुए स्थानों के उत्तर-पूर्व में असम की पर्वत श्रेणियाँ खड़ी हैं। कुछ भूतत्त्वीय परिवर्तन के कारण धरती की सतह पर प्रशांत महादेश पानी के नीचे चला गया और मणिपुर, कछाड़, त्रिपुरा और गारो पहाड़ की डूबी हुई धरती समुद्री तल से ऊपर उठ गयी है।

भूतत्त्वीय गणना के अनुसार यह घटना करोड़ों वर्ष पहले हुई थी। उपर्युक्त स्थानों में समुद्री मछलियों के विभिन्न कंकालों की खोज ने इस मान्यता को कुछ हद तक प्रमाणित भी किया है। यद्यपि समुद्र उस क्षेत्र से घट गया या सूख गया, लेकिन मणिपुर घाटी का हिस्सा बहुत समय तक पानी के नीचे ही रहा।

मणिपुरी पुराणों में भी यह कही गयी है। उसके अनुसार यह कहा जाता है कि शुरू में सभी कुछ पानी के अंदर था। नौ देवताओं (लाई पुष्प थी) और सात देवियों (लाईनुरा) ने साथ-साथ काम करके 64 पहाड़ बनाये। तब धरती की सृष्टि हुई। उसके बाद, एक दिन भगवान शिव अपनी पार्वती के साथ नोङ माई गिंग के ऊपर मणिपुरी घाटी में रास-नृत्य करने के लिए उतरे। यह घाटी तब भी पानी के भीतर थी। शिवजी ने अपने त्रिशूल से पहाड़ में एक छेद कर दिया और फालतू पानी को बहने दिया। धीरे-धीरे भगवान विष्णु की इच्छानुसार, मणिपुर की सुंदर घाटी पानी से बाहर निकल आयी।

धार्मिक साहित्य

पंडित अरोम वाथु शर्मा अपनी लेखनी द्वारा मणिपुर के धार्मिक साहित्य को समृद्ध करने में लगे हैं। उन्होंने इन पुस्तकों का अनुवाद किया—'चाणक्य नीति', 'चैतन्य चरितामृत', 'सरस्वती व्याकरण', 'गीता पूजा पद्धति', 'मानव धर्म सार', 'अथर्ववेद' और बहुत-सी अन्य संस्कृत पुस्तकें। उनकी अपनी मूल कृतियाँ हैं—'मणिपुर पुरवृप्तम', 'मेथेई हरिइमेये', 'मेथेई चर्म अरिब्रा', 'प्राचीन मणिपुर भाषा', 'मणिपुर प्रतिमा' और 'प्रातनोन कोस'।

इन पुस्तकों के अलावा दैनिक पत्र 'ज्ञासी', 'प्रजातंत्र', 'अनौबा समाज' आदि भी मणिपुर साहित्य को समृद्ध कर रहे हैं।

मणिपुर

भाषा एवं साहित्य

मणिपुरी भाषा तिब्बती-बर्मी समूह की, कुकी-चिन शाखा की भाषा है। यह बर्मी भाषा के बहुत करीब है। इस भाषा को कलकत्ता और गुवाहाटी विश्वविद्यालयों ने डिग्री कक्षा का वर्नाक्यूलर (Vernacular) के रूप में स्वीकृत किया है। यह आधार के तौर पर नामा और बोड़ो भाषाओं से भिन्न है । एक समय इसकी अपनी लिपि भी थी लेकिन अब यह अप्रचलित है ।

मेथेई लोगों ने जब से वैष्णव धर्म को अपना लिया (13वीं से 15वीं सदी के बीच) तब से मणिपुरी के अलावा बंगला और असमी भाषा का भी अध्ययन किया जाने लगा । इन्होंने अपनी भाषा में उल्लेखनीय साहित्य की सृष्टि की है, जो बंगाली और असमी लिपियों में छापे गये हैं। कुछ ही वर्ष पहले मणिपुरी भाषा में 34,000 पंक्तियों का एक महाकाव्य लिखा गया है, जो वहाँ की प्रचलित दंतकथा के नायक खाम्बा और नायिका थोइबी (12वीं शताब्दी) की अमर प्रेम-गाथा पर आधारित है ।

मणिपुरी साहित्य का आरंभ कहाँ से है, इसके बारे में ठीक-ठीक कहना कठिन है । विश्वास किया जाता है कि प्राचीन मणिपुरियों ने सभ्यता और संस्कृति की ऊँचाइयों तक अपना विकास किया था। सचमुच ही, मणिपुर में पुराने काल से ही समृद्ध साहित्य है । विद्वानों का कहना है कि इनमें बहुत-सी पांडुलिपियाँ ईसवी शताब्दी के प्रारंभ से पहले ही लिखी गयी थीं। लकड़ी के फलक, पत्थर के फलक, ताम्र-फलक और कड़े चमड़े पर लिखे गये अभिलेख आज भी राज्य में मौजूद हैं। इन दुर्लभ संग्रहों का अध्ययन करने पर, मणिपुर निवासी प्राचीन काल से ही अपने को समृद्ध साहित्य के साथ प्रतिष्ठित पाते हैं । मणिपुरी संस्कृति और साहित्य युगों से विकसित होती आ रही लंबी प्रगति का परिणाम है। मणिपुरी साहित्य, साथ ही मणिपुरी संस्कृति भी विभिन्न प्रभावों की उपलब्धि है।

मणिपुरी साहित्य के तीन भाग हैं—

प्राचीन, मध्य कालीन और आधुनिक । अब तक 250 के लगभग पुरानी पांडुलिपियाँ मिली हैं। ये अधिकांश इतिहास, ज्योतिष, चिकित्सा, सदाचार और पारिवारिक या वंशगत परंपराओं के संबंध में छोटी-छोटी कृतियाँ हैं। इस प्रकार की कृतियाँ 17वीं शताब्दी तक लिखी गयीं।

कुछ प्राचीन ग्रंथ जैसे पूया, निहोरोन और चेइथारोल कम या अधिक ऐतिहासिक रिकार्ड हैं। अताई लाइसोल और लाइचार लाइसोल प्राचीन मणिपुरी के धार्मिक साहित्यों में प्रधान हैं । ऐतिहासिक महत्त्व की पुस्तकें हैं—'पान-थोइबी खोंगुल' और 'खोंग ज़ोंग नुबे नोन गारोन' जो अमर प्रेम काव्य भी है ।

इनमें प्राचीन काल की प्रेम-गाथाएँ पद्यों में अंकित हैं। होमर के महाकाव्य की तरह ही ये ग्रंथ पद्य में लिखे गये हैं।

कुछ और पुरानी पांडुलिपियाँ हैं—(1) तारबेल ज्ञाम्बा(त्रिपुरा की विजय), (2) सुमजोक ज्ञाम्बा (सुमजोक की विजय), (3) चेइथारन कुम्बाबा (राज-परिवार का इतिहास) और (4) नुकिट काव्या (सूर्य का शिकारी) आदि।

वैष्णव धर्म के प्रवेश के बाद से मणिपुरी लोग बंगला वैष्णव साहित्य से घनिष्ठ संबंध रखने लगे। मध्य कालीन मणिपुरी साहित्य का उदय मणिपुर में वैष्णव धर्म के उदय के साथ ही हुआ। यह 18वीं शताब्दी का आरम्भ ही था। इसी काल में मणिपुर में वैष्णव धर्म का जोरदार प्रचार हुआ। मणिपुर का धार्मिक और सांस्कृतिक जीवन जो नाटक, नृत्य और संगीत से सुपुष्ट था, वह अब महाप्रभु चैतन्यदेव के भाव-गीतों को गाने लगा। प्राचीन प्रेम-काव्यों का स्थान राधा और कृष्ण के प्रेम-वर्णन ने ले लिया। इससे मणिपुरी साहित्य का और विकास होता गया। धर्म, राज-संरक्षण और मणिपुरी ब्राह्मणों के प्रयत्नों से मणिपुर में बंगला भाषा लोकप्रिय हो गयी। इसी काल में बहुत से संस्कृत और बंगाली ग्रंथों का मणिपुरी भाषा में अनुवाद हुआ और ये भी मणिपुरी साहित्य का एक अभिन्न अंग बन गये। कुछ विद्वानों का कहना है कि संस्कृत भाषा का प्रवेश मणिपुर में 961 ई० पूर्व में ही हो गया था। मणिपुरी में रामायण और महाभारत भी लोकप्रिय हुए। हिंदू देवताओं जैसे हरि, शिव, दुर्गा, इन्द्र आदि की पूजा मणिपुरी लोग इसी समय से करने लगे। इस तरह मणिपुर भी हिंदू राज्य बन गया।

मणिपुरी साहित्य में बंगला भाषा का भी अभिन्न स्थान है। ब्रिटिश सरकार को लिखे गये पुराने सरकारी पत्रों में भी इसी भाषा का इस्तेमाल किया गया था। कुछ मणिपुरी कवियों ने बंगला में कुछ भजन इत्यादि लिखे हैं। 'धरणी संहिता' (गंभीर सिंह के काल की ऐतिहासिक कृति) को एक मणिपुरी ने बंगला भाषा में लिखा। आज भी कृतिवास की बंगला रामायण को मणिपुरी लोग बड़ी श्रद्धा से पढ़ते हैं। किसी भी धार्मिक या सामाजिक उत्सव में बंगला भजन गाया जाना सामान्य है। 1924 तक स्कूलों में पढ़ाई का माध्यम बंगला भाषा रही। उस समय मणिपुरी द्वारा प्रायः बंगला नाटक खेले जाते थे। लेकिन तो भी मणिपुरी भाषा उपेक्षित नहीं थी। 1858 में महाराजा चंद्रकीर्ति सिंह के कहने पर मणिपुरी गीत लिखा गया और उन्होंने इसे राष्ट्रीय गीत के तौर पर अपना भी लिया था।

बीसवीं शताब्दी के आरंभ में मणिपुरी साहित्य ने आधुनिक काल में प्रवेश किया। आधुनिक काल का श्रीगणेश करने वालों में अग्रगण्य हैं—डॉक्टर लामाबम कमल, जो आधुनिक मणिपुरी लेखकों में सर्वप्रिय और बहुचर्चित हैं। उनका उपन्यास 'माधवी' आधुनिक मणिपुरी उपन्यासों में सबसे ऊँचा स्थान रखता है।

डॉ० कमल के समकालीन लेखकों में रूवाई राववपाय छाओबा तथा हिजाम अंगहल्ल के नाम उल्लेखनीय हैं। छाओबा पर इंगलैंड के विक्टोरिया युग के कवियों का प्रभाव है। लेकिन अंगहल्ल ने प्राचीन मणिपुरी लोक-साहित्य के खजाने में गहराई से डुबकी लगाई है। दंतकथाओं और ऐतिहासिक विवरणों को लेकर अंगहल्ल ने 'खाम्बा-थोइबी' महाकाव्य को आठ खंडों में लिखा है, इसको मणिपुर से बाहर के विद्वान भी साहित्य की उपलब्धि मान चुके हैं। ये आठों खंड खाम्बा और थोइबी के बीच अमर प्रेम की कहानियाँ अविच्छिन्न ढंग से कहते हैं।

डोरेंद्रजीत सिंह ने 'केशवध' महाकाव्य लिखा है। अंगहल्ल और डोरेंद्रजीत सिंह मणिपुरी साहित्य के दो रत्न माने जाते हैं। कवि अंगाभ्रहाल सिंह ने प्राचीन शब्दों को बोलचाल के शब्दों के साथ लिखकर यह दिखला दिया है कि मणिपुरी भाषा भी सब प्रकार से मानवीय संवेदनाओं को प्रकट करने में सक्षम है और सुंदर ढंग से अपनी अनुभूतियों को व्यक्त कर सकती है।

मणिपुरी उपन्यास भी अब धीरे-धीरे साहित्य के क्षेत्र की शोभा बढ़ा रहे हैं। शीतलजीत सिंह वर्तमान मणिपुर के अग्रणी उपन्यासकार हैं। उनके उपन्यास छोटी कहानियाँ और निबंध मणिपुरी साहित्य की बहुमूल्य निधि हैं। अनुवाद साहित्य में एम० कोइरंग सिंह की 'कपाल कुंडला', वासुदेव शर्मा का 'अभिज्ञान शाकुंतल' और एच० नवद्वीप चंद्रसिंह का 'मेघनाथ-वध' काव्य उल्लेखनीय हैं।

मणिपुर में कुकी-चिन समूह की भाषा मणिपुरी प्रमुख भाषा है, जिसके बोलने वालों की प्रतिशत राज्य की आबादी में 63.24 है। ये लोग मणिपुर राज्य के मध्य जिले में रहते हैं। जो कि मैदानी जिला है। राज्य के चारों ओर के पहाड़ी जिलों में अनेक कबीलों के लोग रहते हैं। इन कबीलों की भाषाओं में 9 प्रमुख मानी जाती हैं। इनमें 4 भाषाएँ—काबुई, तांखुल, वोडमी और माउ नागा समूह की हैं। तो शेष 5 भाषाएँ—कुकी, थादो, पाइते, वाइफे और म्हार—कुकी-चिन परिवार ही हैं। राज्य की संपर्क भाषा मणिपुरी है। यहाँ के प्रायः सभी जनजातीय भाषा-भाषी द्विभाषिक (मातृभाषा और मणिपुरी) होते हैं।

एक समय था जबकि मणिपुर में बंगला भाषा का बोलबाला था। मणिपुरी भाषा बंगला लिपि में लिखी जाती थी। अब मणिपुरी में एम० ए० तक की पढ़ाई होती है। अब युवक वर्ग में यह प्रयास जोरों से चल रहा है कि मणिपुरी को उसकी प्राचीन लिपि मेथेई में लिखा जाये। अभी तक जनजातीय भाषाओं में पढ़ाई की व्यवस्था नहीं हुई है। अन्य पड़ोसी जनजातीय भाषाओं के समान यहाँ की जनजातीय भाषाओं को रोमन लिपि में अंकित करने के प्रयास भी प्रारंभ हो चुके हैं। पूरे मणिपुर में मणिपुरी संपर्क भाषा के रूप में प्रयोग की जाती है। अपने धार्मिक संपर्क से मैदानी लोग (मेथेई लोग) देश की सांस्कृतिक धारा से जुड़े हुए हैं। इस कारण से भी यहाँ हिंदी की तीन शैक्षिक संस्थाएँ बहुत पहले से

हिंदी के प्रचार और प्रसार में संलग्न हैं। स्कूलों में बहुत पहले से हिंदी पढ़ाई की व्यवस्था की जा चुकी है। परिणामस्वरूप नयी पीढ़ी के पढ़े-लिखे लोगों में अधिकांश हिंदी से परिचित हैं। इम्फाल शहर में हिंदी से काम चलाया जा सकता है।

नागालैंड

तिब्बत परिवार के नागा समूह की 19 भाषाएँ प्रमुख मानी जाती हैं। जो नागालैंड, अरुणाचल एवं मणिपुर में बोली जाती हैं। इनमें से 13 प्रमुख रूप से नागालैंड में बोली जाती हैं। ये सभी भाषाएँ प्राथमिक स्तर तक स्कूलों में पढ़ाई जाती हैं। इनमें से कुछ माध्यमिक स्तर पर और आओ, अंगामि हाई स्कूल स्तर तक विषय के रूप में पढ़ाई जाती हैं। इन भाषाओं को बोलने वाले लगभग सबके सब ईसाई हैं। किसी एक सामान्य संपर्क भाषा के अभाव में यहाँ लोग आपस में या असमवासियों से नागामिस (असमी एवं नागभाषा से मिश्रित भाषा जिसे अंग्रेजी में नागा पिजिन भी कहा जाता है) में बोलकर अपना काम चला लेते हैं। यहाँ तक कि नागालैंड की विधान सभा में अंग्रेजी न जानने वाले सदस्य इसी भाषा का प्रयोग करते हैं। नागामिस के जरिये हम लोग अपना संपर्क केवल सीमित दायरे—असम तक ही बढ़ा सकते हैं। हिंदी से यह संपर्क पूरे भारत तक व्याप्त हो सकता है। यह विचार नागालैंड के कुछ वर्गों में स्पष्ट रूप से उभर रहा है। इस संबंध में इस बात का भी उल्लेख करना भी आवश्यक है कि नागालैंड की सबसे बड़ी बस्ती दीमापुर में बाजारू हिंदी खूब चलती है। ध्यान रहे दीमापुर उधर के राज्यों के लिए एक मंडी भी है।

नागालैंड

भाषा और साहित्य

नागाओं की उतनी ही बोलियाँ हैं, जितनी कि उनकी जातियाँ हैं। हर बीस मील पर जाति बदल जाती है, उसी तरह उनकी बोली भी बदल जाती है। सभी बोलियाँ एक दूसरे से भिन्न होती हैं, इसलिए एक जाति वाला दूसरी जाति वाले की बात नहीं समझ सकते, इशारे से ही समझते हैं। इसका कारण यह है कि प्रत्येक जाति में उप-जातियाँ बनती गयीं और उससे बाहर के किसी भी व्यक्ति पर उन्होंने विश्वास नहीं किया।

नागालैंड की कभी भी कोई एक भाषा नहीं रही और लिपि की उन्होंने कभी आवश्यकता अनुभव नहीं की। इसका कारण यह था कि प्रत्येक व्यक्ति एक-दूसरे से आसानी से मिल सकते थे। इसलिए पत्र या प्रेम-पत्र लिखने की भी आवश्यकता

नहीं थी। फिर भी जहाँ मनुष्य है, जहाँ वह आपस में किसी बोली में बातचीत करता है, वहाँ कहानी भी है और गीत भी हैं, इसलिए प्रत्येक नागा जाति की अपनी लोककथाएँ हैं और लोकगीत हैं।

नागाओं की कहानियों में वही चमत्कार और रोचकता है और साथ ही कोई-न-कोई संदेश भी, जैसा कि हमारे पुराणों, हितोपदेश, पंचतंत्र आदि की कहानियों में है। उनको लोकगीतों में भी उन सब विभिन्न रसों का आनंद मिलता है, जो उन्हें उत्कृष्ट काव्य बना देता है। फिर भी उनमें सरलता पायी जाती है। नागा लोकगीतों में प्यार और घृणा, निर्माण और विनाश, सुख और दुःख सभी मानवीय भावनाओं की अभिव्यक्ति मिलती है।

अरुणाचल

केंद्र शासित राज्य के रूप में गठित होने से पूर्व यह अरुणाचल राज्य नेफा के रूप में जाना जाता था। यह नेफा अथवा उत्तर-पूर्व सीमांत प्रदेश को संवैधानिक दृष्टि से सन् 1971 तक असम का ही एक भाग समझा जाता था। अतः इस क्षेत्र की शिक्षा व्यवस्था भी असम राज्य के नियमानुसार ही संचालित होती थी। इसका सीधा अर्थ यह है कि यहाँ के विद्यालयों में असम के अन्य अंचलों की तरह ही स्वाधीनता के उपरांत हिंदी के शिक्षण की व्यवस्था हो पायी। लेकिन हिंदी अध्यापकों के अभाव और जो थे भी, उनकी कम योग्यता के परिणाम स्वरूप छात्रों को समुचित लाभ नहीं मिल पाया। इस कमी की पूर्ति के लिए पहले-पहल सन् 1954 में हिंदी शिक्षकों को प्रशिक्षित करने की व्यवस्था की गयी ताकि इस क्षेत्र के आदिवासी छात्रों को व्यवस्थित रूप से राष्ट्रभाषा का ज्ञान कराया जा सके। इस विद्यालय से प्रशिक्षण प्राप्त अध्यापकों ने राष्ट्रभाषा हिंदी के प्रचार को पर्याप्त गति प्रदान की और लोग हिंदी के प्रति रुचि दिखाने लगे।

अब तक हिंदी शिक्षण कार्य के लिए हिंदी भाषा-भाषी लोगों को ही नियुक्त किया जाता था। परंतु अनुभव के उपरांत शासन इस निष्कर्ष पर पहुँचा कि स्थानीय लोगों को हिंदी शिक्षक के रूप में प्रशिक्षित कर उन्हें हिंदी शिक्षण कार्य में लगाना ही अधिक लाभदायक सिद्ध होगा। परिणामस्वरूप सरकार ने पासीघाट और ह्वेनसांग में दो प्रशिक्षण-केंद्र स्थापित किये और इस प्रकार अरुणाचल के स्कूलों में हिंदी को माध्यमिक स्तर तक अनिवार्य विषय के रूप में पढ़ाया जाने लगा, जो कि अभी यथावत् है।

असम राष्ट्रभाषा प्रचार-समिति ने सन् 1952 से अरुणाचल के विभिन्न अंचलों में अपने पंजीकृत प्रचारकों द्वारा हिंदी प्रचार का कार्य प्रारंभ कर दिया था। पासीघाट, आलंग आदि स्थानों पर संचालित असम राष्ट्रभाषा प्रचार

समिति के केंद्रों में हिंदी का ज्ञान प्राप्त करने में अनेक जनजातियाँ विद्यार्थियों ने सफलता प्राप्त की।

सिक्किम

अभी कुछ वर्ष पहले ही सिक्किम का भारत में विलय हुआ है। सिक्किम की प्रमुख भाषा नेपाली है। लेकिन भोटिया समाज में भोटिया और लेप्चा समाज में लेप्चा बोली जाती है। इन दोनों समाजों के अधिकांश लोग बौद्ध हैं। इस कारण से इनके धार्मिक ग्रंथ तिब्बती लिपि में उपलब्ध हैं। ये दोनों भाषाएँ प्राथमिक स्तर पर पढ़ाई जाती हैं। पाठ्य पुस्तकें तिब्बती लिपि में प्रकाशित की जाती हैं। यहाँ हिंदी अनिवार्य रूप से पढ़ाई जाती है। भारत की मुख्य धारा से अपने को पूरी तरह जोड़ने की अभिलाषा जैसे-जैसे तीव्र होती जा रही है, वैसे-वैसे यहाँ हिंदी और नागरी लिपि का प्रचलन बढ़ता जा रहा है। सिक्किम की राजधानी गंगतोक में बाजारू हिंदी भी प्रचलित है।

असम

असम राज्य में हिंदी साहित्य की मौलिक सर्जना सदियों पहले से अपने ढंग से विकासमान रही है परंतु इसका यह अर्थ लगाना भ्रामक होगा कि इस प्रदेश में हिंदी के प्रचार का कार्य-इतिहास भी उतना ही पुराना है। वस्तुत: असम में हिंदी प्रचार का इतिहास अधिक से अधिक 60 वर्ष का है, जिसके प्रचार की गति, प्रसार की मात्रा और उसकी संघनता (स्थायित्व) की दृष्टि से इसे तीन अंतरालों में रख सकते हैं और सुविधा की दृष्टि से इन्हें तीन नाम भी दे सकते हैं—

(1) आदिकाल (1918-1934)
(2) प्रचार-प्रसार काल (1934-1938), और
(3) उत्कर्ष काल (1938—)[1]

इन कालों का संक्षिप्त विवरण इस प्रकार है—

(1) आदिकाल (1918-1934)

सन् 1918 में शिवसागर के बक्ता ग्राम में भुवनचंद्र गगै (1889-1940)

1. असम में हिंदी के प्रचार-प्रसार के इस इतिहास को कृष्णनारायण प्रसाद मागध ने अपने ग्रंथ 'असम प्रांतीय हिंदी साहित्य' में निम्नवत् विभाजित किया है। यथा—
(1) प्रथम वर्ष—स्वप्रेरणाकाल (1920-1934)
(2) द्वितीय वर्ष—प्रारंभिक अवस्था (1934-1948)
(3) तृतीय वर्ष—विस्तारकाल (1948—)

ने असम पोलिटेकनिक इंस्टीट्यूशन नाम का विद्यालय स्थापित किया। सन् 1926 में इस संस्था में भुवनचंद्र गर्ग ने हिंदी को एक अनिवार्य विषय के रूप में रख दिया। अतः असम राज्य में सन् 1926 में सर्वप्रथम विधिवत् रूप से हिंदी के अनिवार्य अध्ययन का सूत्रपात हुआ। परंतु समुचित पाठ्य पुस्तकों की अनुपलब्धता एवं हिंदी शिक्षकों का अभाव इस कार्य में बाधा बनता रहा है। दो वर्ष पश्चात् 1928 में काशी तथा बिहार से हिंदी शिक्षक उपलब्ध हो जाने पर हिंदी शिक्षण का कार्य ठीक से चलने लगा। अनेक प्रयत्नों के बावजूद कलकत्ता अथवा अन्य किसी विश्वविद्यालय ने हिंदी के कारण इंस्टीट्यूशन को मान्यता प्रदान नहीं की। असफल परंतु उत्साही गर्ग महोदय ने हिंदू विश्वविद्यालय काशी (बनारस) से संपर्क साधा और अंततः स्वीकृति प्राप्त करने में सफल हो गये और सभी विद्यालय के हिंदी पाठ्यक्रम को राष्ट्रभाषा प्रचार समिति, वर्धा के अनुरूप कर दिया गया। इस प्रकार इंस्टीट्यूशन में तीसरी श्रेणी से आठवीं श्रेणी तक हिंदी को अनिवार्य रूप से पढ़ाने की व्यवस्था कर दी गयी।

साथ ही कक्षा 9-10 में उसको ऐच्छिक रूप से पढ़ने-पढ़ाने का प्रावधान कर दिया गया। इस प्रकार असम राज्य में भुवनचंद्र गर्ग के प्रयत्नों से असम पोलिटेकनिक इंस्टीट्यूशन में हिंदी के अनिवार्य और ऐच्छिक रूप में अध्ययन-अध्यापन का शुभारंभ हुआ, जिसे हिंदी प्रचार की दृष्टि से आद्यावस्था कह सकते हैं, जिसमें हिंदी प्रचार-प्रसार के लिए उपयुक्त वातावरण तैयार कर दिया गया। अत. असम में हिंदी प्रचार-प्रसार और उसके अध्यापन का सूत्रपात करने के इतिहास की दृष्टि से भुवनचंद्र गर्ग का नाम प्रथम पंक्ति में आता है।

(2) प्रचार-प्रसार काल (1934-1938)

उत्तर प्रदेश के जनप्रिय देशभक्त कर्मठ पुरुष[1] बाबा राघवदास (1896-1958) ने सन् 1934 से पूर्वांचल में हिंदी प्रचार की बागडोर संभाली और अपने आश्रम बरहज (उत्तर प्रदेश) से ही हिंदी प्रचार कार्य का संचालन करने लगे। हिंदी के बढ़ते हुए प्रचार कार्य को ध्यान में रखकर सन् 1934-35 से 1937 तक जोरहाट, डिब्रूगढ़, शिवसागर, नवगाँव, गुवाहाटी और गोलाघाट में हिंदी प्रचारकों को हिंदी का प्रचार कार्य सौंप दिया गया। इस अंतराल में असम अंचल के अनेक सपूतों ने हिंदी के प्रचार और प्रसार में तन, मन, धन समर्पित कर दिया।

सन् 1938 के अंत में दक्षिण भारत हिंदी प्रचार सभा, मद्रास के अनुभवी और सुयोग्य प्रचारक जमुना प्रसाद श्रीवास्तव, प्रचार संचालक बनकर पधारे।

---

1. जन्म चैत 12 दिसंबर, 1896 पूना नगर (महाराष्ट्र) कर्मक्षेत्र—पूर्वी उत्तर प्रदेश के गोरखपुर, देवरिया जिले में।

अब बाबा राघवदास और जमुना प्रसाद श्रीवास्तव मिलकर एक-एक ग्यारह हो गये और अपने पैरों से सारे असम को नाप गये। नवंबर, 1938 को असम के लोकप्रिय नेता गोपीनाथ बरदलै के आग्रह पर उन्हीं की अध्यक्षता में हिंदी प्रचार समिति की स्थापना कर दी गयी। चूँकि कांग्रेस (संयुक्त) के नेता बरदलै को असम का प्रधानमंत्री[1] का पद भी संभालना पड़ रहा था, अत: 11 दिसंबर, 1938 की बैठक में डा० हरेकृष्ण दास एवं देवकांत बरूवा को हिंदी प्रचार समिति का क्रमशः अध्यक्ष और मंत्री पद प्रदान कर दिया गया। इसी अवसर पर प्रधानमंत्री गोपीनाथ बरदलै ने घोषणा की—'उनके नेतृत्व में गठित संयुक्त सरकार हिंदी प्रचार समिति को 1200 रुपये अनुदान के रूप में देगी।" स्पष्ट है कि अब सरकार और जन स्वयंसेवी हिंदी प्रचार कार्य में एक मंच पर एकजुट थे। हिंदी प्रचार-प्रसार को समर्पित राष्ट्रवादी बरदलै की संयुक्त कांग्रेस सरकार ने माध्यमिक शालाओं में कक्षा पाँच से हिंदुस्तानी सिखाने के आदेश भी निर्गत कर दिये गये।

इस प्रकार इस चार-पाँच साल के अंतराल को हिंदी के प्रचार और प्रसार का काल कह सकते हैं।

इस काल की निम्नलिखित मुख्य विशेषताएँ थीं—

(1) शिवसागर में हिंदी प्रचार काल के दूसरे सोपान में मुहम्मद सफी जैसे राष्ट्रवादी मुसलमान ने हिंदी प्रचार की कमान संभाली।

(2) सन् 1937 से हिंदी प्रचार के पुनीत काल में असम के तीन तरुण आगे आये और वे थे—रजनीकांत चक्रवर्ती, नवीनचंद्र कलिता, हेमकांत भट्टाचार्य।

(3) माध्यमिक विद्यालयों में पाँचवीं से हिंदी सिखाने का राजकीय आदेश लागू हुआ।

(3) उत्कर्ष काल (1938—)

जनता और सरकार के एक मंच पर आते ही काका साहेब कालेलकर के प्रस्ताव को ध्यान में रखते हुए असम हिंदी प्रचार समिति का नाम "असम राष्ट्रभाषा (हिंदुस्तानी) प्रचार समिति" कर दिया गया। इस नव-नामित असम राष्ट्रभाषा प्रचार समिति के संदर्शन में हिंदी प्रचारकों की माँग दिनोंदिन बढ़ने लगी। हिंदी प्रचारकों की इस उत्तरोत्तर बढ़ती हुई माँग को ध्यान में रखकर हिंदी प्रचारक शिविर आयोजित करने लगे।

इस समय राष्ट्रभाषा प्रचार आंदोलन मणिपुर सहित सारे असम में जोर

1. उस समय राज्यों में प्रधानमंत्री का ही पद होता था, मुख्यमंत्री का नहीं।

पकड़ चुका था। इसी बीच सन् 1942 में राष्ट्रभाषा प्रचार समिति, वर्धा ने राष्ट्रपिता महात्मा गांधी की विकेंद्रीकरण की नीति के अंतर्गत महाराष्ट्र उत्कल और असम की प्रांतीय प्रचार समितियों को स्वतंत्रता प्रदान कर दी। फलतः असम राष्ट्रभाषा प्रचार समिति, गुवाहाटी के कंधों पर गुरुतर भार आ पड़ा।

दूसरे महायुद्ध का जोर-शोर और उसके आतंक स्वरूप अस्त-व्यस्त और अव्यवस्था, स्वाधीनता संघर्ष का चर्मोत्कर्ष तथा उसमें राष्ट्रभाषा हिंदी सेवी प्रचारकों का सहयोग आदि ऐसे अनेक कारण बन गये, जिन्होंने असम राष्ट्रभाषा प्रचार समिति को स्वतंत्र होने पर भी आगे नहीं बढ़ने दिया और उसके प्रचार कार्य की यथास्थिति बनी रही। सन् 1948 तक समिति स्वतंत्र होते हुए भी राष्ट्रभाषा प्रचार समिति, वर्धा के अधीन ही कार्य करती रही। अंततः अक्टूबर, 1948 से असम राष्ट्रभाषा प्रचार समिति ने अपनी स्वतंत्रता का लाभ उठाते हुए परीक्षा संचालन, पाठ्य पुस्तकों का चयन और उनका निर्माण आदि का निर्णय लिया। दो वर्ष के उपरांत 1950-51 में सरकारी अनुदान स्वरूप समिति ने एक हिंदी शिक्षक-प्रशिक्षक केंद्र चलाने की योजना क्रियान्वित की। जिसे तत्कालीन मुख्यमंत्री एवं समिति के अध्यक्ष श्री विष्णु रामजी मेधि के विशेष आग्रह पर राज्य सरकार को सौंप दिया गया।

कहने की आवश्यकता नहीं है कि जिस असम प्रदेश में हिंदी का किसी प्रकार का कोई पत्र नहीं था, उसी राज्य में असम राष्ट्रभाषा प्रचार समिति की लगन और सूझ-बूझ तथा सहयोग पूर्ण उत्साहवर्धक नीति के कारण कई साप्ताहिक हिंदी पत्र निकाले जाने लगे हैं। हिंदी मासिक पत्रिकाएँ भी प्रकाशित होने लगी हैं। असम राष्ट्रभाषा प्रचार समिति के मुख पत्र "राष्ट्र सेवक" का हिंदी-असमिया भाषा साहित्य और संस्कृति के प्रचार में महत्त्वपूर्ण योगदान रहा है।

इस उत्कर्षकाल की हिंदी प्रचार कार्य विषयक विशेषताओं को इस प्रकार माना जा सकता है—

(1) सितंबर, 1939 में छिड़े दूसरे विश्व समर और सन् 1942 में शुरू हुए 'भारत छोड़ो आंदोलन' के कारण अन्य कार्य-कलापों के साथ-साथ हिंदी का प्रचार अभियान भी ठप्प हो गया।

(2) सन् 1948 से असम राष्ट्रभाषा प्रचार समिति आत्मनिर्भर बनकर बहुमुखी विकास की ओर बढ़ने लगी। फलतः समिति ने इसी वर्ष से परीक्षाएँ आयोजित करना आरंभ कर दीं। पुस्तकों/रीडरों का प्रकाशन कार्य शुरू कर दिया और प्रचार विद्यालयों की स्थापना आरंभ कर दी।

(3) अब तक प्रचार कार्य ब्रह्मपुत्र के मैदानी भाग तक सीमित था, परंतु 1948 के उपरांत हिंदी प्रचार कार्य के कदम विविध पहाड़ी क्षेत्रों की ओर भी बढ़ने लगे, जो पहाड़ी क्षेत्र अब राज्य रूप ग्रहण कर चुके हैं। सन् 1952 में

असम सरकार ने कक्षा चार से अनिवार्य हिंदी शिक्षण की व्यवस्था लागू कर दी। परिणामस्वरूप 140 माध्यमिक विद्यालयों में हिंदी शिक्षण का कार्य शुरू कर दिया गया। इस कार्य को संपादित करने हेतु राज्य सरकार ने समिति के वैतनिक प्रचारकों को सरकारी हिंदी शिक्षकों के रूप में स्वीकार कर लिया।

असमिया भाषा

भारतीय आधुनिक भाषाएँ संस्कृत से निकली हैं और इसलिए भारतीय आर्य भाषाएँ ये हैं—हिंदी, उर्दू, बंगला, मराठी, गुजराती, उड़िया, असमिया, राजस्थानी (हिंदी की एक शाखा), पंजाबी, सिंधी, पड़तो, कश्मीरी। द्रविड़ भाषाएँ ये हैं—तमिल, तेलगू, कन्नड़ और मलयालम।

असम के वंशगत बनावट ने इस राज्य के भाषा चित्र पर स्पष्ट प्रभाव डाला है। राज्य सीमाओं के बाहर से आकर विभिन्न लोग और जातियाँ यहाँ मिल गयी हैं और जैसा कि पता चलता है, समय पाकर उन्होंने असमिया कहलाने वाली एक सम्मिलित भाषा को विकसित किया है। सिंहली, कनारी आदि शब्दों की तरह असमिया शब्द भी अंग्रेजी रूप है। लोग इस देश को 'असम' कहते हैं और इसी शब्द से बने हुए 'असमिया' शब्द का अर्थ है—असम की भाषा और इसे बोलने वाले लोग।

आहोम राजाओं के अधीन असम के इतिहास का विगत मध्यकालीन युग असम के लिए कुछ हद तक पीड़ाजनक था। लेकिन उसी काल में मंगोल नस्ल के उसके भिन्न-भिन्न पर्वतीय लोग—मूल बड़ो और दूसरे तथा खासी जाति से संबंधित आस्ट्रिक लोग साथ ही नवागंतुक शान जाति के शक्तिशाली शाखा, जिसे आहोम कहते हैं—अंत में घुल-मिलकर एक असमिया बोलने वाले राष्ट्र के रूप में परिणत हो गये थे। इसी युग के प्रारंभ में अर्थात् ईसवी सन् के प्रथम सहस्राब्द के एक बड़े हिस्से वाले समय में बिहार और उत्तरी बंगाल से आकर बसने वालों द्वारा लायी गयी मागधी, प्राकृत और अपभ्रंश बोलियों में आर्य-असमिया भाषा बनी थी। 'ऊपरी ब्रह्मदेश से आने वालों शानों ने सन् 1228 ई० में जिस देश को जीतकर एक बनाया था, शुरू-शुरू में उसी को असम कहते थे। सन् 1874 ई० में जब ब्रिटिश सरकार ने इस पर अधिकार जमा लिया और एक नया प्रदेश बनाया, तो उनके अधीन समूचे प्रांत को उन्होंने असम कहा। आस्ट्रो एशियाई, आर्य, द्रविड़ और मंगोल आदि विभिन्न जातियों के लोगों ने इस सम्मिलित बोली को बनाने में हाथ बँटाया है, किंतु इस हाथ बँटाने में सबसे अधिक प्रमुखता आर्यों और उनके प्रभावों का है। बताया जाता है कि असमिया भाषा के सामाजिक रूप को बनाने में मैथिली बोली का सबसे बड़ा हाथ रहा है।

देखा जाता है कि हिंदुस्तानी, बिहारी, ओड़िया तथा अन्य पश्चिमी भाषाओं

में पाये जाने वाले ऐसे भी शब्द हैं, जिनके तत्सम रूप असमिया भाषा में दैनिक व्यवहार में आते हैं।

असमिया भाषा में कुछ ऐसे भी शब्द हैं, जिनका मराठी भाषा के साथ घनिष्ठ संबंध है। यह विचित्र बात है कि ये शब्द हिंदुस्तानी भाषा में नहीं पाये जाते हैं। प्राचीनकाल में इन दोनों अंचलों के संबंध अथवा वंशों के देशांतरों के कारण ऐसा हुआ होगा। नहीं तो, अकस्मात ही न होने वाले बल्कि घनिष्ठ भाषा संबंध की व्यवस्था करना कठिन है।

डॉ० बी० काकति ने अपनी 'असमिया : इसकी बनावट और विकास' में असमिया शब्द भंडार में पाये जाने वाले भारतीय-चीनी समुदाय से उधार लिए हुए शब्दों को इस प्रकार बतलाया है। उनका उप-वर्गीकरण निम्नलिखित शीर्षकों में किया जा सकता है—

(1) आस्ट्रो-एशियाई (अ) खासी (आ) कोलारी (इ) मलायी
(2) तिब्बती-बर्मी : बड़ो
(3) थाई : आहोम।

तिब्बती-बर्मी उप-परिवार की बोलियाँ तीन अलग-अलग समुदायों की हैं—

(1) नगा—जो नगा पहाड़ में बोली जाती है।
(2) कुकी-चीन—जो मणिपुर के पहाड़ों, कछार के कुछ भागों में और लुशाइ पहाड़ में बोली जाती है।
(3) बड़ो—जिसके अंतर्गत असम घाटी और उत्तरी कछार के सभी अनार्य तत्त्व आ जाते हैं। आहोम, खामती, तुरूंग, फाकियाल और नोरा आदि स्यामी-चीनी भाषा समुदाय की हैं। इन दिनों इस भाषा समुदाय के सब लोग पूर्वी असम में पाये जाते हैं।

इस राज्य में पाये जाने वाले सभी भाषा समुदायों में तिब्बती-बर्मी समुदाय ही सबसे बड़ा है। इनमें सबसे बड़ा बड़ो भाषा समुदाय है। कछारी, कोच, रामा, होजाई, लालुंग, गारो और मरान तथा बहुत अंशों में चुटिया भी—ये सब लोग भाषाओं के इस बड़े परिवार में हैं। उनमें से अधिकांश भिन्न-भिन्न बोलियाँ बोलते हैं, लेकिन सभी असमिया भाषा की वृद्धि और रचना में योगदान करते हैं। बड़ो भाषा समुदाय का निवास मुख्यतः ब्रह्मपुत्र घाटी में है। खासी-सितेंग-भाषा समुदाय को छोड़कर करीब-करीब सब पर्वतीय जातियाँ तिब्बती-बर्मी भाषा समुदाय की मानी जाती हैं।

असम में जब आहोमों ने प्रवेश किया और इसको जीत लिया तो इन्होंने अपनी भाषा का ही व्यवहार किया। आहोमों की यह भाषा शान परिवार की एक बोली थी और शान परिवार स्यामी-चीनी भाषा समुदाय भारतीय-चीनी

भाषा समूह का था। करीब 600 साल तक आहोमों ने यहाँ शासन किया, फिर भी असमिया शब्द भंडार में आहोम शब्दों के कुछ अवशेष ऐसे हैं—लांग-पीठ, पंग-मेरा, पुखा-शाखा, कारेंग-महल तथा नदी और स्थान-वाचक कुछ शब्द जैसे—नाम-रूप, नाम-सांग, नाम-डांग आदि।

असमिया भाषा पर बड़ो जाति का प्रभाव अपेक्षाकृत अधिक व्यापक है। आज भी स्थानों और नदियों के बड़ो नामों के अवशेष इस बात के प्रमाण हैं। ब्रह्मपुत्र घाटी में 'दिबंग', 'दि-खौ', 'दिचांग' आदि भिन्न-भिन्न नदियों के नामों के आगे 'दि' या 'ति' उपसर्ग का अर्थ बड़ो भाषा में 'पानी' होता है।

(1) प्राचीन असमिया साहित्य

(1) लोकप्रिय संगीत और गीत

डॉ० ग्रियर्सन का मत है कि—'असमिया साहित्य वस्तुतः राष्ट्रीय उपज है। यह हमेशा राष्ट्रीय रहा और अब भी है।' ई० पू० 8वीं शताब्दी के मध्य में ग्रीस में लिखे गये यूरोपीय साहित्य की तरह 'डाक-महापुरुष' की कहावतों से असमिया साहित्य की प्राचीनतम रचना का निर्माण हुआ, जैसा कि ग्रन्थ रूप में निदर्शन प्राप्त है। इस रचना का सही-सही काल निर्णय नहीं हो पाया है। 'असमिया साहित्य रचाने की' (असमिया साहित्य का नमूना) के अनुसार—"इसकी भाषा की विलक्षणता से इस बात में कोई संदेह नहीं रह जाता है कि यह भाषा साहित्य के जनक शंकरदेव से पूर्व काल की है।"

'डाक' की उक्तियाँ केवल असम में ही नहीं, बंगाल, बिहार, उड़ीसा और नेपाल में भी लोकप्रिय हैं। बौद्धिकता से पूर्ण ये कहावतें, जो अधिकांश पद्य रूप में हैं, किसानों तथा जनता को बताती हैं कि कब और कैसे कृषि संबंधी, वैवाहिक तथा दूसरे सामाजिक कुछ विशेष कृत्यों का संपादन करना चाहिए। वचनावलियों अथवा डाक महापुरुष की कहावतों में उनके रचना कालों तथा अनुभूत सामाजिक विकास की भिन्न-भिन्न स्थितियों के जीवन तत्त्व की झलक मिलती है। कुछ कहावतों में धार्मिक सिद्धांत के रूप में धर्ममूलक विषयों की ओर संकेत किया गया। इस प्रकार की एक कहावत यह है—

"येवे धर्म करिबा जानि,
पुखुरी खनिया राखिबा पानी।
वृक्ष रोपन्त अधिक धर्म,
मठ-मंडप शोभन कर्म,
अनित्य देहात नाहिके आस
घने जने वस्त्रे किवा विश्वास।।"

हिंदी अनुवाद

"जो कोई धर्म करे जानि
पोखरा खनावै रखे पानी ।
वृक्ष रोपन में अधिक धर्म
मठ-मंडप हैं शोभन कर्म
नहीं अनित्य देह की आस ।।"

युगों से डाक-महापुरुष की कहावतें लोगों की जबान पर जीवित हैं । प्राचीन हिंदू जाति की कहावतों की तरह ये भी असमिया भाषा के नीति साहित्य की सबसे पहली शाखा की रचना करती हैं ।

बौद्ध दोहों या गानों से प्राचीन असमिया साहित्य के दूसरे विभाग का निर्माण हुआ था । इनके रचनाकार बौद्ध धर्म के लोकप्रिय प्रचारक गण थे । इनकी भाषागत विशेषताएँ उन्हें प्राचीन असमिया भाषा के रूपों के साथ संबंधित करती हैं । जैसा कि डॉ० काकति ने बताया है, उनसे संबंधित कई शब्द रचना संबंधी, ध्वनि संबंधी विशेषताएँ अविच्छिन्न रूप से प्राचीन से आधुनिक असमिया भाषा में चली आयी हैं । एक तिब्बती पांडुलिपि के आधार पर निष्कर्ष निकालते हुए डॉ० जी टस्सी बौद्ध दोहों के एक कवि मीननाथ जो कि मछुए थे—का संबंध कामरूप से बतलाते हैं । बौद्ध दोहे या गान कामरूपी और मैथिली की मिश्रित भाषा में लिखे गये हैं । ये भी नीति साहित्य के अंतर्गत आते हैं, जो भावों में डाक-महापुरुष की वचनावलियों के सदृश्य हैं ।

असमिया साहित्य लोकगीतों में समृद्ध है । अविच्छिन्नता और प्रगाढ़ सरलता इन लोकगीतों की सामान्य विशेषताएँ हैं । मध्य अप्रैल में मनाये जाने वाले प्रकृति के पर्व बिहु से संबंधित बिहु-गीतों से ऐसे स्फुरण स्रोत का परिचय मिलता है । दूसरे-दूसरे लोकगीतों की तरह ये अनिवार्य रूप से पदबंध होते हैं और सभी पदों का एक ही छंद होता है ।

बिहु गीतों में कुछ नमूने ये हैं—

हांहे है चरिम गै तोममारे पुखुरीत
मांछि है परिम गै जालत
घामे है ओलाम गै तोमारे शरीरत
माखि है चुमा दिम गालत

हिंदी अनुवाद

हंसिन बनकर जा तैरूँगी तुम्हारे ही तालाब में
मछली बन पड़ूँगी जा जाल में,

श्रमबिंदु बनकर आ निकलूंगी तुम्हारे शरीर में
मक्खी बन चूम दूंगी गाल में।

बिहु उत्सव की उमंगों के विभिन्न भावों, प्रेम और जवानी जैसे विषयों के द्वारा इन ब्रिहु-गीतों के तर्ज ओतप्रोत रहते हैं। उनके भावों की परिधि व्यापक है।

प्राचीन असमिया साहित्य ब्याह-गीतों और लोरियों में भी उतना ही समृद्ध है। इन ब्याह-गीतों या 'बियानामों' में से अधिकांश हर-गौरी, राम-सीता, उषा-अनिरुद्ध, रुक्मिणी-कृष्ण आदि की महाकाव्यों में उल्लिखित पौराणिक कथाओं और दृश्यों के विवाह वर्णन के प्रत्यक्ष या अप्रत्यक्ष संकेतों से भरपूर हैं और अक्सर गेय पदों का-सा आनंद देते हैं। विभिन्न संस्कारों के अवसर पर इनका गाया जाना अनिवार्य है। इसका कारण यही है कि ये गीत पौराणिक स्मृतियों से मंडित पवित्र माने जाते हैं। इनके साथ-साथ दूसरे प्रकार के विवाह-गीत भी हैं, जिनमें विशुद्ध लौकिक भावनाएँ और वे कमनीय गार्हस्थ भावनाओं से पुखरित हैं।

चराये तुलिले छअंरा पोवाली गच्छर डाल शुवनि करि,
आमाके तुलिले आये बोपाये लोकर घर शुवनि करि।

हिंदी अनुवाद

पंछियों ने पोस के चौबीसों बच्चों को पेड़ की डाले बना दी सुंदर,
मुझे तो पोस के माँ ने, बाबा ने दूसरों का घर बनाया सुंदर।

(2) वैष्णव साहित्य

प्राचीन असमिया साहित्य का बड़ा भाग लोक-गीतों के अंतर्गत आता है, तथापि पहले-पहल असमिया साहित्य को लिपिबद्ध करने का श्रेय हेम सरस्वती को है, जो सर ई० ए० गेट के अनुसार 18वीं शताब्दी के कवि थे। इनको इतिहास प्रसिद्ध विद्या व साहित्य के पृष्ठ पोषक कमतापुर के राजा दुर्लभ नारायण का आश्रय प्राप्त था। प्राक्-वैष्णव काल में 'प्रह्लाद चरित्र' से उनका साहित्यिक जीवन प्रारंभ होता है। जैसा कि स्वयं कवि ने बताया है कि इस काव्य का विषय 'वामन पुराण' से लिया गया है।

"पद बाँधे ते हो प्रचारि करिला
वामन पुराण कय।"

हिंदी अनुवाद

"पद रचकर उसे किया प्रचार,
वामन पुराण जो कहता।"

(1449-1569)

असम के दो सुप्रसिद्ध कवि शंकरदेव (1449-1569) और माधवदेव (1489-1596) परवर्ती मध्यकालीन कवि हैं। काल की दृष्टि से संस्कृत के विख्यात विद्वान शंकरदेव असमिया जनता के प्रथम महाकवि थे, गुण की दृष्टि से असमिया कवियों में वे अग्रगण्य हैं। जिस शताब्दी में शंकरदेव का जन्म हुआ था, उसके लगभग अंतिम हिस्से में अपने धार्मिक सिद्धांतों और मतों के प्रचारार्थ उन्होंने संस्कृत शास्त्रों के आधार पर काव्यों, नाटकों आदि की साहित्यिक रचनाएँ प्रारंभ की। सन् 1483 ई० में तीर्थ-यात्रा को चल पड़े और उत्तरी भारत के वैष्णव-केंद्रों को देखते हुए सन् 1495 ई० में अपनी जन्मभूमि को वापस आ गये। उनके जीवन की तीर्थ-यात्रा के बाद की अवस्था बड़े ही प्रभाव और रचनात्मक सफलता का काल है। अपने जीवन के इस हिस्से को उन्होंने महान बौद्धिक कार्य-कलापों में लगाया। कहीं स्थिर न रहते हुए भी वे एक महानतम कलाकार थे। शंकरदेव की उत्कृष्ट लोकप्रिय रचना 'कीर्तन-घोषा' है, जिसमें गहरी बौद्धिकता तथा धर्म-भावना से पूर्ण पद हैं, लोगों में बहुल प्रचार के उद्देश्य से लिखे गये इस ग्रंथ में श्रीमद्‌भागवत, ब्रह्मपुराण, पद्‌मपुराण आदि से आध्यात्मिक विचारों और पौराणिक काव्य कथाओं को दिया गया है। उनके दूसरे काव्य ये हैं—रुक्मिणीहरण काव्य, भगवत पुराण, रामायण (उत्तरकांड), भक्ति रत्नाकर आदि। 'रुक्मिणीहरण' काव्य जैसे प्रबंध काव्य से पता चलता है कि शंकरदेव में कथाकार की उस प्रतिभा का आकर्षण है, जिसने इसके अधिकारी उनके वियों को लोकप्रियता दी है जो होमर से लेकर दांते तक और चॉसर से स्पेंसर और मिल्टन तक हुए हैं। 'कीर्तन-घोषा' और 'दशम्' के अतिरिक्त शंकर-देव की प्रतिभा 'बरगीतों' और 'अंकर गीतों' (नाटकीय अंकों के गीत) में झलकती है।

शंकरदेव में अनुवाद करने की भी अद्‌भुत ईश्वरीय देन थी, इसका विकास कर उन्होंने कला में परिणत कर दिया। उन्होंने शास्त्रों के गूढ़ दार्शनिक तत्त्वों को जैसे का तैसा छानकर काव्य-मुक्ताओं से बदल दिया जो अन्यत्र दुर्लभ है।

श्री माधवदेव ने उस काम को पूरा किया, जिसे उनके गुरु शंकरदेव अधूरा छोड़ गये थे। जैसे सुकरात के शिष्य प्लेटो थे, वैसे ही शंकरदेव के शिष्य वे थे। प्रतिभा के क्षेत्र में भी ये शिष्य निस्संदेह गुरु तुल्य हैं। उनकी रचना में उच्च काव्यादर्श की लड़ी और व्यापक रोचकता है। नाम-घोषा, रामायण आदि-

कांड, नाम-मलिका, वैष्णव कीर्तन, भक्ति रत्नावली आदि उनके कुछ मुख्य काव्य ग्रंथ हैं। उनके नाटक हैं—चोर धरा, पिपरा गुचुवा, भूमि लेटोवा, भजन व्यवहार और अर्जुन भजन।

माधवदेव संगीत में सबसे बढ़-चढ़ कर थे। पिंगल पर उनका पूर्ण अधिकार था। वे खुद भी एक गायक थे और अपने पदों व गीतों को बड़े मधुर स्वर से गाया करते थे। आँधी में जिस तरह नरकटों और मुइक बेटों के पौधे झूमने लगते हैं, उनके बरगीतों के गाते समय भी श्रोता उसी तरह झूमने लगते थे—

भयो भार सावधान।
येवे नाहिं छुटे प्राण।।
गोविंदर फर मान।
निकटे मिलय जान।।
जीवन यौवन थोड़।
सब मायामय छोड़।।
दुख सब करूँ थोड़।
हरि पदे मन जोड़।।
तेजु सब अभिलाष।
दुर करूँ मोह पाश।।
हरि पदे करूँ पाश।
कल्य माधव दास।।

वस्तुतः माधवदेव की प्रतिमा संगीतमयी होते हुए भी पूर्वापर रक्षणशीला स्मृति उद्बोधक और विश्लेषण करने वाली है। वे केवल राग-रागिनी में ही सीमित नहीं, इससे भी कुछ अधिक हैं।

राम सरस्वती ने संस्कृत महाभारत का असमयिा भाषा में अनुवाद कर एक महान कार्य किया है। उत्कृष्ट चरित्र-चित्रण, निरीक्षण की गहराई और सौंदर्य तथा भाषा शक्ति में आप प्राचीन असमिया साहित्य के दिग्गजों की पंक्ति में आते हैं।

(2) आधुनिक असमिया साहित्य

आधुनिक असमिया साहित्य का इतिहास एक नवीन विकास है। सन् 1816 में ब्रिटिश द्वारा लाये गये राजनीतिक परिवर्तन और बाद को उनकी शिक्षण पुनर्निर्माण-नीति के साथ यह आरंभ हुआ। पाश्चात्य साहित्यिक धाराओं, शैलियों और मानदंडों का प्रवेश हुआ। वे ब्रिटिश काल के नये साहित्य में आ बसे। इस काल की लगभग सभी आंचलिक भाषाओं के भारतीय साहित्य को विदेशों से,

खासतौर पर ग्रेट-ब्रिटेन से एक बड़ी प्रेरणा निधि मिली।

असमिया साहित्य के इस नव युग के मार्ग प्रदर्शक अमेरिकी 'बैप्टिस्ट मिशन' वाले हैं। असमिया गद्य में उनके द्वारा बाइबल के प्रकाशन के साथ-साथ ही इस नवीन साहित्य का भी जीवनारंभ हुआ। सन् 1818 में नगाँव के आत्माराम शर्मा ने बाइबल का अनुवाद किया था और बंगाल के सिरामपुर के 'बैप्टिस्ट मिशन' द्वारा इसे प्रकाशित किया गया। असमिया भाषा के लिए यह एक कठिन संघर्ष का युग था। यहाँ के ब्रिटिश शासकों की आश्रय प्राप्त बंगला भाषा ने असमिया भाषा को स्थानीय दफ्तरों और विद्यालयों से हटाकर अपनी धाक जमा ली। जार सेना में भर्ती होने वाले काजाकों की नाईं विदेशी शासन काल में बंगाल के पढ़े-लिखे लोगों में असम में ब्रिटिश दफ्तरों को भर दिया। फलस्वरूप असमिया भाषा को धोखे से पूर्णरूपेण स्थिति विहीन बना दिया गया और शासकीय अदालतों तथा शिक्षण संस्थाओं में न्यायोचित स्थान उससे छीन लिया गया। असमिया भाषा ने केवल अपना अधिकारपूर्ण स्थान ही नहीं खो दिया, बल्कि रहने और पनपने की स्वेच्छा भी।

असमिया भाषा को मुक्ति दिलाने का भार अमेरिकी 'बैप्टिस्ट मिशन' पर आ पड़ा, जिन्होंने अत्यधिक न्यायपूर्ण ढंग से इस भाषा को जीवन का एक नया पट्टा दिया। उन्होंने इसका न्यायोचित भाग इसे दिया और अपनी सारी संस्थाओं में मान्यता दी।

सन् 1840 ई० में बंगाल के सिरामपुर से डब्ल्यू० रोबिंसन नामक अमेरिकी बैप्टिस्ट मिशन के एक पादरी ने असमिया भाषा का एक व्याकरण तैयार किया। इससे इस विषय की छानबीन को और भी प्रोत्साहन मिला, जिस कारण एन ब्राउन की 'असमिया भाषा की व्याकरण संबंधी टीका' का प्रकाशन संभव हो सका। सन् 1855 ई० में ढेकियाल फुकन की 'असमिया भाषा की कुछ चर्चा' प्रकाशित होने के पहले तक यह पुस्तक भाषा संबंधी प्रमाणित दस्तावेज की तरह सेवा करती रही। सन् 1897 ई० में हेमचंद्र बरूवा के 'असमिया व्याकरण' के बाद ही सन् 1900 ई० में उनका अंग्रेजी-असमिया अभिधान 'हेम कोष' प्रकाशित हुआ। माइल्स ब्राउन का अंग्रेजी-असमिया कोष एक विदेशी द्वारा निर्मित एक विशाल रचना है, इसमें लगभग 14,000 शब्द हैं। असमिया कोष रचना क्षेत्र में यदुराम बरूवा सचमुच डॉ० जानसन हैं। इस भाषा के वे सर्वप्रथम कोषकार थे। सन् 1839 ई० में उन्होंने कोष बनाया था। उन्होंने कर्नल जेनकिंस को यह भेंट स्वरूप दिया, जिन्होंने इसे अमेरिकी बैप्टिस्ट मिशन को उपयोग करने के लिए दे दिया। निस्संदेह इसने ब्रनसन के असमिया-अंग्रेजी कोष की रचना में प्रधान सहायता पहुँचायी, जो बड़ी विद्वता और कठोर परिश्रम से लिखी गयी थी।

सन् 1846 ई० में धर्म-संप्रदाय वालों ने 'अरुणोदय' नामक एक मासिक

पत्रिका प्रकाशित की। साहित्यिक इतिहास और प्रगति में यह एक मील का पत्थर है। इससे प्रेरित होकर मातृभाषा के लेखकों का एक दल बन गया और किताबों, विज्ञापनों और पत्र-पत्रिकाओं का निबंधन होने लगा।

प्राक-जोनाकी युग में असमिया साहित्य पर पाश्चात्य प्रभाव सीधे नहीं पड़ा था। इस पर अंग्रेजी बंगलाधारा का प्रभाव था, जो बहुत बाद तक बना रहा। अपनी न्यायोचित सीमा के अंदर असमिया भाषा के विकास और कलकत्ते में उच्च शिक्षा प्राप्त करने के लिए जाने वाले एक विद्यार्थी मंडल द्वारा 'जोनाकी' मासिक पत्र के प्रकाशन ने उत्तरआहोम संधि काल जनित बंधनों से मुरझाये हुए असमिया साहित्य को सच्ची प्रगति प्रदान की। वास्तव में 'अरुणोदय' (1846) और 'जोनाकी' (1889) ये दो पत्रिकाएँ आधुनिक असमिया साहित्य के दो मील के पत्थर हैं, जिन्होंने साहित्यिक धाराओं और कला में युग निर्माणकारी परिवर्तनों को पैदा किया।

असम और इसके साहित्य के लिए 11वीं शताब्दी का अंतिम चरण और इसके बाद का काल बेजोड़ उत्साह का रहा। यह युग गहरी रुचि और महान् प्रेरणा का रहा है। इसके फलस्वरूप साहित्यिक उथल-पुथल मची। आशावाद, ढाँचों तथा कलाओं की नवीनता की लहर उठ खड़ी हुई। प्राचीन काव्य का स्थान धीरे-धीरे, परंतु निश्चित रूप से छायावादी धारा की नयी कविताओं ने ले लिया, जिनमें विविध भावचित्रों की प्रमुखता थी। इसके अतिरिक्त साहित्य में नवीन नाटकों और काव्यों के साथ-साथ उपन्यास, कहानी, निबंध आदि साहित्य के नये विभागों का प्रवेश हुआ। ब्राउन, ब्रनसन, और निधिलेवी ये तीन नाम असमिया ईसाई साहित्य के प्रमुख प्रवर्तक हैं।

भोलानाथ दास ने (1858-1929) अपना अतुकांत 'सीताहरण काव्य' सन्-1888 ई० में प्रकाशित किया। इसकी विषय वस्तु का आधार 'रामायण' है। इसके अलावा 'कवितामालो' और 'चिंता-तरंगिनी' जैसे कविता संग्रहों का श्रेय भी उन्हें दी है। उनका प्रकाशन क्रमशः 1882-83 ई० और 1884 ई० में हुआ। असमिया साहित्य में नयी पद्धति के गीत काव्य निर्माण के अगुवों में वे श्रेष्ठ हैं। कविता के एक भिन्न प्रकार की शैली के रूप में गीत काव्य-पद्धति इस युग की सबसे बड़ी देन है।

गद्य तथा निबंध लेखन में डॉ० वाणीकांत काकति को प्रमुख स्थान प्राप्त है। उनका 'पुराण असमिया साहित्य' एक प्रामाणिक समालोचनात्मक अध्ययन है। शैली के बारे में कथित वाल्टेयर के शब्दों का अगर इस्तेमाल किया जाये तो यह गद्य रचना स्पष्ट, चुस्त और चित्र सदृश शैली में लिखी हुई है और इसमें विद्वत्ता तथा समालोचनात्मक अंतर्दृष्टि की ऐसी गहराई दिखायी पड़ती है, जो अन्यत्र विरल है। डॉ० एस० के० भूआ का जीवनी मूलक अध्ययन 'आनंद राम बरूवा'

और वेणुधर शर्मा का ऐतिहासिक अध्ययन 'मणिराम देवान' को, जो वस्तुतः देवान के व्यक्तित्व पर ही रचित है, असमिया साहित्य में प्रमुख स्थान प्राप्त है। अनेक निबंधों और गद्य अध्ययनों की रचना का श्रेय भी उन्हें है। राधा फुकन और शरत् गोस्वामी वेदांत पर निबंधों और दूसरी दार्शनिक रचनाओं के लिए प्रसिद्ध हैं। डॉ० हेम बरूवा एक प्रतिभाशाली निबंध लेखक हैं।

नाटककारों में ज्योति अगरवाला, जिन्हें संगीत, कविता और कला की ईश्वरीय देन है, 'शोणित कुंवरी', 'ललिता' और 'कारेडगर लिगिरी' नामक नाटकों की रचना में विशिष्ट स्थान के अधिकारी हैं। अन्य नाटककारों में 'नरकासुर' के लेखक अतुल हाजरिका, 'बामुनी कोंवर' के लेखक देव तालुकदार, 'लाचित बरफुकन' के रचयिता प्रवीण फुकन, 'रक्षा कुमार' के लेखक लक्ष्य चौधरी तथा कुछ अन्य भी हैं।

प्रसिद्ध कहानी लेखक लक्ष्मीधर शर्मा का 'प्रजापतिर भुल' असमिया साहित्य का सर्वप्रथम एकांकी नाटक है। इस शताब्दी के तीस से चालीस वर्षों के बीच मासिक पत्रिका 'आवाहन' में इसे प्रकाशित किया गया था। तब से इस प्रकार के कुछ नाटक लिखे जा रहे हैं, जिससे आधुनिक असमिया नाटक साहित्य के भंडार की वृद्धि हुई है।

19वीं शताब्दी के अंतिम दशाब्दों में हेमचंद्र बरूवा द्वारा आधुनिक असमिया साहित्य में उपन्यास का प्रारंभ हुआ था। उनका उपन्यास 'बाहिरे रंग संग, भितरे कोवा भारि' एक प्रकार से समाज सुधार मूलक है, क्योंकि यह सभी तरह की व्यर्थ गुप्त रूढ़ियों और अंधविश्वासों पर व्यंग्य करता है। रजनीकांत बरदलै का सन् 1895 में प्रकाशित प्रथम उपन्यास 'मिरि जियरी' साहित्यिक शैली में अनेक रूपात्मक होने के कारण उपन्यास क्षेत्र में सर्वश्रेष्ठ स्थान ग्रहण करता है। उनका 'मनोमाती' उपन्यास बर्मी आक्रमण कालीन एक ऐतिहासिक और साथ-साथ शृंगार-मूलक कथा भी है। उन्होंने इसे शृंगारिक पलायन का मार्ग न बताकर प्राचीन यथार्थवाद की एक पद्धति का रूप दिया है। 'मिरि जियरी' एक पहाड़ी जाति की परिधि स्थित अत्यंत नाटकीय और विचलित कर देने वाली एक प्रेम कथा है। उनके अन्य उपन्यास हैं—

'रेत दै लिगिरी', 'निर्मल भक्ता', 'रंगीली', 'ताम्रेश्वरी मंदिर' और 'दुंदुवा द्रोह'। इन उपन्यासों को लिखकर उन्होंने साहित्यिक अभिव्यक्ति के एक नये मार्ग के रूप में उपन्यास को एक ठोस आधार प्रदान किया।

असम की हिंदी : अतीत और वर्तमान

सन् 1930 ई० से पूर्व जादू-टोना वाले असम में केवल बोलचाल की पलटनिया

हिंदी पहुँच गयी थी। कुछ लोगों का मत है कि उस समय की हिंदी मजदूरों द्वारा लायी गयी थी और उन्हीं की बोलचाल से वह असम की हिंदी बन गयी। विचारने से स्पष्ट होता है कि मजदूर लोग भोजपुरी अथवा अपनी क्षेत्रीय भाषा का प्रयोग करते होंगे, फिर भी यदि यह उन लोगों द्वारा प्रयोग में लायी जा रही थी, तो निश्चय ही यह असम की हिंदी है। यानी असम की अपनी उपज है। इस हिंदी का रूप बोलचाल में आज भी मौजूद है। जैसे—"चाय खायेगा न क्या ?" अथवा "साह खायेगा न क्या ?" "जल खायेगा न क्या ?" अथवा "पानी खायेगा न क्या ?" आदि।

असम की अपनी भाषा असमिया है। असमिया का क्षेत्र कामरूप जिला और नवगाँव ही था। ऐसे तो असम के बारहों जिलों में इसका प्रयोग होता था, किंतु इसका साहित्य केवल इन्हीं दोनों जिलों में उपलब्ध था। डिब्रूगढ़, तिनसुकिया, डिगबोई, शिवसागर, गोलाघाट और तेजपुर में असमिया भाषा के प्रेस हैं। गौहाटी में, जिसे असमिया में गुवाहाटी यानी सुपारी का बाजार, कहा जाता है, बहुत पहले से असमिया और अंग्रेजी की छपायी का काम होने लगा था। इसके पूर्व असमिया की हस्तलिखित पुस्तकें कामरूप और नवगाँव में भी उपलब्ध थीं। असमिया भाषा श्री भट्टदेव के गद्य काव्य से आरंभ होती है। यह इसकी विशेषता है।

सन् 1930 ई० के पूर्व का असम साठ हजार वर्गमील में फैला हुआ था और पूर्णतः अ-सम था। वहाँ की जैसी प्राकृतिक बनावट थी, वैसी ही भाषाएँ थीं। बाहर से आने वाली भाषाएँ बंगला, नेपाली, तेलुगु और राजस्थानी तो थी ही, परंतु इनका कोई साहित्य नहीं था। असम की अपनी सौ के लगभग भाषाओं में आआ, अंगामि, लठा, कच्छा, सेमा, कुकी, कौनियक और मणिपुरी के अलावा, शेष भाषाओं का भी अपना कोई साहित्य नहीं था। असमिया के प्रथम साहित्यकार श्री भट्टदेव ने रामायण और महाभारत की रचना असमिया में करके असमिया भाषा को जन्म दिया।

असम क्षेत्र का कोना-कोना हिंदू देवी-देवताओं के मंदिरों से परिपूर्ण है और यातायात के अभाव में लोग पैदल चलकर, कामाख्या, वशिष्ठ आश्रम, नवग्रह उमानाथ, परशुराम कुंड आदि तीर्थ-स्थानों में हजारों-लाखों की संख्या में हर वर्ष पहुँचते रहे। असमिया भाषा का साहित्य और धर्म सबसे पृथक हो गया था। अंग्रेजी ने इससे लाभ उठाया। भारतीय संस्कृति के गढ़ में प्रवेश कर अंग्रेजी स्वतः प्रशस्ति पाने लगी।

सन् 1919 ई० में राष्ट्रीय चेतना की प्रतिमूर्ति बापू से राष्ट्र को हिंदी प्रचार की जो प्रेरणा मिली, वहीं से असमिया हिंदी राष्ट्र के साथ हो चली। ऐसा इसलिए कि वह कार्यक्रम पूरे राष्ट्रीय स्तर पर चलाया गया था। परमहंस

बाबा राघवदास हिंदी का प्रसाद बाँटते हुए असम पहुँच गये। उनके प्रयास से गोलाघाट में पं० ध्यानदास, डिब्रूगढ़ में श्री शिव सिंहासन मिश्र, जोरहाट में श्री अंबिका प्रसाद त्रिपाठी और गुवाहाटी में श्री रामस्द रूपसिंह ने हिंदी स्कूलों की स्थापना की। उन्हीं के प्रयास पर कुछ दिनों बाद ही असम के बारहों जिलों में हिंदी स्कूलों की स्थापना हो गयी। सबसे बाद में नवगाँव जिले में असमिया के प्रगतिशील कवि श्री देवकांत बरूवा के प्रयत्नों से एक प्राथमिक स्कूल की स्थापना हुई। यह कार्यक्रम उस समय से लगातार चलता रहा।

असम के प्रथम मुख्यमंत्री श्री गोपीनाथ बरदलै ने प्रत्येक हरिजन की बस्ती में एक हिंदी प्राथमिक स्कूल खोलने की योजना बनायी किंतु बीच में ही उनका निधन हो गया। इसके बाद राष्ट्रीय शिक्षा सदन के नाम से तीन प्राथमिक स्कूलों की स्थापना की गयी। ये स्कूल सरकारी सहायता प्राप्त नहीं थे, परंतु पूर्णतः निःशुल्क थे। केवल डिब्बों के पैसों पर और स्थानीय जनता के सहयोग से वे चलते रहे। और संप्रति वे असम सरकार के अधीन हैं। उसी समय, यानी सन् 1955 ई० में जिस 'राष्ट्रीय शिक्षा सदन' (बुनियादी हाई स्कूल) की स्थापना की गयी, उसके भवन का उद्घाटन असम उच्च न्यायालय के तत्कालीन मुख्य न्यायाधीश श्री सरयुप्रसाद ने किया था, किंतु वह बाद में नहीं चल पाया।

इस संदर्भ में हिंदी के प्रचार का प्रसंग कुछ लोगों को अनुचित भी लग सकता है, किंतु उस समय इस संदर्भ का हिंदी लेख प्राप्त होने पर वर्तमान असम के हिंदी पाठकों को भी विस्मयजनक प्रतीत होता था। आज प्रचारित हिंदी का भंडार पोषक तत्त्वों से परिपूर्ण है। परिस्थिति सुलझी समस्याओं से आच्छादित है। अतः आज विस्मय करने के बदले असम में हिंदी के प्रचार कार्य पर पुनर्विचार करना आवश्यक हो गया है।

बाबा राघवदास ने असम पहुँचकर प्रातः स्मरणीय स्व० गोपीनाथ बरदलै के सभापतित्व में हिंदी प्रचार के लिए एक गोष्ठी बुलाने का सुझाव रखा। उसी गोष्ठी में श्री वाणीकांत काकति, श्री रजनीकांत चक्रवती, श्री देवकांत बरूवा; श्री हेम बरूवा, श्री भुवनेश्वर बरूवा, श्री दत्ता बरूवा और हजारिका ने पैदल जत्थेवार गाँव-गाँव घूमकर हिंदी प्रचार का कार्यक्रम बनाया। वह कार्यक्रम सन् 1939 ई० तक चला। तत्पश्चात् श्री बरदलै की अध्यक्षता में "असम राष्ट्रभाषा प्रचार समिति" की स्थापना हुई। सन् 1938 ई० में स्व० कमलदेव जी ने स्व० जमुना प्रसाद जी के साथ मिलकर इस कार्य को संपन्न किया था। इसके बाद उन लोगों ने "असमिया हिंदी साहित्य परिषद्" की स्थापना की। इस परिषद् की स्थापना के साथ ही असम में हिंदी साहित्य का उदय हुआ।

अब असम में हर नगर में हिंदी की पढ़ाई आरंभ हो गयी है, जिनमें तिनसुकिया, डिब्रूगढ़ और गुवाहाटी के हिंदी हाई स्कूल पुराने हैं। गुवाहाटी विश्वविद्यालय में हिंदी का विभाग खुल चुका है । इसी प्रकार मणिपुर, नेफालैंड और नागालैंड में सरकारी तथा तिनसुकिया में गैर-सरकारी कॉलेजों की स्थापना हो चुकी है । इनमें भी हिंदी अध्ययन की व्यवस्था है ।

अध्याय-3

पूर्वांचल में हिंदी की वर्तमान स्थिति

मिज़ोरम

जैसा कि सभी जानते हैं सन् 1972 तक मिज़ोरम अविभाजित असम का ही एक जिला मात्र था। परंतु सन् 1972 के बाद वह केंद्र शासित राज्य के रूप में एक पृथक राज्य है। चूंकि सन् 1972 से पूर्व आज का मिज़ोरम राज्य असम का ही अभिन्न अंग था, अतः यहाँ के स्कूलों में हिंदी के अध्ययन-अध्यापन की व्यवस्था असम राज्य के नियमानुकूल ही थी। लेकिन ध्यान रखने की बात यह है कि असम के सम अंचलों में कार्यरत विद्यालयों में हिंदी शिक्षकों का अभाव नहीं था। जबकि विषम (पहाड़ी) अंचलों के विद्यालयों के संदर्भ में ऐसी बात न थी। यह कहना अतिशयोक्ति न होगी कि सम अंचल के वासी इस विषम (पहाड़ी) अंचल में आने के नाम से काँपते थे, तब पढ़ाने के लिए आने का तो प्रश्न ही नहीं उठता था। इन कठिन परिस्थितियों में असम सरकार की सहायता से असम राष्ट्रभाषा प्रचार समिति ने सर्वप्रथम हिंदी प्रशिक्षण केंद्र दुधनै में खोला। तब इसमें केवल एक ही मिज़ो बंध सम्मिलित हो गये थे और प्रशिक्षण प्राप्त करने के उपरांत श्री सेलेतथङा नाम के यह मिज़ो बंध तत्कालीन मिज़ो जिले के मुख्यालय आइज़ोल के सरकारी हाई स्कूल में हिंदी शिक्षक नियुक्त हुए। तत्पश्चात् राजकीय हिंदी प्रशिक्षण केंद्र मिसामारी में प्रशिक्षण प्राप्त करने हेतु वी० एल० ङाका आये और दो वर्ष के प्रशिक्षणोपरांत कोनपुइ में असम राष्ट्रभाषा प्रचार समिति की ओर से हिंदी प्रचारक नियुक्त कर दिये गये। वे हिंदी प्रचार के साथ-साथ एम० इ० स्कूल, कोनपुइ में हिंदी सिखाने का कार्य भी करने लगे।

सन् 1955 ई० में राष्ट्रभाषा प्रचार समिति ने आइज़ोल का हिंदी प्रचारक श्री चित्र महंत को बनाया जो स्थानीय लोगों में हिंदी के प्रति रुचि जगाने और उस पहाड़ी अंचल में हिंदी का संदेश गुँजाने में सफल हुए। फलतः जहाँ 1953 तक मिसामारी राजकीय हिंदी प्रशिक्षण केंद्र में एक भी विद्यार्थी मिलना असंभव हो रहा था, वहाँ सन् 1956 के उपरांत असम समिति से परिचय, प्रथमा तथा

प्रवेशिका उत्तीर्ण सैकड़ों प्रशिक्षणार्थी प्रशिक्षण प्राप्त करने लगे। इस चमत्कार का श्रेय चित्र महंत जी को था।

चित्र महंत जी की लगन के कारण असम राष्ट्रभाषा प्रचार समिति का प्रचार कार्य इस क्षेत्र में द्रुतगति से चलने लगा और समिति को लुङ्लेइ, आइज़ोल, कोनपुइ और कोलासीब में हिंदी प्रचारक नियुक्त करने पड़े, कुछ समय उपरांत लुङ्लेइ और आइज़ोल में दो हिंदी विद्यालयों की भी स्थापना कर दी गयी।

सन् 1972 से पुनर्गठित मिज़ो राज्य में हिंदी के प्रति लगाव पहले की तुलना में कहीं अधिक है। नवगठित सरकार हिंदी के क्षेत्र में सराहनीय कार्य कर रही है और हिंदी के पठन-पाठन तथा प्रचार-प्रसार के विविध कार्यक्रम अपना रही है।

मिज़ोरम हिंदी प्रचार समिति, आइज़ोल

उक्त समिति ने वर्ष 1984 से समस्त मिज़ोरम राज्य में (अब तक वर्धा समिति द्वारा संचालित) परिचय परीक्षा (हिंदी मैट्रिक के समकक्ष) के शिक्षण-परीक्षण का उत्तरदायित्व भी संभाल लिया है।

मणिपुर राष्ट्रभाषा प्रचार समिति, इम्फाल

हिंदी प्रचार और प्रसार की दृष्टि से मणिपुर में इस शताब्दी के तीसरे दशक के अंतिम वर्षों में ही कार्य प्रारंभ हो गया था। जबकि सन् 1927-28 में अखिल भारतीय हिंदी साहित्य सम्मेलन, प्रयाग ने इस क्षेत्र में हिंदी प्रचार कार्य का शुभारंभ कर दिया। फिर भी तत्कालीन पोलिटिकल एजेंट का राजनैतिक अड़ंगा था—"मणिपुर स्टेट में बाहर के आदमी तथा नेता आकर हिंदी का न तो प्रचार कार्य कर सकते हैं, न तो भाषण कर सकते हैं। इतना होने पर भी मणिपुर के मनस्वी सपूत पंडित ललित माधव शर्मा ने सम्मेलन के परीक्षा केंद्र का व्यवस्थापक और पंडित बंग बिहारी शर्मा ने हिंदी का प्रचारक बनना स्वीकार कर लिया। यह राष्ट्र विरोधी शक्तियों के विरुद्ध राष्ट्रवादी शक्तियों का प्रथम साहसिक और सफल कदम था।

राष्ट्रपिता महात्मा गांधी की प्रेरणा से सन् 1936 में मणिपुर राज्य के इम्फाल नगर में मणिपुर राष्ट्रभाषा प्रचार समिति, इम्फाल की स्थापना की गयी। जिसका केंद्रीय कार्यालय भारत राष्ट्र का तीर्थ और राष्ट्रपिता महात्मा गांधी की प्रयोग स्थली वर्धा में रहा। इसके ठीक दो वर्ष पश्चात् सन् 1938 ई० में श्री अतुलचंद्र सिंह द्वारा युवा लायब्रेरी कांचीपुर में राष्ट्रभाषा का परीक्षा केंद्र

खोल दिया गया। यह काँचीपुर इम्फाल से चार मील की दूरी पर है। अतः कुछ लोगों का मत था कि राष्ट्रभाषा का परीक्षा केंद्र काँचीपुर में रखने के बजाय इम्फाल शहर में ही रखा जाय। इस प्रश्न को लेकर लोगों में पर्याप्त विमत भी रहा।

सन् 1939 में राष्ट्रभाषा प्रचार समिति, वर्धा की ओर से श्री यमुना प्रसाद श्रीवास्तव असम प्रदेश के संचालक नियुक्त हुए और वे उसी वर्ष हिंदी के प्रचार कार्य के उद्देश्य से गुवाहाटी से इम्फाल गये। श्रीवास्तव जी ने मणिपुर के विभिन्न स्थानों का भ्रमण कर हिंदी प्रचार का कार्य किया। इस संबंध में उन्होंने स्थान-स्थान पर अपने वक्तव्य दिये, जिसका मणिपुरी जनता पर अनुकूल प्रभाव पड़ा।

यमुना प्रसाद श्रीवास्तव के आदेशानुसार सन् 1940 में मणिपुर राष्ट्रभाषा प्रचार समिति की स्थापना की गयी और उसका कार्यालय इम्फाल में श्री थोकचोम मधुसिंह जी के घर पर रखा गया, जो कि सभा के मंत्री थे। उक्त सभा की स्थापना के बाद जनता की सुविधा को ध्यान में रखते हुए राष्ट्रभाषा परीक्षा केंद्र इम्फाल में रखा गया और पूर्व के काँचीपुर केंद्र को बंद कर दिया गया। इस इम्फाल परीक्षा केंद्र का व्यवस्थापक भी श्री थोकचोम मधुसिंह जी को ही बनाया गया। मणिपुर में राष्ट्रभाषा का प्रचार कार्य का अभियान चलाने तथा केंद्र व्यवस्थापक की सहायता करने के मंतव्य से राष्ट्रभाषा प्रचार समिति, वर्धा की ओर से श्री जयेन्द्र वर्मा, साहित्यरत्न को प्रचारक नियुक्त किया गया। वर्मा जी के सफल नेतृत्व में शीघ्र ही इम्फाल के कई स्थानों पर राष्ट्रभाषा शिक्षण के वर्ग खोल दिये गये, जिनमें सम्मिलित होकर मणिपुरी भाई-बहन राष्ट्रभाषा हिंदी का ज्ञान प्राप्त करने लगे।

मणिपुर द्वितीय महासमर का प्रांगण बना। 10 मई, 1942 को वह बम का दुर्लक्ष्य बना। पूरा क्षेत्र वीरान और खंडहर बन गया और इसी बीच कर्मठ प्रचारक हिंदी का स्तंभ श्री थोकचोम मधुसिंह जी स्वर्ग सिधार गये। फलतः हिंदी के प्रचार कार्य को बहुत बड़ा धक्का लगा। सन् 1944 में श्री कँशाम कुंजबिहारी सिंह जी ने पुनः राष्ट्रभाषा हिंदी का प्रचार कार्य संभाला। द्वितीय महासमर के आतंकपूर्ण वातावरण में गाँव-गाँव में राष्ट्रभाषा के वर्ग सिंह साहब के प्रयत्न से खोल दिये गये। वे इम्फाल केंद्र के केंद्र-व्यवस्थापक भी बना दिये गये। यह कहना अतिशयोक्ति न होगा कि कुंजबिहारी सिंह जी के पौरुषेय प्रयत्नों ने मणिपुर में राष्ट्रभाषा प्रचार को पुनरुज्जीवन प्रदान कर उसमें प्राण प्रतिष्ठा कर दी।

यद्यपि मणिपुर राष्ट्रभाषा प्रचार समिति, इम्फाल भारत के सुदूर पूर्वी प्रदेश में राष्ट्रभाषा हिंदी के प्रचार कार्य में कुछ सीमा तक सफल रही, फिर भी समिति के उत्साही कार्यकर्ता यह अनुभव करने लगे थे कि शिक्षण व्यवस्था के बिना राष्ट्र-

भाषा का प्रचार कार्य अर्थहीन है। इस मंतव्य के तहत ही समिति ने मणिपुर के हर क्षेत्र में राष्ट्रभाषा शिक्षण केंद्र और विद्यालय खोलना प्रारंभ कर दिया। परिणाम स्वरूप कालांतर में ही राष्ट्रभाषा शिक्षण केंद्रों और विद्यालयों की संख्या 100 के आसपास पहुँच गयी और जिनमें से अनेक शिक्षण केंद्रों और राष्ट्रभाषा प्रचार समिति, वर्धा द्वारा मान्यता प्राप्त हो गयी। इन सभी स्थानों पर नित्य शाम को नियमित रूप से कक्षाएँ चलायी जाती हैं, जिनमें हर श्रेणी और आयु के स्त्री-पुरुष तथा आदिम जाति के भाई-बहन राष्ट्रभाषा हिंदी का ज्ञान प्राप्त करते हैं।

राष्ट्रभाषा प्रचार समिति का अब अपना कार्यालय भवन है, जिसके निर्माण में राष्ट्रभाषा प्रचार समिति, वर्धा, स्थानीय जनता, राष्ट्रभाषा प्रेमियों, सेवियों और छात्र-छात्राओं का उत्साहवर्धक योगदान रहा है। इस भवन का शिलान्यास 26-11-1955 को अखिल भारतीय कांग्रेस कमेटी के तत्कालीन अध्यक्ष माननीय श्री ढेबर भाई ने किया था।

मणिपुर राष्ट्रभाषा प्रचार समिति, इम्फाल ने राष्ट्रभाषा के अधीन ज्ञान को स्थायित्व प्रदान करने, उसे विकसित करने, उसे नवीनतम सूचनाओं से सज्जित करने के महत्त्व, उद्देश्य से अपने कार्यालय भवन में पुस्तकालय भी खोल दिया है, जिसमें राष्ट्रभाषा रत्न और राष्ट्रभाषा आचार्य की पाठ्य पुस्तकों के अलावा प्रशिक्षण की पुस्तकें, विज्ञान, इतिहास, भूगोल, कहानी, उपन्यास, गद्य, पद्य आदि विविध विषयों की पुस्तकें भी उपलब्ध हैं।

उक्त पुस्तकालय से संबद्ध एक वाचनालय की भी व्यवस्था कर दी गयी है। इस वाचनालय में हिंदी दैनिक, साप्ताहिक, मासिक पत्रिकाओं के साथ-साथ मणिपुरी दैनिक और मैगजीन भी मँगाये जाते हैं। आगंतुक पाठकों की सुविधा की भी पूरी व्यवस्था है। स्थानीय आम जनता छात्र-छात्राएँ तथा राष्ट्रभाषा हिंदी के परीक्षार्थी वाचनालय और पुस्तकालय का पूरा-पूरा लाभ उठाते हैं।

मणिपुर हिंदी प्रचार सभा, इम्फाल

मणिपुर हिंदी प्रचार सभा, इम्फाल की स्थापना 15 अप्रैल, सन् 1947 को स्वाधीनता की पूर्व बेला में हुई थी। इस मणिपुर हिंदी प्रचार सभा, इम्फाल ने सन् 1947-1952 तक की छ: वर्ष की अवधि से हिंदुस्तानी प्रचार सभा के तत्त्वावधान हिंदुस्तानी का प्रचार कार्य बड़े ही जोर-शोर से मणिपुर के इम्फाल, लिलों तथा नम्बोल में किया। स्वतंत्र भारत के नये संविधान के कार्यरत हो जाने के बाद सन् 1953 से मणिपुर हिंदी प्रचार सभा, इम्फाल में असम राष्ट्रभाषा प्रचार समिति, गुवाहाटी के साथ राष्ट्रभाषा हिंदी के प्रचार और प्रसार का अभियान चलाया। इस कार्य में असम राष्ट्रभाषा समिति, गुवाहाटी, मणिपुर

हिंदी प्रचार सभा, इम्फाल को आर्थिक अनुदान देती रही। जो कि अभी तक जारी है। मणिपुर हिंदी प्रचार सभा एक स्वतंत्र और सरकार द्वारा पंजीकृत संस्था है। यह सभा, परिचय, प्रथमा और प्रवेशिका परीक्षाएँ चलाती हैं। इसके अतिरिक्त प्रबोध, विशारद तथा प्रवीण परीक्षाओं को असम राष्ट्रभाषा प्रचार समिति, गुवाहाटी की परीक्षा समिति संचालित करती है।

मणिपुर हिंदी प्रचार सभा, इम्फाल मणिपुर राज्य के विभिन्न स्थानों में राष्ट्रभाषा विद्यालय चलाती है। जिनमें संचालक, शिक्षक और शिक्षिकाएँ कार्यरत हैं। सभी की ओर से पंजीकृत प्रचारक और प्रचारिकाएँ हिंदी के प्रचार और प्रसार कार्य में जुटे हुए हैं, जिनका मुख्य ध्यान राज्य के पहाड़ी अंचलों के निवासी जनजातीय, भाई-बहनों में हिंदी का प्रचार कार्य करना है।

मणिपुर हिंदी प्रचार सभा, इम्फाल का एक अपना विधान है और वह सरकार द्वारा स्वीकृत है, जिसके अनुसार वह अपनी परीक्षा उप-समिति, साहित्य उप-समिति, कार्यपालिका सभा तथा व्यवस्थापिका सभा जैसे अंगों का संगठन करती है। सभा के अपने तीन विभाग और हैं, यथा—(1) प्रचार विभाग, (2) पुस्तक विभाग और (3) परीक्षा विभाग। सभा का पुस्तक प्रकाशन विभाग अपनी आवश्यकता की पुस्तकें सामर्थ्यानुसार प्रथमा तथा प्रवेशिका के परीक्षाओं में पाठ्य-पुस्तक के रूप में निर्धारित है।

विद्यालय संचालन और प्रचार कार्य के अतिरिक्त सभा राष्ट्रभाषा हिंदी के प्रति संचेतना जगाने और उसे जाग्रत बनाये रखने के मंतव्य से—"जनजातीय हिंदी शिक्षण शिविर" और विभिन्न हिंदी संस्थाओं के सहयोग से हिंदी प्रशिक्षण शिविर भी संचालित किया करती है।

सभा का अपना कार्यालय और शिक्षण भवन है। जिसके निर्माण में भारत सरकार और मणिपुर सरकार का सराहनीय योगदान रहा है।

मणिपुर हिंदी परिषद्, इम्फाल

मणिपुर हिंदी परिषद्, इम्फाल की स्थापना इस शताब्दी के छठवें दशक के पूर्वार्ध सन् 1953 में की गयी थी। जिस समय मणिपुर हिंदी परिषद् प्रारंभ हुई, उस समय इसका कार्यालय एक स्थानीय एम०इ० स्कूल, इम्फाल में रखा गया था। उस समय परिषद् के कार्यकर्ताओं को अपने कार्यालय के लिए आवश्यक उपादान और धन जुटाने में अनेक बाधाओं का सामना करना पड़ा। इन बाधाओं से जूझते हुए भी मणिपुर हिंदी परिषद् ने सन् 1954 से हिंदी परीक्षाएँ लेना शुरू कर दिया और इस प्रकार वह अपने गंतव्य की ओर कार्यकर्ताओं की सूझ-बूझ के कारण बढ़ने लगी और अंततः 1958 में एक पंजीकृत संस्था बन गयी। इसकी हिंदी परीक्षाओं को मान्यता और आर्थिक सहायता देकर राज्य सरकार ने भी राष्ट्-

भाषा हिंदी के प्रचार-प्रसार में हाथ बँटाया। परिषद् की दो परीक्षाओं को भारत सरकार ने भी सन् 1961 में मैट्रिक तथा इंटर के समकक्ष मान लिया। भारत सरकार ने बीस हजार रुपये सहायता प्रदान कर परिषद् को अपना भवन बनाने की सुविधा प्रदान की और इस प्रकार सन् 1964 में परिषद् का अपना भवन हो गया।

परीक्षाएँ

मणिपुर हिंदी परिषद्, इम्फाल हिंदी की निम्नलिखित हिंदी परीक्षाएँ संचालित करती है—

(1) हिंदी प्रारंभिक, (2) हिंदी प्रवेश, (3) हिंदी परिचय, (4) हिंदी प्रबोध, (5) हिंदी विशारद और (6) हिंदी रत्न।

परिषद् की हिंदी प्रबोध, हिंदी विशारद और हिंदी रत्न को भारत सरकार ने क्रमशः हिंदी मैट्रिक, हिंदी इंटर, हिंदी बी० ए० के समकक्ष मान्यता प्रदान की है।

मणिपुर राज्य के सभी जिलों में परिषद् का कार्य चल रहा है। परिषद् के प्रचार कार्य में संबंधित स्थानीय समितियाँ, विद्यालय और विद्यालयों का पूरा सहयोग रहता है। प्रामाणिक प्रचारक तथा प्रमुख प्रचारक विभिन्न क्षेत्रों में प्रचार कार्य करते हैं। परिषद् इम्फाल, नम्बोल, विष्णुपर ककचिंग और उखरूल में एक-एक महाविद्यालय चला रही है जो कि भारत सरकार से अनुदान पाते हैं। इनके अतिरिक्त भोबाल, सेकमोइ, तंखेल, उरिपोक और जिरिबाम में भी परिषद् से संबद्ध हिंदी महाविद्यालय चला रही है, जिनमें हिंदी की उच्च शिक्षा का प्रावधान है। मणिपुर हिंदी परिषद् उक्त हिंदी महाविद्यालयों के अतिरिक्त विभिन्न स्थानों में हिंदी विद्यालय भी चला रही है, जिनका संचालन स्थानीय विद्यालय समितियों के हाथों में रहता है। इनमें से लगभग पचास प्रतिशत विद्यालयों को राज्य सरकार आर्थिक अनुदान प्रतिदान करती है।

परिषद् का अपना संविधान है, जिसके अनुसार उसकी निम्नलिखित सभाएँ और समितियाँ हैं, जिनके द्वारा समिति अपना कार्य संपादन करती है; यथा—(1) व्यवस्थापिका सभा, (2) कार्यपालिका सभा, (3) स्थानीय समितियाँ, (4) परीक्षा समिति, (5) साहित्य निर्माण तथा प्रकाशन समिति और (6) साधारण सभा।

परीक्षा समिति में अधिक-से-अधिक आठ सदस्य होते हैं, जिनका कार्यपालिका द्वारा मनोनयन किया जाता है। परीक्षा समिति परीक्षा विषयक नियमों का निर्माण, पाठ्य पुस्तकों का निर्धारण और परीक्षाओं का संचालन करती है।

ट्राइबल हिंदी प्रचार सभा

मणिपुर राज्य के आदिवासी अंचलों में हिंदी प्रचार-प्रसार को गति प्रदान करने के प्रयोजन को लेकर अभी हाल ही में गठित की गयी। यह सभा प्रस्तुत प्रसंग चर्च्य है।

पूर्वांचल (मणिपुर) में हिंदी का प्रचार और प्रसार

मणिपुर राज्य में हिंदी के प्रचार के इतिहास को प्राप्त सामग्री के आधार पर दो भागों में बाँटा जा सकता है—

(अ) प्राचीन काल में हिंदी प्रचार।
(ब) आधुनिक काल में हिंदी प्रचार।

(अ) प्राचीनकाल में हिंदी प्रचार

18वीं शताब्दी आते-आते विद्यापति के पद 'ब्रजबुलि' के नाम से मणिपुर के मंदिरों में गाये जाने लगे थे। ऐतिहासिक तथ्यों के आधार पर रामानंद के शिष्य शांतिदास ने मणिपुर की जनता के बीच अपने संप्रदाय के सिद्धांतों का प्रचार किया और स्थानीय लोगों के परंपरागत विश्वासों तथा रीति-रिवाजों पर चोट की। शांतिदास ने उन धर्म-पुस्तकों को जलाने का कार्य भी किया, जो मणिपुर की जनता के परंपरागत विश्वासों के आधार पर थीं। परिणामतः उन्हें जनाक्रोश का सामना करना पड़ा और वे बीच में ही धर्म-प्रचार का कार्य छोड़कर चले गये। इसी बीच चैतन्य महाप्रभु के शिष्य वैष्णव धर्म का संदेश लेकर मणिपुर पहुँचे। इनकी चार विशेषताएँ थीं। एक—राधाकृष्ण की सरस व मोहक लीलाओं को संगीतमय बनाकर आकर्षक रूप में प्रस्तुत करना, दो—बिना किसी विरोध को जन्म दिये स्थानीय जनता के मन में भक्ति व प्रेम की स्थापना करना, तीन—मणिपुर के लौकिक वातावरण को स्वीकार करके भक्ति को पढ़े, बेपढ़ सबके लिए सुलभ बनाना और चार—समूह गान की परंपरा। धीरे-धीरे वैष्णव मत का प्रचार-प्रसार बढ़ने लगा। गाँव-गाँव, घर-घर मंदिर बनाये जाने लगे और कीर्तन की ध्वनि गूँजने लगी। मणिपुर के राजा वैष्णव मत में दीक्षित हो गये। इससे राधा-कृष्ण और उनके माध्यम से भारत की मूल सांस्कृतिक धारा इस राज्य में बहने लगी।

इस धार्मिक-सांस्कृतिक जागरण का विशेष पहलू है—तीर्थ यात्राओं का आयोजन। राधा और कृष्ण को अपना आराध्य मानने वाले लोग मथुरा-वृन्दावन के उन क्षेत्रों के दर्शन करना अपना परम सौभाग्य मानते थे, जहाँ राधा-कृष्ण ने अपनी लीलाएँ संपन्न की थीं। जो साधन संपन्न थे वे कभी-कभी प्रति वर्ष इस यात्रा में भाग लेते थे। इसके अतिरिक्त यथा समय हरिद्वार, काशी,

प्रयाग, गया, नवदीप आदि की यात्राओं का क्रम भी चलता रहता था। मणिपुर के राजाओं द्वारा इनमें से कुछ तीर्थ स्थानों पर बनवाये गये मंदिरों और रास-मंडलों को आज भी देखा जा सकता है। इस प्रकार तीर्थ यात्राओं का यह आयोजन मणिपुर निवासियों को भारत की वैविध्य पूर्ण संस्कृति और ब्रज तथा अवधी आदि भाषाओं के निकट संपर्क में लाता था।

लोग जब अपने घरों को लौटते थे तब उन्हें हिंदी के इन रूपों का परिचय प्राप्त हो चुका होता था। उनके मन में वृहत्तर भारत का चित्र स्थापित हो चुका होता था। साथ ही वे यह भी समझ चुके होते थे कि मणिपुर से बाहर मणिपुरी में काम चलाना कठिन है। इसके लिए व्यापक संपर्क की भाषा जानना आवश्यक है। यह व्यापक संपर्क की भाषा उनकी धार्मिक आवश्यकताओं के आधार पर ब्रज या अवधी हो सकती थी। यात्रा की सुविधा और संपर्क की सरलता के लिए ये धर्म प्रधान मणिपुरी अनजाने ही हिंदी को अपनी निज की भाषा स्वीकार कर लेते थे। इस प्रकार पहले-पहल हिंदी ने मणिपुर में अपना स्थान बनाया।

भारतवर्ष पर मुसलमानों के आक्रमण के साथ ही प्रव्रजन (माइग्रेशन) शुरू हुआ। मुसलमानों ने लूट-पाट राज्य स्थापना और शक्ति के बल पर इस्लाम के प्रचार को उद्देश्य बनाकर भारत पर अपने आक्रमण किये। 11वीं-12वीं शताब्दी के काल में जबर्दस्ती धर्म-परिवर्तन का क्रम चल पड़ा था। इसके तीन परिणाम सामने आये। कुछ लोग कत्ल कर दिये गये, कुछ ने प्राणों की सुरक्षा के लिए अपना धर्म बदलना स्वीकार कर लिया और कुछ ने इधर-उधर भागकर अपने धर्म की सुरक्षा का प्रयास किया। मणिपुर के विभिन्न क्षेत्रों में आज भी ऐसे ब्राह्मण परिवारों के वंशज हैं, जिनके पूर्वज अपना धर्म बचाने के लिए इधर चले आये थे। इनमें से काफी ब्राह्मण मिथिला के हैं। गुजरात से भी इस क्रम में अनेक ब्राह्मण आ गये थे।

अन्याय से बचने के लिए ये ब्राह्मण अन्य पूर्वोत्तर राज्यों की भाँति मणिपुर में यत्र-तत्र जहाँ भी अनुकूल परिवेश मिलता था, बस जाते थे। जैसे-जैसे समय बीतता जाता था, ये लोग अपने को स्थानीय परिस्थितियों में ढाल लेते थे। यहाँ की भाषा सीख लेते थे। आज तो मणिपुर के सभी ब्राह्मण शर्मा लिखते हैं किंतु यदि इनके गोत्र पूछे जायें तो इनके मूल निवास स्थान का पता लगाना कठिन नहीं है। प्राचीन काल में हिंदी के पक्ष में वातावरण बनाने में इन प्रव्रजित लोगों ने महत्त्वपूर्ण कार्य किया है। इसका कारण यह है कि संस्कृत और हिंदी जानने वाले इन ब्राह्मणों ने अपने को मणिपुरी समाज के अनुकूल बनाकर अपना परंपरागत जीवन कर्म पौरोहित्य प्रारंभ कर दिया। ये धार्मिक कृत्य में बीचों-बीच में हिंदी का प्रयोग करते थे। मंदिर में भोग चढ़ाने, धार्मिक भोज और कीर्तन के अवसर पर पुरोहित प्रायः हिंदी बोलते थे। वैष्णव धर्म के श्रद्धालु जब उचित रूप

में हिंदी समझ लेते थे। इस प्रकार मणिपुर के जीवन में हिंदी का महत्त्व बढ़ता गया।

प्राचीन काल से ही अपने बल पर और राजाओं से छात्रवृत्ति प्राप्त करके मणिपुर के ब्राह्मण बालक संस्कृति की शिक्षा प्राप्त करने काशी जैसे धार्मिक-सांस्कृतिक स्थानों में जाया करते थे। हिंदी के वातावरण से घिरे होने के कारण संस्कृत के साथ हिंदी का व्यावहारिक ज्ञान प्राप्त कर लेना इनके लिए बड़ा सहज था। अपनी शास्त्रीय शिक्षा पूरी करके जब ये लौटते थे तो इनके साथ हिंदी भी चली आती थी। इनमें से अनेक पौरोहित्य कर्म के साथ सक्रीय रूप से हिंदी के प्रचार में जुट जाते थे। कुछ आकर हिंदी के व्यवस्थित शिक्षण के लिए हिंदी विद्यालय प्रारंभ कर देते थे। इनके पूजा-पाठ में भी संस्कृत और मणिपुरी के साथ हिंदी का पर्याप्त अंश होना स्वाभाविक था। मणिपुर में ब्राह्मणोंके घर में मंदिर और उसके सामने बड़ा-सा चौकोर बैठक (हॉल) बनवाने की प्राचीन परंपरा आज भी मिलती है। भगवान के दर्शन के बाद भक्त लोग इसमें इकट्ठे होते थे और एक निश्चित समय पर पुजारी इन्हें उपदेश करते थे। इस उपदेश की मुख्य भाषा मणिपुरी होती थी। यदि उस क्षेत्र में मणिपुर की कोई विशेष बोली का व्यवहार होता था तो वह होती थी। और बीच-बीच में प्रसंग पड़ने पर हिंदी का प्रयोग होता था। कीर्तन का माध्यम 'ब्रजबुली' की भाषा था ही, इससे हिंदी मणिपुर में बढ़ी। इस प्रकार प्राचीन काल में हिंदी तथा संस्कृत भाषा धर्म के साथ इस क्षेत्र में आयी।

(ब) आधुनिक काल में हिंदी प्रचार

भारतीय पुनर्जागरण का परिणाम सामाजिक और राष्ट्रीय जागरण के रूप में सामने आया। महर्षि दयानंद, महर्षि अरविंद, राजा राममोहन राय आदि ने संपूर्ण भारतीय जीवन को झकझोर दिया। यह अनुभव किया जाने लगा कि रूढ़ सामाजिक मूल्यों के अस्वीकार के बिना भारतीय समाज को नहीं बचाया जा सकता। इसी प्रकार राष्ट्र के लिए स्वतंत्रता के महत्त्व को रेखांकित किया गया। भारतीय जनता के समस्त दुःखों का मूल दासता है—इस सोच ने आधुनिक भारत के निर्माण में क्रांतिकारी सहयोग दिया। हिंदी को राष्ट्रभाषा के रूप में खोजने वाला भी यही नारा था। अंग्रेजों से इस देश को मुक्त कराने के लिए, भारत की संपूर्ण जनता को जगाकर यह बताना आवश्यक था कि अंग्रेज इस देश के लिए अभिशाप हैं और जितनी जल्दी हो सके, उन्हें उखाड़ फेंकने के लिए एकजुट होकर खड़े होना अनिवार्य है। एक महान कार्य के लिए भाषाओं की खोज के क्रम में हिंदी का नाम सामने आया। हिंदी ही समस्त भारतीय भाषाओं में ऐसी थी, जो अधिकांश भारतीय जनता द्वारा बोली और समझी जाती थी।

फिर भाषा वैज्ञानिक कारणों से इसे आसानी से सीखा जा सकता था। साथ ही धर्म, इतिहास और संस्कृति के व्यापक भारतीय मानकों को इस भाषा ने बहुत पहले से इस देश के व्यापक क्षेत्र तक पहुँचाना शुरू कर दिया था। इन सब कारणों से एक मत से हिंदी को सामान्य संपर्क की भाषा के रूप में मान्यता मिली। आगे चलकर हिंदी को ही स्वतंत्रता संघर्ष की मुख्य भाषा बनने का अवसर मिला तथा जनता यह समझने लगी कि भारत के स्वतंत्र होते ही हिंदी को राष्ट्रभाषा के पद पर प्रतिष्ठित किया जायेगा। इसके साथ ही महात्मा गांधी जैसे राष्ट्रीय नेताओं ने जो आशाएँ जगायीं उनसे लगने लगा कि हिंदी स्वतंत्र भारत की अपनी निजी राष्ट्रभाषा होगी, जो अन्तर्राष्ट्रीय जीवन में भारत को प्रतिष्ठा दिलायेगी जिसके माध्यम से लोगों को अभिव्यक्ति की क्षमता के साथ-साथ रोजगार भी मिलेंगे और जो समग्र भारत को एकता के सूत्र में बाँधेगी। जनता की इस आशा ने हिंदी भाषी और अहिंदी भाषी, दोनों प्रकार के प्रांतों में हिंदी के प्रचार को बल दिया। ज्यों-ज्यों स्वतंत्रता निकट आती गयी, यह प्रचार-बल बढ़ता गया। हिंदी के प्रचार के लिए विभिन्न संस्थाएँ सामने आयीं और उन्होंने अहिंदी भाषी क्षेत्रों में हिंदी के प्रचार-प्रसार का कार्य हाथ में लिया। उधर अहिंदी भाषी क्षेत्रों में आते थे, वे अपने साथ राष्ट्रीय जागरण व हिंदी-प्रेम लेकर अपने-अपने क्षेत्रों तथा हिंदी प्रचार कार्य के समर्पित कार्यकर्ता बने। मणिपुर भी इस लहर से अछूता नहीं रहा।

मणिपुर में हिंदी प्रचार के आदि-स्तंभ

श्री ललित माधव और श्री बाँके बिहारी जी को मणिपुर क्षेत्र के हिंदी प्रचार का आदि-स्तंभ माना जाना चाहिए। इन दोनों महानुभावों ने स्वतंत्रता, राष्ट्रीय एकता, सामान्य संपर्क की संभावना, अखिल भारतीय स्तर पर समस्त भारतीय नागरिकों को एक समान सोच, विश्वमंच पर भारत की प्रतिष्ठा की आकांक्षा आदि से प्रेरणा ग्रहण करके मणिपुर के सांस्कृतिक केंद्र इम्फाल को मुख्यालय बनाया और सारे राज्य में हिंदी प्रचार का कार्य किया। श्री ललित माधव और श्री बाँके बिहारी जी के समय इस क्षेत्र में हिंदी और भारतीय संस्कृति का प्रचार देशद्रोह माना जाता था। अंग्रेज सरकार जानती थी कि यदि हिंदी भाषा को फलने-फूलने दिया तो भारत की जनता अपने प्राचीन गौरव के बोध से भर उठेगी, जो उसके भविष्य के लिए अभिशाप होगा। अंग्रेज यह भी जानते थे कि हिंदी और भारतीय संस्कृति का चोली-दामन का साथ है। हिंदी मातृभाषा की शिक्षा का माध्यम नहीं है वरन् उसमें राष्ट्रीय और सामाजिक संस्कार तथा चारित्रिक शिक्षा के साथ-साथ भाषा (और देवनागरी लिपि) का ज्ञान कराया जाता है। इससे भाषा और देशभक्ति, दोनों का बोध साथ-साथ प्राप्त होता है।

यह बात ईसाईयत और अंग्रेजी के प्रचार में प्रत्यक्षतः बाधा थी।

अतः अंग्रेज सरकार ने भाषा और धर्म के प्रचार को देशद्रोह करार दिया। प्रचार के लिए बाहर से आने वालों पर प्रतिबंध लगा दिया और जो स्थानीय लोग प्रचार कार्य करना चाहते थे उन्हें तरह-तरह से डरा-धमका कर इस देश सेवा से रोकने का प्रयास किया। श्री बांके बिहारी जी के वंशज श्री भागवत शर्मा जो उन्हीं की प्रेरणा से हिंदी प्रचार में लग गये थे, उन्होंने जब राष्ट्रभाषा प्रचार का कार्य शुरू किया तब मणिपुर के तत्कालीन पौलिटिक्स एजेंट (जॉनसन) ने उन्हें बुलाकर कहा कि हिंदुस्तान कोई राष्ट्र नहीं है, फिर तुम लोग क्यों राष्ट्रभाषा-राष्ट्रभाषा चिल्लाते हो। यहाँ की कोई राष्ट्रभाषा नहीं है, न तुम किसी राष्ट्र-भाषा का प्रचार कर सकते हो। इतना ही नहीं, जॉनसन ने इस कार्य के लिए 'सैडिसस' शब्द का प्रयोग किया। इससे उस समय की कठिनाइयों का कुछ अंदाज लगाया जा सकता है।

किंतु इन लोगों ने अंग्रेज सरकार द्वारा पैदा की गयी कठिनाइयों को चुनौती के रूप में स्वीकार किया। पहले घर पर ही बच्चों को हिंदी पढ़ाना शुरू किया। घर-घर जाकर लोगों को हिंदी और स्वतंत्रता के महत्त्व को समझाया। बहुत धैर्य के साथ हिंदी के प्रति सामान्य लोगों को रुझान पैदा किया और हिंदी के पठन-पाठन के लिए विद्यालय खोला। इस प्रकार मणिपुर में हिंदी प्रचार के आधुनिक इतिहास की आधारशिला रखी गयी।

श्री ललित माधव और श्री बाँकेबिहारी जी द्वारा स्थापित परंपरा में तीन नाम अत्यंत महत्त्वपूर्ण हैं—श्री भागवत शर्मा, श्री पं० राधामोहन शर्मा और श्री द्विजमणि देव शर्मा—इनमें से प्रथम दो को हिंदी प्रचार के प्रारंभिक काल में अनेक संकटों का सामना करते हुए हिंदी विद्यालय शुरू करने और हिंदी का अध्यापन करने का गौरव प्राप्त है। श्री द्विजमणिदेव शर्मा ने मणिपुर के राजा के शिक्षा सलाहकार के रूप में हिंदी की सेवा की। इन्हीं के प्रयास से कुछ वर्षों बाद पहली बार हिंदी के कार्य के लिए राजकीय सहायता मिली। हिंदी के प्रचार में लगे संघर्षशील कार्यकर्ताओं की यह परंपरा श्री गौरहरि शर्मा, श्री हिमाचार्य शर्मा, श्री गोपीनाथ शर्मा, श्री जितेंद्र शर्मा, श्री कलाचंद शास्त्री के समर्पित सेवाभाव से गौरवान्वित होती हुई; श्री नारायण शर्मा, श्री हजारी मयुम गोकुलानंद शर्मा, श्री गोकुलानंद शर्मा, श्री थो० राधा गोविंद सिंह, श्री एस० तांबा सिंह, श्री विनोदचंद्र, गुरु ब्रजमणि शर्मा, पी० एच० नरसिंह शर्मा, एन० याइमासिंह, बी० रघुमीण शर्मा, एल० मधुरनाथ शर्मा, एल० दोरेन्द्र सिंह, डब्ल्यू नेत्रसिंह आदि द्वारा परिपुष्ट हो रही है। इसके अतिरिक्त अनेक ऐसे नाम भी हैं, जिन्हें मैं अपनी अज्ञानता और सीमित क्षमता के कारण उद्धृत नहीं कर पा रही हूँ। इसके लिए मैं क्षमा याचना करती हूँ।

अब कुछ संगठित प्रयासों पर बात की जाये।

हिंदी साहित्य सम्मेलन

मणिपुर में हिंदी के प्रचार के लिए प्रथम संगठित प्रयास सन् 1927-28 में हिंदी साहित्य सम्मेलन, प्रयाग द्वारा शुरू किया गया। पहले से ही मणिपुर के जो कार्यकर्ता राष्ट्रीय चेतना से युक्त हो चुके थे, उन्होंने सम्मेलन के कार्य को सफल बनाने में महत्त्वपूर्ण भूमिका का निर्वाह किया। अंग्रेज सरकार के अनेक विरोधों के बावजूद सम्मेलन ने इस क्षेत्र में परीक्षा केंद्र चलाया तथा हिंदी के प्रसार का कार्य किया।

मणिपुर राष्ट्रभाषा प्रचार समिति

'राष्ट्रभाषा प्रचार समिति, वर्धा' के अंतर्गत 'मणिपुर राष्ट्रभाषा प्रचार समिति' की स्थापना सन् 1939-40 में हुई। यह उल्लेखनीय तथ्य है कि प्रारंभ में अंग्रेज सरकार ने राष्ट्रभाषा शब्द पर आपत्ति करते हुए इस नाम से कार्य करने को मना ही कर दी थी। इस पर मूल उद्देश्य को महत्त्व प्रदान करते हुए हिंदी प्रचारकों ने इसका नाम 'मणिपुर हिंदी प्रचार समिति' रखकर कार्य करना शुरू किया और जैसे ही अनुकूल अवसर मिला पुनः 'मणिपुर राष्ट्रभाषा प्रचार समिति' नाम रख लिया। इस संस्था के द्वारा 51 राष्ट्रभाषा विद्यालय, 13 राष्ट्रभाषा महाविद्यालय तथा 50 से अधिक परीक्षा केंद्र प्रारंभ किये गये। सन् 1959 में इम्फाल जेल में भी एक परीक्षा केंद्र शुरू किया गया, जिससे बंदी लोग हिंदी सीख कर परीक्षा दे सकें। इस संस्था को 'राष्ट्रभाषा कोविद' और 'राष्ट्रभाषा रत्न' जैसी विशिष्ट परीक्षाएँ उत्तीर्ण करके अनेक विद्यार्थी विभिन्न सरकारी स्कूलों में हिंदी अध्यापक की नौकरी पा चुके हैं। समिति कुछ संस्थाओं को शिक्षा मंत्रालय द्वारा अनुदान प्राप्त होता है। 'मणिपुर राष्ट्रभाषा प्रचार समिति' का अपना भवन, पुस्तकालय और वाचनालय है। समय-समय पर संस्था की ओर से सार्वजनिक समारोह आयोजित किये जाते हैं।

मणिपुर हिंदी परिषद्, इम्फाल

यह संस्था सन् 1953 में स्थापित हुई और सन् 1958 में इसका पंजीकरण हुआ। स्थानीय लोगों द्वारा स्थानीय आधार पर स्थापित की जाने वाली मणिपुर की यह प्रथम संस्था है। इस संस्था के पास स्वतंत्र पुस्तकालय व अनेक पत्र-पत्रिकाओं की सुविधा उपलब्ध है। समय-समय पर हिंदी प्रदेशों से विद्वानों को बुलाया जाता है तथा हिंदी के संबंध में गोष्ठियाँ की जाती हैं। मणिपुर हिंदी परिषद् अब तक लगभग 50 हजार लोगों को हिंदी का ज्ञान करा चुकी है।

संस्था को केंद्र व राज्य दोनों से अनुदान प्राप्त होता है।

मणिपुर हिंदी परिषद् जो परीक्षाएँ आयोजित करती हैं, वे हैं—

1. हिंदी प्रारंभिक (पाँचवी कक्षा के बराबर), 2. हिंदी प्रवेश (6ठी कक्षा के बराबर), 3. हिंदी परिचय (8वीं कक्षा के बराबर), 4. हिंदी प्रबोध (मैट्रिक स्तर), 5. हिंदी विशारद (इंटर स्तर), 6. हिंदी रत्न (बी० ए० स्तर)। इसके अतिरिक्त भाषा, लिपि तथा अनुवाद संबंधी परीक्षाओं की भी व्यवस्था है। परीक्षा के लिए परिषद् ने लगभग 150 केंद्रों की स्थापना की है। इनमें से इम्फाल, नम्बोल, विष्णुपुर, मोइरांग, घौलाब, कंकचिंक, सेकमाई, शआंबुग तथा जिरिबाम भारत सरकार द्वारा मान्यता प्राप्त स्थायी हिंदी परीक्षा केंद्र हैं, जिन पर हिंदी प्रबोध, विशारद व रत्न की परीक्षा ली जाती है। इसी क्रम में कुछ अस्थायी परीक्षा केंद्र भी हैं।

'मणिपुर में हिंदी परिषद्' अपनी परीक्षाओं के लिए कुछ पाठ्य पुस्तकों का प्रकाशन स्वयं करती है। अधिकांश पाठ्यक्रम भारत सरकार द्वारा स्वीकृत आदर्श पाठ्य क्रम के समान है। कुछ वर्ष पहले तक मणिपुर राज्य के सरकारी विद्यालयों में भी प्रारंभिक कक्षाओं में परिषद् द्वारा तैयार की गयी हिंदी पाठ्य-पुस्तकें पढ़ायी जाती रही हैं। इन सबके अतिरिक्त मणिपुर हिंदी परिषद् एक महत्त्वपूर्ण कार्य—हिंदी के समर्पित व योग्य शिक्षक तैयार करती है। इसके लिए शिक्षकों को प्रशिक्षण के लिए केंद्रीय हिंदी संस्थान, आगरा आदि भेजने की व्यवस्था की जाती है तथा शिविर आयोजित किये जाते हैं।

नागा हिंदी विद्यापीठ

विशेष रूप से नागा लोगों के बीच हिंदी का प्रचार करने के लिए यह संस्था सन् 1970 में प्रकाश में आयी। इसका मुख्य उद्देश्य मणिपुर के दुर्गम क्षेत्रों के लोगों को हिंदी के परिचय क्षेत्र में लाना और उन्हें राष्ट्र की मुख्य सांस्कृतिक धारा से जोड़ने का प्रयास करना है। नागा हिंदी विद्यापीठ द्वारा लगभग 10 छोटी-बड़ी संस्थाओं द्वारा शिक्षण और परीक्षा का कार्य किया जाता है। श्री गोकुलानंद शर्मा उसके वर्तमान अध्यक्ष हैं।

मणिपुर ट्राइबल्स हिंदी सेवा समिति

मणिपुर के सुदूर पर्वतीय अंचलों में फैली जनजातियों के बीच हिंदी शिक्षण का कार्य करने के लिए 4 अप्रैल सन् 1982 में यह संस्था गठित की गयी। ट्राइबल्स लोगों में हिंदी का प्रचार करने के लिए सन् 1961 में भी 'ट्राइबल्स हिंदी प्रचार सभा' नाम से एक संस्था बनी थी। हिंदी सीखने के लिए 5-6 विद्यालय भी खोले थे किंतु कुछ कारणों से वह बंद हो गयी थी। हिंदी प्रचार कार्य की

महत्ता को ध्यान में रखकर पुनः नयी संस्था गठित की गयी। मणिपुर ट्राइबल्स हिंदी सेवा समिति के मुख्य प्रेरक आचार्य थो० राधागोविंद सिंह कविराज जी हैं।

इस संस्था के उद्देश्य हैं—उपेक्षित गिरि अंचलों में राष्ट्रभाषा हिंदी का प्रचार-प्रसार करना, ट्राइबल हिंदी अध्यापकों व प्रचारकों की समस्या के समाधान का प्रयास करना, जनजातीय बोलियों के साहित्य को हिंदी में तथा हिंदी के साहित्य को विभिन्न बोलियों में अनुदित करना, छात्र-छात्राओं को हिंदी पढ़ने के लिए हिंदी प्रदेशों के विभिन्न संस्थाओं में भेजना, प्रशासन से छात्रवृत्तियों की व्यवस्था कराना तथा हिंदी शिक्षण के लिए विद्यालय खोलना। संस्था गोवर्धन साहित्य महाविद्यालय, देवघर, राष्ट्रभाषा प्रचार समिति, वर्धा आदि में अनेक छात्र-छात्राओं को भेज रही है। कुछ को सरकार की छात्रवृत्ति भी प्राप्त हो रही हैं।

मणिपुर हिंदी शिक्षक संघ

मणिपुर में हिंदी का अध्यापन करनेवाले अध्यापकों को व्यावहारिक समस्याओं को हल करने के लिए 'मणिपुरी हिंदी शिक्षक संघ' का गठन किया गया है। यह संघ समय-समय पर अध्यापकों की समस्याओं को सुनता है और अच्छे तथा लाभकर हिंदी शिक्षण के लिए उपाय सुझाता है। संघ की एक पत्रिका सन् 1980 से प्रकाशित होती हैं। इसमें हिंदी संबंधी विभिन्न सूचनाएँ, सरकारी नीतियाँ, हिंदी विद्यालयों की स्थिति व समस्याएँ, हिंदी के पारिभाषिक शब्द, मणिपुर के इतिहास व संस्कृति संबंधी सामग्री तथा राष्ट्रीय संदर्भ की सामग्री प्रकाशित होती है। 'मणिपुर हिंदी शिक्षक संघ' ने इम्फाल में राष्ट्र लिपि हिंदी प्रेस की स्थापना की है।

कल्याण आश्रम

प्राचीन भारतीय संस्कृति और हिंदी भाषा का प्रचार करने वाली यह अत्यंत महत्त्वपूर्ण संस्था है। संस्था मुख्य रूप से ऐसे आश्रम स्थापित करती है, जिसमें विभिन्न विद्यालयों में अध्ययन करने वाले छात्र रहते हैं। 15-20 किलोमीटर से लेकर 150-200 किलोमीटर दूर तक के पर्वतीय ग्रामों के जनजातियों के छात्र यहाँ एक साथ रहते हैं। अधिकांश छात्र ऐसे होते हैं, जिनके निर्धन माता-पिता उनकी शिक्षा का भार वहन नहीं कर सकते। आश्रम के कार्यकर्ता स्थान-स्थान पर ऐसे समर्थ लोगों की खोज करते हैं, जो एक या दो बच्चों को गोद ले सकें। ये समर्थ लोग गोद लिये बच्चों की शिक्षा का भार वहन करते हैं तथा वर्ष में कुछ समय उन बच्चों को अपने परिवार के साथ रखते हैं। आश्रम की ओर से

यह व्यवस्था की जाती है कि विद्यार्थी के मूल परिवार (जो प्रायः निर्धन होता है) के सदस्य और गोद लेने वाले परिवार के सदस्य परस्पर मिलजुल सकें तथा प्रगाढ़ प्रेमपूर्वक संबंध विकसित कर सकें। इस प्रकार व्यापक और स्थायी सांस्कृतिक आदान-प्रदान संभव होता है। उधर आश्रम अपनी बर्मा के बच्चों को मणिपुरी व हिंदी की ओर आकर्षित करता है। आश्रम की ओर से जो कार्यक्रम होते हैं वे मणिपुरी संस्कृति से संबंधित और राष्ट्रीय होते हैं तथा उनमें पूर्णतः मणिपुरी और हिंदी भाषा का व्यवहार किया जाता है। इस प्रकार सहज स्वाभाविक रूप से यह आश्रम हिंदी के प्रचार में सहायक हो रहा है। इस आश्रम को विद्यालय चलाने की भी योजना है।

विद्या भारतीय

यह संस्था सन् 1980 के पूर्व से कार्य कर रही है। इसका मुख्य उद्देश्य भारतीय संस्कृति और हिंदी का प्रचार करना है। इस संस्था के विषय में यह विलक्षण तथ्य है कि इसके सभी कार्यकर्ता मणिपुरी हैं और परिष्कृत हिंदी का व्यवहार करते हैं। विद्या भारती 5 विद्यालय चलाती है, जिनमें 2,000 से भी अधिक छात्र राष्ट्रीयता और राष्ट्रभाषा की शिक्षा प्राप्त करते हैं। मणिपुर विश्वविद्यालय के विज्ञान संकाय के डीन श्री एच० तोंबो सिंह विद्या भारती मणिपुर के वर्तमान अध्यक्ष हैं। संस्था का मुख्य कार्यालय राजबाड़ी इम्फाल में है।

सम सर्मपित परिवार

अपना सरकारी पद त्याग कर श्री हजारी मयुम गोकुलानंद शर्मा ने 14 जून, 1960 को 'राष्ट्रभाषा महाविद्यालय' की स्थापना की। श्री गोकुलानंद शर्मा प्रारंभ से ही इम्फाल नगर और उसके आसपास के स्थानों में घर-घर जाकर हिंदी का प्रचार करते हैं। इतना ही नहीं, उनके परिवार का प्रत्येक सदस्य हिंदी का अध्ययन करता है। सभवतः पूरे भारतवर्ष में यह अकेला परिवार है, जिसका प्रत्येक सदस्य हिंदी के प्रचार कार्य के लिए समर्पित है। 'राष्ट्रभाषा महाविद्यालय' में राष्ट्रभाषा रत्न तक पढ़ाई होती है और इसकी परीक्षा 'राष्ट्रभाषा प्रचार समिति, वर्धा' से मान्यता प्राप्त है। इस संस्था को केंद्र व राज्य सरकारें अनुदान देती हैं। अब तक हजारों विद्यार्थी इस संस्था की परीक्षा पास करने के बाद हिंदी की उच्च शिक्षा प्राप्त कर चुके हैं।

मणिपुर विश्वविद्यालय

सन् 1979 से मणिपुर में हिंदी का स्नातकोत्तर अध्यापन प्रारंभ हुआ। पहले ज० ने० वि० के पी० जी० सेंटर के रूप में और बाद में मणिपुर विश्वविद्यालय

के नाम से स्थापित संस्था में हिंदी की उच्च कक्षाएँ शुरू हुई। मणिपुर विश्वविद्यालय का हिंदी विभाग तीन रूपों में अपना कार्य करता है—हिंदी भाषा व साहित्य का अध्यापन, मणिपुर के विभिन्न क्षेत्रों में छात्रों के साथ घूमकर हिंदी का प्रचार तथा हिंदी व मणिपुरी साहित्य का अनुवाद व शोध। हिंदी के साथ-साथ मणिपुरी भाषा व साहित्य के इतिहास का ज्ञान भी छात्रों को कराया जाता है। विश्वविद्यालय की ओर से समय-समय पर छात्रों को हिंदी-भाषी क्षेत्रों में ले जाकर उन्हें हिंदी का व्यवहारिक ज्ञान कराने की भी व्यवस्था है। हिंदी विभाग की एक योजना यह भी है कि मणिपुर की भाषा, संस्कृति, धर्म और इतिहास संबंधी प्राचीन पांडुलिपियों को अनुवाद करके हिंदी जगत के सामने प्रस्तुत किया जाये।

पत्र-पत्रिकाएँ

मणिपुर में हिंदी का प्रचार कार्य करने के लिए एक मासिक पत्रिका और एक दैनिक पत्र का प्रकाशन होता है। मासिक पत्रिका 'युगशकेश' मणिपुरी हिंदी शिक्षक संघ द्वारा प्रकाशित होती है जबकि दैनिक पत्र 'नागरिक पंथ' श्री के० ब्रजमोहन देव शर्मा द्वारा संपादित व प्रकाशित है। यह पत्र पिछले बारह वर्षों से मणिपुर हिंदी दैनिक के रूप में प्रकाशित हो रहा है। दो भाषाओं का यह पत्र सामान्य जनता के बीच हिंदी का महान् कार्य कर रहा है। इसके अतिरिक्त मणिपुर विश्वविद्यालय की वार्षिक पत्रिका का एक भाग हिंदी भाषा में प्रकाशित होता है।

अन्य

मणिपुर में हिंदी प्रचार के लिए मणिपुर हिंदी प्रचार सभा, मणिपुर हिंदी अकादमी और नागरी लिपि प्रचार सभा भी कार्य कर रही हैं। हिंदी व संस्कृत की शिक्षा देने वाले विभिन्न विद्यालय और राजकीय शिक्षण संस्थाएँ भी हिंदी के लिए अनुकूल वातावरण बनाने में लगे हैं।

हिंदी के प्रचार-प्रसार का यह इतिहास तब तक पूरा नहीं होता, जब तक मणिपुर के विभिन्न स्थानों में आकर बसने वाले हिंदी प्रदेशों के व्यापारियों जीविका कमाने के लिए अस्थायी रूप से आये श्रमिकों तथा हिंदी फिलमों का जिक्र न किया जाये। व्यापारी लोग स्वतंत्रता से भी बहुत पहले से मणिपुर में हिंदी प्रचार में सहायक हो रहे हैं।

उन्होंने समय-समय पर हिंदी विद्यालयों की भी व्यवस्था की है। मणिपुर के अनेक हिंदी अध्यापक इन व्यापारियों द्वारा संचालित विद्यालयों में जीविकोपार्जन कर रहे हैं। दूसरी ओर मणिपुर के प्रत्येक नगर में हिंदी भाषी श्रमिक बहुतायत

से हैं। ये पूर्वी उत्तर प्रदेश और बिहार से मुख्य रूप से हैं। श्रमिकों का यह वर्ग मजदूरी करने के क्रम में कामचलाऊ मणिपुरी भाषा सीखता है और बदले में कामचलाऊ हिंदी सिखाता है। हिंदी फिल्मों और हिंदी गीतों के प्रति मणिपुरी समाज में आकर्षक बढ़ रहा है। धार्मिक व सामाजिक उत्सवों के अवसर पर हिंदी फिल्मी गीतों के रिकार्ड बजाये जाते हैं तथा युवक-युवतियों को हिंदी गीत की पंक्तियाँ गुनगुनाते सुना जा सकता है। हिंदी के लिए आकाशवाणी के अधिकारी समय-समय पर हिंदी वार्ताएँ, सर्वभाषा कवि सम्मेलन तथा विद्वानों के साक्षात्कर प्रसारित करते हैं। हिंदी के लिए आकाशवाणी इम्फाल का महत्त्व भी बढ़ता जा रहा है। दूरदर्शन वाले (अभी बाहर से आये) हिंदी कार्यक्रम प्रसारित करते हैं। आशा है भविष्य में दूरदर्शन के कार्यक्रम भी इम्फाल में ही तैयार किए जायेंगे और उनमें विभिन्न प्रकार के हिंदी कार्यक्रम शामिल होंगे।

मणिपुर में हिंदी की समस्याएँ

मणिपुरी समाज और हिंदी का रिश्ता बहुत पुराना है। यहाँ के प्राचीनतम सिक्के 'शैल' पर देवनागरी का उल्लेख मिलता है। आधुनिक युग में भी मणिपुर के टिकेंद्रजीत सन् 1870 में अंग्रेजी में अदालत में अपना पक्ष हिंदी में प्रस्तुत करके गौरवशाली कार्य किया था। साथ ही इस प्रदेश में हिंदी के प्रचार के लिए संगठित प्रयासों की भी कमी नहीं है। तब भी ध्यान से देखने पर इस प्रदेश मे हिंदी कठिन परिस्थिति का सामना करती प्रतीत होती है। दुकानों के नाम पट्ट हिंदी में नहीं होते। हिंदी की शिक्षा के प्रति रुचि का अभाव प्रतीत होता है और कभी-कभी दबे-छिपे हिंदी का विरोध भी देखने को मिल जाता है। निश्चय ही यह स्थिति चिंताजनक है और इसके कारणों की खोज की जानी चाहिए।

हिंदी से जीविका नहीं मिलती

हिंदी प्रचार के सिलसिले में जब जन-संपर्क किया जाता है तब एक बात ऐसी सामने आती है, जो एक साथ अंग्रेजी के पक्ष तथा हिंदी के विरोध में आती है। वह है, हिंदी से किसी अच्छी नौकरी का न मिलना। मणिपुर का व्यक्ति यदि अंग्रेजी की शिक्षा प्राप्त करता है तो उसके मन में आरंभ से ही अपने प्रदेश में किसी भी अच्छी नौकरी पा लेने की निश्चितता जन्म लेती है, जबकि वह हिंदी पढ़कर किसी छोटे से स्कूल में हिंदी की अध्यापक करने का संतोष भर सकता है। किसी भी पूर्वोत्तरी राज्य में हिंदी में अच्छी नौकरी नहीं पायी जा सकती। हिंदी के साथ यह व्यवहार आम आदमी के मन में हिंदी के प्रति वितृष्णा पैदा करता है। दूसरी ओर हिंदी पढ़ने वाले और हिंदी का प्रचार करने वालों की सामाजिक उपेक्षा। जो भाषा सर्वाधिक लाभप्रद होती है, वही कालांतर में सामाजिक सम्मान

का भी प्रतीक बन जाती है। अंग्रेजों ने यही सोचकर अपनी भाषा को सबसे पहले नौकरी से जोड़ा। इससे अंग्रेजी पढ़ना अनिवार्य हो गया और जब अंग्रेजी पढ़े-लिखे उच्च प्रशासनिक पद पा गये तब यह भाषा सामाजिक सम्मान का कारण बन गयी। हम हिंदी के साथ ऐसा नहीं कर सके। अतः दंड भोग रहे हैं। जब हिंदी से नौकरी नहीं मिलेगी तो हम हिंदी क्यों पढ़ें ? या जब हिंदी अर्थकरी नहीं है तब आप उसका प्रचार क्यों कर रहे हैं ? जैसे मर्मभेदी वाक्य मणिपुर जैसे प्रत्येक हिंदीतर भाषी क्षेत्र में हिंदी समर्थकों को सुनने-सहने पड़ते हैं।

धन की कमी

हिंदी के प्रचार कार्य में लगी संस्थाओं के सामने धन की बहुत बड़ी समस्या है। मणिपुर में कार्य करने वाली प्रत्येक संस्था को केंद्र व राज्य दोनों की सरकारों से उनकी योजना के अनुसार धन मिलना चाहिए किंतु एक तो यह धन सब संस्थाओं को नहीं मिलता, दूसरे जिन्हें मिलता है, आवश्यकता के अनुरूप नहीं मिलता। कई बार एक सरकार से उसका हिस्सा आ जाता है तो वर्षों तक दूसरी सरकार से उसका अंशदान नहीं मिल पाता। परिणाम यह होता है कि हिंदी प्रचार की योजनाएँ अधूरी रह जाती हैं या शुरू ही नहीं हो पातीं।

मणिपुर हिंदी परिषद् ने प्रारंभिक कक्षाओं के लिए पाठ्य पुस्तकें प्रकाशित की थी। य राज्य सरकार के स्कूलों में स्वीकृत थीं और उनकी बिक्री की आमदनी से परिषद् को कुछ लाभ हो जाता था, जिससे कुछ आर्थिक समस्या हल हो जाती थी किंतु पता नहीं किन कारणों से परिषद् की पुस्तकों की मान्यता समाप्त हो गयी और वह आय बंद हो गयी जो मणिपुर में हिंदी प्रचार की योजनाओं पर व्यय होती थी। परिणाम यह है कि इस समय 'मणिपुर हिंदी परिषद्' आर्थिक संकट से जूझ रही है। यही स्थिति कमोबेश प्रत्येक संस्था की है।

हिंदी भाषियों की भाषाई योग्यता एवं उससे उत्पन्न मानसिकता

अहिंदी भाषी प्रदेशों में हिंदी का अध्यापन पेट भरने या पैसा कमाने के लिए चुना गया व्यवसाय मात्र नहीं है। वह अधिक अंशों में मिशन या जीवन का उद्देश्य है। दूसरी बात यह है कि हिंदी को मातृभाषा के रूप में प्राप्त करके उसमें उच्च शिक्षा पाने वाले तथा मणिपुर को मूल भाषा के रूप में पाकर हिंदी में उच्च शिक्षा पाने वाले के भाषा ज्ञान, उच्चारण शुद्धता, वर्तनी तथा साहित्यिक ज्ञान में स्पष्ट अंतर होना किसी भी प्रकार अस्वाभाविक या कम क्षमता वाले के अपमान का कारण नहीं है। यह तथ्य ऐसा है जिस पर गंभीरतापूर्वक सोचा जाना चाहिए और विवेकपूर्ण निर्णय लेने के बाद ही अहिंदी भाषी क्षेत्रों में कार्य करने का निश्चय करना चाहिए। दुर्भाग्य से इन दो में से एक बात भी नहीं होती।

हिंदी भाषा-भाषी लोग जब हिंदी में उच्च योग्यता प्राप्त करके अहिंदी भाषी क्षेत्रों में हिंदी का अध्यापन करने पहुँचते हैं तब उनमें से अधिकांश का मुख्य लक्ष्य पेट भरना और पैसा कमाना होता है। साथ ही वे उच्च शिक्षा प्राप्त अहिंदी भाषी लोगों से अपने को बहुत अलग और बहुत विशिष्ट मानते हैं। ये लोग स्थानीय हिंदी प्रचारकों या स्थानीय उच्च हिंदी शिक्षितों को अपने से ही न मानकर बात तक करना पसंद नहीं करते। अनेक बार हिंदी पढ़ने के इच्छुक विद्यार्थियों को यह कहते हुए भी इन लोगों को सुना जा सकता है कि जब इनका उच्चारण तक ठीक (मणिपुरी से प्रभावित होने के कारण) नहीं है तो वे क्या हिंदी पढ़ेंगे ? कुछ तो ऐसे भी होते हैं कि कई-कई दिन अपनी हिंदी कक्षाओं के भी दर्शन नहीं करते, ऐसे अनेक महानुभाव 20-25 वर्ष तक एक ही स्थान पर हिंदी अध्यापक के रूप में कार्य करने के बाद भी हिंदी प्रचार की संस्थाओं के स्थानीय कार्यकर्ताओं से संपर्क तक नहीं कर पाते। मणिपुर में हिंदी भाषा का प्रचार करने में जिन्होंने अंग्रेजों तक से लोहा लिया, सामाजिक उपेक्षा सहन की, सरकारी नौकरियाँ छोड़कर सारा जीवन हिंदी सेवा में लगा दिया और जो अब अपनी उम्र का सबसे जवान हिस्सा हिंदी की पूजा में लगा रहे हैं उन सबका एक स्वर से कहना है कि जो हिंदी प्रदेशों से हिंदी की नौकरी करने आते हैं, वे स्थानीय हिंदी सेवियों को नीची दृष्टि से देखते हैं इसलिए कभी भी संपर्क करने का प्रयास नहीं करते। उनका यह भी आरोप है कि हिंदी प्रदेशों के लोग अहिंदी क्षेत्रों में आकर अपने को मूर्धन्य विद्वान के रूप में दिखाते हैं। कुछ वृद्ध हिंदी सेवी अश्रुपूरित नेत्रों से कहते हैं कि बाहर के लोग हिंदी का नही अपना भला करने आते हैं। हिंदी भाषियों का यह कार्य अहिंदी भाषी क्षेत्रों में हिंदी के विकास में साधक है या बाधक, यह निर्णय सहज ही किया जा सकता है।

मणिपुरी भाषा के प्रति तटस्थता

मणिपुरी में हिंदी के प्रचार-प्रसार में एक बड़ी बाधा हिंदी भाषी व्यक्तियों का मणिपुरी भाषा के प्रति ठंडा व्यवहार है। यहाँ के अधिकांश हिंदी अध्यापक (जो मूलतः मणिपुरी नहीं हैं) अनेक वर्षों तक इस क्षेत्र में कार्य करने के बाद भी यहाँ की भाषा सीखने का प्रयास नहीं करते। इसके दो परिणाम होते हैं। एक तो वे लोग मणिपुरी समाज से निकटता तथा अपनत्व भरा संबंध विकसित न कर पाने के कारण मणिपुरी विद्यार्थियों को हिंदी भाषा के प्रति ठीक से आकृष्ट नहीं कर पाते। दूसरे इससे अनजाने ही हिंदी विरोध को बल मिलता है क्योंकि यह कहा जाने लगता है कि जब ये लोग मणिपुरी नहीं सीखते तो हम हिंदी क्यों सीखें। इसका एक परिणाम यह भी होता है कि मणिपुरी के ज्ञान के अभाव में हिंदी कम

जानने वालों या बिल्कुल न जानने वालों को हिंदी की महत्ता नहीं समझायी जाती है न उनकी शंकाओं का समाधान ही किया जाता है।

प्रशिक्षित कार्यकर्ताओं का अभाव

अहिंदी भाषी क्षेत्रों में कार्य करने वाले हिंदी कार्यकर्ताओं के कार्य के तीन मुख्य पक्ष हैं—1. हिंदी और भारत के सांस्कृतिक व आर्थिक भविष्य की समीकरण की ठोस व्याख्या; 2. हिंदी भाषा का सरल भाषा वैज्ञानिक शिक्षण तथा 3. हिंदी के माध्यम से साहित्य की शिक्षा। इनमें से भाषा शिक्षण तो ठीक से संभव हो पाता है किंतु शेष दो का निर्धारण अभी तक नहीं हो पाया है। इसके लिए प्रशिक्षित कार्यकर्ताओं का अभाव है, जिससे न तो हिंदी का महत्त्व स्पष्ट हो पाता है और न साहित्य के अध्यापन के स्थानीय महत्त्व की बातें प्रस्तुत हो पाती हैं।

पुस्तकों व पत्र-पत्रिकाओं का अभाव

सरकारी अनुदान की अल्पता के कारण मणिपुर की एक भी हिंदी सेवी संस्था ऐसी नहीं है, जिसके पास समृद्ध पुस्तकालय हो। पुस्तकों की मूल्य वृद्धि के कारण संस्थाओं के लिए महत्त्वपूर्ण पुस्तकों का उपयोगी संग्रह करना कठिन है। इसके साथ ही पुस्तक के चयन की भी समस्या है। हिंदी के प्रकाशक कभी भी यह दायित्व नहीं समझते कि वे अपनी नवीनतम प्रकाशन सूची आवश्यक रूप से अहिंदी भाषी क्षेत्रों की संस्थाओं के पास भेजें। वे तो अवसर मिलते ही जो माल कहीं नहीं खपता, उसे इन क्षेत्रों में येन-केन-प्रकारेण झोंकने और पैसे बनाने का प्रयास करते हैं। पत्रिकाओं की भी यह स्थिति है। यहाँ से पैसा, प्रशंसा या अतिशयोक्तिपूर्ण समीक्षा की संभावना होती है, वहाँ तो संपादक अपनी पत्रिका भेजने को लालायित रहते हैं किंतु राष्ट्र के सुदूर पर्वतीय अंचलों में अपनी पत्रिका निःशुल्क भेजने का साहस कुछ इने-गिने संपादक ही दिखा पाते हैं।

मणिपुर में हिंदी प्रचार के लिए कुछ सुझाव

मणिपुर में हिंदी के प्रचार-प्रसार की बाधाओं को दूर करने के लिए निम्न उपाय किये जाने चाहिए।

प्रतिवर्ष मणिपुर में सम्मेलन

मणिपुर में हिंदी की समस्याओं की व्यावहारिक अनुभव के बिना समझा और हल किया जाना पर्याप्त कठिन है। इसलिए हिंदी प्रदेशों की जो संस्थाएँ केवल सीमित क्षेत्रों में सम्मेलन करती हैं, उन्हें वर्ष में ये एक बार मणिपुर में अपना सम्मेलन आयोजित करना चाहिए। इससे अनेक लाभ होंगे। मणिपुर जैसे सीमांत प्रदेश

के अधिकांश हिंदी अध्यापक प्रचारक और विद्यार्थी इनमें शामिल हो सकेंगे, हिंदी की अनेक समस्याओं को वहीं सुना और हल किया जा सकेगा। हिंदी सेवियों का अगले वर्ष भर लगने से कार्य करने की प्रेरणा मिल सकेगी। हिंदी प्रदेशों के लोग इन क्षेत्रों के प्रत्यक्ष दर्शन करके हिंदी के लिए अधिक उपयोगी योजनाएँ बना सकेंगे और यहाँ की हिंदी सेवी संस्थाओं के कार्य का मूल्यांकन किया जा सकेगा, जो इन क्षेत्रों में सिर्फ सरकारी अनुदान पाने के लिए हिंदी के नाम-पट्ट का प्रयोग कर रही हैं।

प्रशिक्षण की व्यवस्था

हिंदी प्रदेशों की संस्थाएँ ऐसा प्रशिक्षण शिविर आयोजित करें जिनमें समर्पित भावना से युक्त हिंदी अध्यापक और प्रचारक तैयार किये जा सकें। स्मरणीय है कि हिंदी केवल एक भाषा नहीं है बल्कि वह भारत की समग्र मनीषा और सांस्कृतिक गौरव का प्रतीक है। उसका इतिहास भारतीय जागरण का इतिहास है। प्रत्येक भारतीय के मन में इस धारणा को जगाना हिंदी के प्रसार के लिए आवश्यक है। साथ ही विभिन्न क्षेत्रों में हिंदी साहित्य के रूप में राष्ट्रीय विषयों के समानांतर क्षेत्रीय संस्कृति धर्म और लोककथाओं को प्रस्तुत किया जाना भी आवश्यक है। किंतु यह इतनी समझ और कुशलता से होना चाहिए कि धीरे-धीरे इन क्षेत्रों के चिंतन को भारत के मुख्य चिंतन में समाहित किया जा सके। मणिपुर के लोग कृष्ण के गुण गायक हैं साथ ही वे सुभाषचंद्र बोस का नाम गर्व से लेते हैं। मणिपुर में हिंदी का कार्य करते समय ऐसे तथ्यों का ध्यान रखा जाना हिंदी की जमीन को पुख्ता करने के लिए अनिवार्य है। इस कार्य के लिए कार्यकर्ताओं को सघन प्रशिक्षण दिया जाना उपयोगी है।

आर्थिक समस्या का हल

अहिंदी भाषी प्रदेश मणिपुर की संस्थाओं की आर्थिक समस्या को हल करने के लिए—

1. केंद्र सरकार व मणिपुर की राज्य सरकार से हिंदी के लिए अनुदान राशि बढ़ाने की माँग की जानी चाहिए। राज्य सरकार से यह भी कहा जाना चाहिए कि वह अनुदान को बीच-बीच में बंद न करें।

2. मणिपुर के विद्यालयों की 8वीं कक्षा तक के लिए वहाँ की पंजीकृत संस्थाओं द्वारा तैयार किया गया वह हिंदी पाठ्यक्रम स्वीकृत कराया जाना चाहिए जो भारत सरकार के आदर्श पाठ्यक्रम के अनुरूप हो।

3. यदि यह पाठ्यक्रम राज्य सरकार स्वयं तैयार कराना चाहे तो इसके प्रकाशन व बिक्री का सर्वाधिकार मणिपुर की पंजीकृत संस्थाओं के बीच वितरित कर दिया जाना चाहिए।

4. मणिपुर की हिंदी सेवी संस्थाओं द्वारा प्रकाशित पुस्तकों की बिक्री में हिंदी प्रदेश की संस्थाओं व विद्यालयों को सहयोग करना चाहिए।

अनुवाद कार्य

अंग्रेजी भाषा मणिपुरी व हिंदी दोनों की शत्रु है, अतः इस भाषा के विरुद्ध मोर्चे में मणिपुरी व हिंदी को एक होकर कार्य करना चाहिए। इसके लिए हिंदी ग्रंथों को अनुवाद मणिपुरी में और मणिपुरी ग्रंथों का अनुवाद हिंदी में प्रस्तुत किया जाना चाहिए। अनुवाद कार्य के माध्यम से दोनों भाषाओं को परस्पर सन्निकट लाया जा सकता है। वैसे भी दोनों भाषा-भाषियों के लिए इन दोनों के साहित्य की जानकारी उपयोगी और आवश्यक है।

हिंदी सेवियों का सम्मान

मणिपुर के हिंदी सेवी भले ही उच्च कोटि के विद्वान न गिने जा सकें किंतु हिंदी सेवा का उनका नैष्ठिक चरित्र श्रद्धा और सम्मान का वास्तविक पात्र है। मणिपुर के कुछ हिंदी सेवी तो ऐसे है, जो अपना सारा जीवन हिंदी के नाम करके अब जीवन के अंतिम चरण में हैं। इन्हें प्रदेश से बाहर शायद ही कोई जान सका हो। ऐसे महान् व्यक्तियों का सम्मान करना प्रत्येक हिंदी प्रेमी का धर्म है। हिंदी प्रदेशों की बड़ी संस्थाएँ मणिपुर के हिंदी सेवियों को विशिष्ट और अति-विशिष्ट हिंदी सेवा पदक प्रदान करके सम्मानित कर सकती हैं, इससे नये हिंदी प्रचारकों को प्रेरणा मिलेगी।

सांस्कृतिक आदान-प्रदान

हिंदी के प्रचार-प्रसार एवं राष्ट्रीय एकता के लिए विभिन्न प्रदेशों के बीच सांस्कृतिक व भाषिक आदान-प्रदान आवश्यक है। बड़ी-बड़ी हिंदी सेवी संस्थाओं द्वारा समय-समय पर मणिपुर सहित पूर्वांचल के समस्त प्रदेशों से सांस्कृतिक प्रतिनिधि मंडल बुलाये जाने चाहिए तथा हिंदी प्रदेशों से इसी प्रकार के दल मणिपुर व अन्य क्षेत्रों में जाने चाहिए। मणिपुर को अपनी आँखों से देखे बिना यह धारणा समाप्त नहीं की जा सकती कि यह प्रदेश मात्र नाच-गानों या उत्तर का प्रदेश है। यहाँ आकर ही जाना जा सकता है कि मणिपुर 'गरीब नवाज' की वीरता 'खम्बा-थोइबी' के प्रेमपूर्ण आदर्श लोकतक झील के तैरते द्वीपों की प्राकृतिक शोभा के संगम का नाम है।

मणिपुर सरकार से आग्रह

इस क्षेत्र में हिंदी को जन-जन तक पहुँचाने के लिए समस्त हिंदी सेवियों को

मणिपुर सरकार से आग्रह करना चाहिए कि 1. राजकाज की भाषा के रूप में मणिपुरी के साथ हिंदी को भी स्वीकार किया जाये। इससे दोनों भाषाओं को परस्पर पूरक के रूप में विकसित होने का अवसर मिलेगा। अभी तक राजकाज में अंग्रेजी दोनों भाषाओं पर हावी है। 2. विभिन्न नौकरियों की योग्यता के रूप में हिंदी को मान्यता प्रदान की जाये। उदाहरण के लिए यदि किसी नौकरी के लिए आवश्यक योग्यता बी० ए० है तो उसके लिए विज्ञापित किया जाये कि अभ्यर्थी बी० ए० उपाधिधारी हो अथवा बी० ए० समकक्ष हिंदी उपाधि प्राप्त। और 3. चतुर्थ श्रेणी की सरकारी नौकरियों के लिए हिंदी की 8वीं कक्षा की उपाधि को विकल्प के रूप में रखा जाना चाहिए इससे जो लोग किन्हीं कारणों से स्कूली शिक्षा प्राप्त नहीं कर पाते वे कोई छोटा-मोटा काम करके अर्थोपार्जन करते हुए सायंकालीन कक्षाओं वाले हिंदी विद्यालयों में हिंदी की शिक्षा पा सकेंगे और उन्हें नौकरी भी मिल सकेगी। इससे मणिपुर में किसी हद तक हिंदी नौकरी से जुड़ेगी, हिंदी के विद्यार्थियों को इस भाषा से भी रोजगार मिलने की आशा बँधेगी तथा हिंदी पढ़ने वालों की संख्या बढ़ेगी।

असम

असम राष्ट्रभाषा प्रचार समिति, गुवाहाटी

राष्ट्रभाषा प्रचार का इतिहास असम में भले ही बीसवीं शताब्दी के चौथे दशक से औपचारिक रूप में प्रारंभ हुआ हो, परंतु असम में हिंदी की परंपरा बहुत पुरानी है। इस दृष्टि से असम क्षेत्र में हिंदी के संबंध में सर्वप्रथम जिन महामानवों का नाम बलात् स्मरण-पटल पर उभरता है, वे महामानव हैं—शंकरदेव और माधवदेव और फिर उनके अनुयायी। शंकरदेव और माधवदेव के नाटकों और गीतों में जिस भाषा का प्रयोग हुआ है, उसे 'ब्रजबुलि' की संज्ञा दी गयी है। यह ब्रजबुलि वस्तुतः मैथिली-ब्रज-असमिया का मिश्रित रूप है।

जब 1929 ई० में लाहौर कांग्रेस ने यह घोषणा कर दी कि कांग्रेस का लक्ष्य देश को पूर्ण स्वतंत्र कराना है तभी उस प्रतिज्ञा में हिंदी को राष्ट्रभाषा के रूप में स्थान दे दिया गया। इस राष्ट्रीय उद्देश्य की पूर्ति के लिए ही सन् 1934 ई० में गुवाहाटी में एक हिंदी प्रचार समिति की स्थापना कर दी गयी, जिसके अध्यक्ष थे श्री गोपीनाथ जी बरदलै तथा सचिव लक्ष्मीधर बराजी। परंतु किन्ही कारणों वश समिति अधिक दिनों तक जीवित न रह सकी।

कालांतर में पुनः अक्टूबर, 1936 को हिंदी का श्रीगणेश गुवाहाटी में श्री डी० पी० जोशी की सहायता से हुआ। और समकालीन कुली डिपो (पलटन बाजार के समीप) नामक स्थान में हिंदी कक्षाओं का संचालन किया जाने लगा।

अध्यापन कार्य करते थे श्री जोशी और रवीन्द्रनाथ नवीश। इस कार्य को प्रगति करते हुए देख प्रसिद्ध व्यवसायी श्री रामस्वरूप सिंह जी ने पर्याप्त आर्थिक सहायता देकर राष्ट्रभाषा हिंदी के शिक्षण कार्य को गति प्रदान की।

इतना होने पर भी राष्ट्रभाषा का प्रचार व्यापक रूप से करने के लिए असम में एक राष्ट्रभाषा प्रचार संस्था की आवश्यकता अनुभव की जाने लगी। इसी आवश्यकता की पूर्ति हेतु असम हिंदी प्रचार समिति नाम की संस्था की 3 नवंबर, 1938 को नींव रख दी गयी। यह असम हिंदी प्रचार समिति ही कालांतर में असम राष्ट्रभाषा प्रचार समिति के रूप में विकसित और विख्यात हुई। राष्ट्रीय महत्त्व के इस कार्य को पर्याप्त गति प्रदान करने के उद्देश्य से प्रांतीय सरकार ने असम हिंदी प्रचार समिति को वार्षिक अनुदान देना प्रारंभ किया। अतः असम में राष्ट्रभाषा का प्रचार कार्य व्यवस्थित रूप से चलने लगा। इसी बीच सरकारी और गैर-सरकारी माध्यमिक विद्यालयों में ऐच्छिक तौर पर राष्ट्रभाषा हिंदी के अध्यापन को अनुमति देने की भी व्यवस्था कर दी गयी।

ध्यान रहे कि प्रारंभ में असम राष्ट्रभाषा प्रचार समिति की व्यवस्था का दायित्व राष्ट्रभाषा प्रचार समिति, वर्धा के हाथों में था। परंतु अगस्त क्रांति के पहले सन् 1942 ई० में राष्ट्रभाषा प्रचार समिति, वर्धा ने असम राष्ट्रभाषा प्रचार समिति को स्वायत्तता प्रदान कर दी। स्वायत्तता मिल जाने के कारण असम राष्ट्रभाषा प्रचार समिति को अपने कार्य करने की दिशा में पूर्ण स्वतंत्रता और शक्ति तो मिल गयी परंतु दूसरे महासमर के कारण राजनैतिक परिस्थितियाँ ऐसी विषम हो गयीं कि किसी भी रचनात्मक कार्य को हाथ में लेना दुष्कर कार्य हो गया। पूरा का पूरा असम सैनिक छावनी बन चुका था। परिणामस्वरूप राष्ट्रभाषा का प्रचार कार्य और असम राष्ट्रभाषा प्रचार समिति का विकास रुक गया।

इसी बीच हिंदी और हिंदुस्तानी के प्रश्न को लेकर एक अच्छा-खासा विवाद खड़ा हो गया। इस विवाद को शांत करने और स्वाधीनता संग्राम के अभियान को रुकने न देने के प्रयोजन से राष्ट्रपिता महात्मा गांधी ने मध्यम रास्ता अपनाकर हिंदुस्तानी का समर्थन किया। राष्ट्रीय एकता की रक्षाहित यही एक मात्र विकल्प था। महात्मा गांधी के इस आदर्श के प्रति पूर्ण आस्था रखते हुए असम राष्ट्रभाषा प्रचार समिति की व्यवस्थापिका सभा ने हिंदुस्तानी का पक्ष स्वीकार किया।

परीक्षा संचालन

असम राष्ट्रभाषा प्रचार समिति सन् 1948 के पहले तक अपनी परीक्षाओं की व्यवस्था नहीं कर पायी थी। इसलिए हिंदुस्तानी प्रचार सभा वर्धा की ही सभी

परीक्षाएँ चलाती रही। राष्ट्रपिता महात्मा गांधी हिंदुस्तानी के प्रचार कार्य में भी विकेंद्रीकरण के समर्थक थे। इस नीति का दाय उठाते हुए असम राष्ट्रभाषा प्रचार समिति स्वावलंबन के पथ पर अग्रसर हुई और उसकी व्यवस्थापिका सभा ने एक निर्णय लेकर अक्टूबर सन् 1948 से अपनी परीक्षाएँ संचालित करना शुरू कर दिया। प्रारंभ में समिति ने प्रथमा, प्रवेशिका और विशारद परीक्षाओं का संचालन किया।

इस नयी व्यवस्था के कारण जब हिंदी पढ़ने वालों की संख्या में वृद्धि होने लगी तब समिति ने विभिन्न क्षेत्रों में प्रचारक नियुक्त करने की आवश्यकता का अनुभव किया। स्थान-स्थान पर वैतनिक प्रचारकों को नियुक्ति दे दी गयी। और इस प्रकार प्रमाणित अथवा पंजीकृत प्रचारकों की संख्या में वृद्धि कर हिंदी का प्रचार कार्य किया जाने लगा।

अनुभव से अब यह बात खटकने लगी कि प्रथमा, विशारद के पाठ्यक्रम के मध्य एक बहुत बड़ी खाई है। इस खाई को पाटने के लिए सन् 1950 से प्रवेशिका और विशारद के बीच प्रबोध नाम की एक और परीक्षा का प्रारंभ किया गया। बढ़ते हुए कार्यक्षेत्र को देखते हुए गुवाहाटी के आठ गाँव में समिति की ओर से एक हिंदी प्रशिक्षण केंद्र भी खोल दिया गया।

असम सरकार ने समिति को अनुदान देना शुरू किया और समिति के प्रचारकों को अपने स्कूलों के अध्यापक के रूप में लिया तो हिंदी शिक्षकों की और आवश्यकता पड़ने लगी। असम सरकार ने विशारद परीक्षा को शिक्षण कार्य के लिए मान्यता प्रदान कर दी। हिंदी को राष्ट्रभाषा का संवैधानिक मान्यता मिलने के बाद समिति का कार्य और भी बढ़ गया। परिणामस्वरूप परीक्षाओं की तारतम्यता की आवश्यकता पड़ने लगी।

राष्ट्रभाषा प्रचार कार्य के साथ यह भी अनुभव किया गया कि असम के आदिवासी पहाड़ी भाइयों की दृष्टि से समिति की पहली परीक्षा कुछ सीमा तक कठिन है। इस कठिनाई के निवारण हेतु सन् 1958 से एक और परिचय नाम की परीक्षा चलायी जाने लगी, जो प्रथमा से पूर्व ली जाती थी।

भारत सरकार द्वारा परीक्षाओं की मान्यता

भारतवर्ष में राष्ट्रभाषा प्रचार कार्य में इतनी स्वैच्छिक संस्थाएँ कार्यरत थीं और उनकी परीक्षाओं में इतनी विविधता थी कि उनको अखिल भारतीय दृष्टि से एकरूपता देने अथवा उनमें पारस्परिक समकक्षता स्थापित करने की अतीव आवश्यकता अनुभव की जाने लगी। परिणामस्वरूप सन् 1960 में भारत सरकार ने केंद्रीय लोक सेवा आयोग से परामर्श कर इस विषय में मान्यता देने का निश्चय किया। साथ ही एक आदर्श पाठ्यक्रम भी तैयार किया गया। असम

राष्ट्रभाषा प्रचार समिति की विशारद और प्रबोध परीक्षाओं को इंटर तथा मैट्रिक के समकक्ष मान लिया गया। यद्यपि समिति की विशारद का पाठ्यक्रम बी० ए० के समतुल्य था फिर भी जब उसे बी० ए० की समकक्षता प्राप्त नहीं हुई तो उसके पाठ्यक्रम में भी परिवर्तन किया गया और बी० ए० स्तर की एक अन्य परीक्षा संचालन का निर्णय कर लिया गया। इस प्रकार अब असम राष्ट्रभाषा प्रचार समिति परीक्षाएँ चलाने लगीं—परिचय, प्रथमा, प्रवेशिका, प्रबोध, विशारद तथा प्रवीण।

इसके अतिरिक्त गांधी जन्म शताब्दी वर्ष 'गांधी विचार बोध' नाम की एक सामयिक परीक्षा का भी संचालन किया गया। कुछ काल के उपरांत विशारद परीक्षा को भारत सरकार ने इंटर के समकक्ष स्थायी मान्यता प्रदान कर दी। सन् 1962 से समिति द्वारा संचालित प्रवीण नामक सर्वोच्च परीक्षा को सन् 1972 में बी० ए० के समकक्ष अस्थायी मान्यता प्रदान कर दी, जिसे अंततः सन् 1973 में स्थायी रूप में स्वीकार कर लिया गया।

समिति का अपना भवन

असम राष्ट्रभाषा प्रचार समिति का अपने उद्भव काल से 1953 तक कोई अपना भवन नहीं था। परिणामस्वरूप कभी कुली डिपो, कभी आठगाँव, कभी पानबाजार, कभी खारगुली, कभी उज्जन बाजार तो कभी लवाशिल में किराये के मकान में अपना काम चलाता रहा। इस सचल स्वभाव के कारण समिति को लगातार अड़चनों का सामना करना पड़ता रहा। अंततः सरकार ने इस अभाव की पूर्ति के लिए असम राष्ट्रभाषा प्रचार समिति को सन् 1953 में गुवाहाटी नगर के बीच में भूमि प्रदान कर दी। इसी जमीन पर सन् 1953 में समिति भवन खड़ा कर दिया गया। कुछ काल के पश्चात् असम राष्ट्रभाषा प्रचार समिति ने अपना एक प्रेस भवन भी खड़ा कर लिया। सन् 1964 में समिति की रजत जयंती मनायी गयी। इस अवसर पर भारत सरकार ने आर्थिक सहायता प्रदान की, जिससे भाषा गवेषागार केंद्रीय पुस्तकालय और सभा भवन का शिलान्यास किया गया, जो अब पूर्ण हो चुका है।

समिति का गठन

असम राष्ट्रभाषा प्रचार समिति की संगठन व्यवस्था जनतांत्रिक है। इस समिति के पाँच संगठन सोपान हैं—(1) स्थानीय समिति, (2) जिला समिति (हर विभाग के लिए), (3) व्यवस्थापिका सभा, (4) परीक्षा परिषद् और (5) कार्यपालिका।

कार्य-व्यवस्था

असम राष्ट्रभाषा प्रचार समिति के समस्त कार्य व्यापार को निम्नलिखित विभागों में बाँटा गया है—(1) स्थापना प्रचार विभाग,(2) परीक्षा विभाग, (3) साहित्य विभाग,(4) पत्रिका विभाग, (5) मुद्रण विभाग,(6) हिसाब खजानची विभाग, (7) पुस्तक विक्रय, (8) केंद्रीय पुस्तकालय विभाग, (9) हिंदी विद्यापीठ और (10) टंकण आशुलिपि विभाग।

उल्लेखनीय गतिविधियाँ

'राष्ट्रसेवक'—समिति का मुख पत्र है, जो दो भाषाओं (हिंदी-असमिया) में प्रकाशित होता है और जिसका प्रकाशन सन् 1951 से प्रारंभ हुआ । शुरू-शुरू में इसकी अवधि त्रैमासिक थी, जिसे आगे चलकर मासिक में परिवर्तित कर दिया गया है। पूर्वांचल के साहित्य, संस्कृति, सभ्यता, लोकगीत, लोककथा के विवेचन और प्रकाशन में राष्ट्रसेवक की भूमिका उल्लेखनीय रही है। इस दृष्टि से राष्ट्रसेवक के राष्ट्रीय कांग्रेस का प्रागज्योतिष अधिवेशन विशेषांक, समिति की रजत जयंती विशेषांक, महात्मा गांधी जन्मशती वार्षिक विशेषांक, बिंदु अंक, लक्ष्मीनाथ बेज बरूवा जन्म शतवार्षिकी विशेषांक, श्री शंकरदेव अंक, विशेष रूप से उल्लेखनीय और संग्रहणीय अंक हैं। इसके संपादकों में चित्र महंतजी की महती भूमिका है।

विद्यालय योजना

राष्ट्रभाषा प्रचार तथा शिक्षण को व्यवस्थित और सोद्देश्य बनाने के लिए असम राष्ट्रभाषा प्रचार समिति ने विद्यालय योजना को हाथ में लिया है, जिसके अंतर्गत विभिन्न स्थानों पर सौ से भी अधिक विद्यालय स्थापित किये जा चुके हैं। जिनमें से विशारद और प्रबोध विद्यालयों का संचालन केंद्रीय सरकार के अनुदान से किया जाता है।

हिंदी विद्यापीठ

गुवाहाटी शहर में भारत सरकार की सहायता से असम राष्ट्रभाषा प्रचार समिति के संचालन में एक हिंदी विद्यापीठ भी चल रही है, जिसमें प्रवीण तक की कक्षाएँ चलती हैं। इस हिंदी विद्यापीठ को यदि पूर्वांग विद्यालय की संज्ञा दी जाये तो अतिशयोक्ति न होगी।

हिंदी पुस्तकालय

असम राष्ट्रभाषा प्रचार समिति द्वारा संचालित 'केंद्रीय राष्ट्रभाषा पुस्तकालय'

गुवाहाटी पूर्वांचल का सबसे बड़ा हिंदी पुस्तकालय है। इस पुस्तकालय में हिंदी के अतिरिक्त असमिया, संस्कृत, उर्दू, बंगला और पूर्वांचल की उपभाषाओं की अनेक पुस्तकें सुरक्षित हैं। असम के विविध अंचलों के ग्रामीण हिंदी पुस्तकालय भी असम राष्ट्रभाषा प्रचार समिति से समय-समय पर मदद पाते रहते हैं। नयी योजना के अंतर्गत सन् 1972-73 से केंद्रीय सरकार की आर्थिक सहायता से असम राष्ट्रभाषा प्रचार सभा ने एक टंकण और आशुलिपि प्रशिक्षण विद्यालय भी स्थापित कर दिया गया है। इस विद्यालय में नि शुल्क प्रशिक्षण प्रदान किया जाता है।

असम राष्ट्रभाषा सेवक संघ, गुवाहाटी

राष्ट्र स्वतंत्र हो चुका था। आने वाली पीढ़ियों को राष्ट्रभाषा के माध्यम से एकता के सूत्र में पिरोना, राष्ट्रभाषा के प्रचार कार्य में लगे व्यक्तियों और संस्थाओं में एकता स्थापित करना, अस्वस्थ स्पर्धा और अनावश्यक होड़ को न पनपने देना आदि कुछ ऐसी अपरिहार्य आवश्यकताएँ थीं, जो असम राष्ट्रभाषा सेवक संघ, गुवाहाटी के गठन के आधारभूत तत्व थे। इन्हीं तत्वों से प्रेरित होकर पूर्वांचल के राष्ट्रभाषा सेवी सपूतों ने तेजपुर के समीप भिसामारी में सन् 1952 ई० में इस संघ का निर्माण किया। और इसका सौभाग्य प्राप्त हुआ भिसामारी हिंदी शिक्षण प्रशिक्षण केंद्र को। श्री नरनाथ भट्टाचार्य, चित्र महंत, रमाकांत बरा, आइति ग्रेटिस लिंज्वा इस संघ के प्रमुख प्रतिष्ठापक सदस्यों में से थे।

सन् 1953 के प्रारंभ में छात्राध्यापकों की एक बैठक हुई, जिसमें असम के समस्त जिलों के राष्ट्रसेवक उपस्थित थे। संघ की इस बैठक में पर्याप्त चिंतन और मनन के उपरांत एक तदर्थ समिति का गठन किया गया, जिसे यह कार्य सौंपा गया कि वह असम अंचल में कार्यरत राष्ट्रभाषा सेवकों का सम्मेलन बुलाये, जिसमें राष्ट्रभाषा सेवकों को एक सूत्र में बनाये रखने के लिए एक ठोस कार्यक्रम पर विचार किया जा सके। इस सम्मेलन के स्वागतार्थ भिसामारी हिंदी प्रशिक्षण केंद्र का दूसरा दल कटिबद्ध हुआ, जिसके सभी सदस्यों ने सम्मेलन की सफलता हेतु कोई कसर नहीं छोड़ी। अंततः 28 दिसंबर, 1953 को भिसामारी हिंदी प्रशिक्षण केंद्र पर असम राष्ट्रभाषा सेवक संघ का पहला सम्मेलन हुआ और उसके उद्घाटन का श्रेय मिला असम के तत्कालीन शिक्षा मंत्री श्री अमीया कुमार दास को। इस सम्मेलन के अध्यक्ष विख्यात कवि नीलमणि जी फुकन थे। अधिवेशन में संघ का विधान भी पर्याप्त विचार-विमर्श के उपरांत स्वीकार किया गया। जिसका संशोधित संक्षिप्त स्वरूप इस प्रकार है—

संघ के उद्देश्य

(1) संपूर्ण असम, मणिपुर, मेघालय, त्रिपुरा, मिज़ोरम, नागालैंड और अरुणाचल में भारतीय संविधान सम्मत राष्ट्रभाषा हिंदी का प्रचार करना, तथा उसके माध्यम से पूर्वांचल की सामासिक संस्कृति की आधारशिला को सुदृढ़ बनाये रखना और साथ ही साथ राष्ट्रीय चेतना को जाग्रत बनाये रखना।

(2) हिंदी शिक्षक-शिक्षिकाओं, प्रचारक-प्रचारिकाओं के सामने राष्ट्रभाषा प्रचार में आने वाली कठिनाइयों का निराकरण करना।

(3) सामाजिक संकीर्णता और आंचलिक उन्माद जैसे—संकुचित प्रकोष्ठों से मुक्त रहते हुए अखिल भारतीय और राष्ट्र-प्रेम को वर्धमान बनाये रखना।

(4) राष्ट्रभाषा के प्रचार और प्रसार में संलग्न समानधर्मी संस्थाओं के साथ सहयोग बनाये रखना।

क्षेत्र

सघ का कार्यक्षेत्र मुख्यतः पूर्वांचल होगा, जिसमें कि असम, मणिपुर, मेघालय, त्रिपुरा, मिज़ोरम, नागालैंड तथा अरुणाचल के राज्य सम्मिलित किये जाते हैं। इस क्षेत्र की ऐतिहासिक और सांस्कृतिक एकता को दृष्टि में रखते हुए ही संघ का यह कार्यक्षेत्र स्वीकार किया गया है।

स्वरूप

यह संघ एक स्वतंत्र सामाजिक-सांस्कृतिक संस्था के रूप में कार्य करेगा और राजनीतिक प्रभाव अथवा उसकी विचारधारा के अनुकरण से सर्वथा अछूता रहेगा।

सदस्यता

(1) संघ के प्रयोजनों में आस्था रखने वाले स्कूल, कॉलेज, विश्वविद्यालय, शिक्षक-शिक्षिकाएँ, हिंदी संस्थाओं में कार्य करने वाले हिंदी सेवक, प्रचारक-प्रचारिकाएँ तथा अन्य हिंदी प्रेमी सदस्य होंगे।

(2) हिंदी प्रशिक्षण संस्थाओं में अध्यापन करने वाले छात्राध्यापक भी इसके सदस्य हो सकेंगे।

(3) सदस्यता के लिए प्रत्येक को दो रुपये प्रवेश शुल्क और एक रुपया वार्षिक शुल्क देना होगा।

(4) पचास रुपये अथवा इससे अधिक धन-राशि प्रदान करने वाले आजीवन सदस्य हो सकेंगे।

शाखा-समिति

जहाँ भी कम-से-कम पंद्रह सदस्य होंगे, वहाँ एक शाखा समिति का गठन किया जा सकेगा। इस प्रकार की शाखा समितियाँ केंद्रीय समिति के अधीन रहते हुए संघ द्वारा स्वीकृत कार्यक्रमों को ही कार्यान्वित करेंगी। (नवीन संशोधन के अनुसार प्रत्येक जिले में एक-एक जिला समिति भी बन सकती है।)

कार्यकारिणी समिति

संघ की प्रतिनिधि सभा अपने सदस्यों में कार्यकारिणी सभा के सदस्यों का चयन करेंगी। इस कार्यकारिणी का कार्यकाल एक वर्ष होगा।

प्रतिनिधि सभा में राज्य अध्यक्ष, कार्याध्यक्ष, दो उपाध्यक्ष, कोषाध्यक्ष, प्रधान सचिव, सहायक सचिव तथा सांस्कृतिक सचिव का चुनाव होगा। इन सदस्यों के अलावा अन्य चुने हुए ग्यारह सदस्यों को लेकर कार्यकारिणी का गठन किया जायेगा।

प्रतिनिधि सभा

वार्षिक साधारण अधिवेशन के अवसर पर शाखा समितियों द्वारा चुने हुए प्रतिनिधि कार्यकारिणी समिति के सदस्य प्रतिनिधि सभा में सम्मिलित होंगे। प्रतिनिधि सभा को निम्नलिखित कार्य संपादित करने होंगे—

(1) मूल सभा में उपस्थापन हेतु प्रस्ताव स्वीकार करना।
(2) वार्षिक प्रतिवेदन को स्वीकृति प्रदान करना।
(3) वार्षिक कार्यक्रम बनाना।
(4) पदाधिकारियों और कार्यकारिणी सदस्यों का निर्वाचन और तत्संबंधी निर्देशन।
(5) संघ विधान में संशोधन, परिवर्तन, परिवर्धन।

केंद्रीय कार्यालय

असम राष्ट्र सेवक संघ का केंद्रीय कार्यालय गुवाहाटी में होगा और संचालन का दायित्व प्रधान सचिव का होगा। उनकी सहायता की व्यवस्था एक कार्यालय सचिव की होगी। प्रधान सचिव के निर्देशानुसार ही कार्यालय सचिव समस्त कार्यों का संपादन करेंगे। कार्यकारिणी समिति कार्यालय सचिव की नियुक्ति करेगी।

साधारण सभा

असम राष्ट्रभाषा सेवक संघ हर साल स्थान-स्थान पर अधिवेशन आयोजित किया करेगा, जिसमें मूल अधिवेशन तथा प्रतिनिधि सभा के अतिरिक्त निम्न-

लिखित क्रिया-कलाप हुआ करेंगे—

(1) चर्चा गोष्ठी,
(2) वितर्क प्रतियोगिता,
(3) साहित्य सभा,
(4) सांस्कृतिक कार्यक्रम,
(5) निबंध प्रतियोगिता।

अन्य गतिविधियाँ

अन्य राज्यों की तरह असम में हिंदी शिक्षक प्रशिक्षण कॉलेज की स्थापना के लिए भारत सरकार से असम राज्य शिक्षक संघ वर्षों से माँग करता आ रहा था। वर्षों की इस अनवरत माँग को ध्यान में रखते हुए भारत सरकार ने सन् 1970 में उत्तर गुवाहाटी में किराये के मकान में हिंदी शिक्षक प्रशिक्षण कॉलेज प्रारंभ किया। यह कॉलेज असम राज्य के विविध अंचलों के हिंदी शिक्षकों को नियमित रूप से प्रशिक्षित करता है।

अधिवेशनों के अवसर पर स्मृति ग्रंथ प्रकाशित करना संघ की एक प्रमुख गतिविधि है। बको (मौमान) और तेजपुर अधिवेशनों के अवसर पर संघ द्वारा दो 'स्मृति ग्रंथ' प्रकाशित किये जा चुके हैं। मिकिर पहाड़ के उमपवाई आंचलिक राष्ट्रभाषा सेवक संघ के तत्त्वावधान में 'भारत की झलक' नामक एक कविता संकलन भी प्रकाशित हो चुका है।

पूर्वोलिखित समितियों के अतिरिक्त हिंदी के प्रचार-प्रसार के कार्य में निम्नलिखित समितियाँ एवं ऐच्छिक संस्थाएँ भी अपने-अपने तरीके से संलग्न हैं—

(1) हिंदी प्रसार-मंडल।
(2) असम हिंदी साहित्य सम्मेलन।
(3) भारतीय संस्कृति समिति।
(4) असमिया-हिंदी विनिमय परिषद्।
(5) साहित्य परिषद्, गुवाहाटी।
(6) बिद्यापति गोष्ठी, गुवाहाटी।
(7) भारती मालीगाँव।
(8) असम राष्ट्रभाषा साहित्य परिषद्, गुवाहाटी।

असम प्रदेश में हिंदी के प्रचार की दृष्टि से यहाँ से मुद्रित और प्रकाशित होने वाले हिंदी दैनिक, साप्ताहिक, पाक्षिक, मासिक तथा त्रैमासिक पत्र-पत्रिकाओं की भी उल्लेखनीय भूमिका रही है और जिनके फलस्वरूप असमवासियों में हिंदी की लोकप्रियता बढ़ी है। ऐसे पत्रों का संक्षिप्त विवरण निम्नवत् है—

पत्र-पत्रिका का नाम	प्रकाशन स्थान	प्रकाशन अवधि
(1) लोकमान्य	गुवाहाटी	दैनिक
(2) जागृति	गुवाहाटी	साप्ताहिक
(3) अंतरद्वंद्व	गुवाहाटी	—वही—
(4) मजदूर	गुवाहाटी	—वही—
(5) देशहित	गुवाहाटी	—वही—
(6) मेरी कलम	गुवाहाटी	—वही—
(7) राजदूत	गुवाहाटी	—वही—
(8) पूर्व ज्योति	गुवाहाटी	—वही—
(9) शंखनाद	गुवाहाटी	—वही—
(10) अकेला	तिनसुकिया	—वही—
(11) नवजागृत	डिब्रूगढ़	—वही—
(12) महाजाति	तेजपुर	—वही—
(13) लोकसंदेश	गुवाहाटी	—पाक्षिक—
(14) जैन पार्षद	गुवाहाटी	—वही—
(15) आज की आवाज	गुवाहाटी	—वही—
(16) पूर्वगंधा	तिनसुकिया	—वही—
(17) जयहिंद	गुवाहाटी	—मासिक—
(18) प्राच्य भारती	गुवाहाटी	—वही—
(19) अभिमान	गुवाहाटी	—वही—
(20) संवाद	गुवाहाटी	—वही—
(21) राष्ट्रसेवक	गुवाहाटी	—वही—
(22) नवीन समाज	डिब्रूगढ़	—वही—
(23) असम प्रदीप	डिब्रूगढ़	—वही—
(24) दीप	डिब्रूगढ़	—वही—
(25) प्रभात	तिनसुकिया	—वही—
(26) रणभेरी	तिनसुकिया	—वही—
(27) बसंत	सिलचर	—वही—
(28) बालकि	सिलचर	—वही—
(29) प्राच्य भारती	तिनसुकिया	—त्रैमासिक—

अध्याय-4

स्कूली स्तर पर हिंदी का पठन-पाठन

पूर्वांचल के आठों प्रदेशों की पाठ्यचर्या में वहाँ की भाषाओं की जो स्थिति है, उसका विवरण परिशिष्ट-4 में दिया गया है। इस विवरण से यह स्पष्ट है कि वहाँ की प्रमुख 57 जनजातीय भाषाओं में केवल 22 भाषाओं को पाठ्यचर्या में स्थान मिला है। इन 22 भाषाओं में से 13 भाषाएँ नागा समूह की हैं, जो नागालैंड में माध्यमिक स्तर तक पढ़ाई जाती हैं और ये उस स्तर तक माध्यम भाषाएँ भी हैं। इनमें आआ, और अंगामी दसवीं कक्षा तक पढ़ाई जाती हैं। लोथा और सेमा आठवीं कक्षा तक पढ़ाई जाती हैं। कुकी-चिन समूह की कुल 9 भाषाओं में से केवल 4 भाषाओं के—कुकी (नागालैंड), म्हार (असम), मणिपुरी (मणिपुर/असम) और मिज़ो (मिज़ोरम/असम) पाठ्यचर्या में स्थान मिला है। कुकी माध्यमिक स्तर तक पढ़ाई जाती है और माध्यम की भाषा भी है। म्हार माध्यमिक स्तर तक पढ़ाई जाती है। यह कक्षा तीन तक माध्यम भाषा है। मणिपुरी की पढ़ाई एम० ए० स्तर तक की जाती है और यह दसवीं कक्षा तक माध्यम भाषा है। मिज़ो हाई स्कूल स्तर तक पढ़ाई जाती है। यह कक्षा 7 तक मिज़ो माध्यम भाषा भी है। मणिपुरी और मिज़ो ऐच्छिक भाषा के रूप में भी कक्षा 1 से 12 तक पढ़ाई जाती है। भोटिया समूह के भोटिया और हिमालय समूह के लेप्चा सिक्किम में प्राइमरी स्तर तक पढ़ाई जाती है और ये उस स्तर तक वहाँ माध्यम भाषाएँ भी हैं। बोरो समूह की 11 भाषाओं में से केवल 2 भाषाओं—गारो, मेघालय; असम और बोरो (असम)—को पाठ्यचर्या में स्थान मिला है। ये दोनों भाषाएँ कक्षा 6 तक माध्यम भाषा के रूप में भी प्रयोग में लायी जाती हैं। ये दोनों कक्षा 6 तक पढ़ाई जाती हैं। कक्षा 6 से 11 तक इनके ऐच्छिक रूप में भी पढ़ाई जाने की व्यवस्था है। आस्ट्रो-एशियाटिक परिवार और ख्मेर शाखा की भाषा खासी ग्यारहवीं तक पढ़ाई जाती है। कक्षा 6 से 11 तक ऐच्छिक रूप में भी पढ़ाई जाती है। सातवीं कक्षा तक खासी माध्यम भाषा भी है। मिरि और

बर्मी समूह की किसी भी भाषा को पाठ्यचर्या में इस समय स्थान नहीं है। इस विवरण से यह तथ्य सामने आते हैं कि लगभग तीन लाख लोगों की त्रिपुरी, दो लाख लोगों की भाषाएँ मिकिर और मिरि को पाठ्यचर्या में स्थान नहीं मिला है। जबकि मुश्किल से दस हजार लोगों के द्वारा बोली जाने वाली रेंगमा और खासेसाङ को पाठ्यचर्या में स्थान मिला हुआ है। अपनी जनजातीय अस्मिता को सुरक्षित रखने के प्रमुख उद्देश्य से सन् 1963 में निर्मित नागालैंड की भाषाएँ होने के कारण रेंगमा और खासेसाङ को अपनी दाय के रूप में यह स्थान मिला हुआ है। त्रिपुरी, मिकिर और मिरि बड़ी संख्या में बोली जाने पर भी बंगला एवं असमिया भाषी प्रदेशों में मध्य अवस्थित होने के कारण तथा अपने अलग अस्तित्व और अपनी अस्मिता को कायम रखने के पर्याप्त साधन, अवसर एवं संगठन के अभाव में पाठ्यचर्या में उचित स्थान प्राप्त नहीं कर पायी।

इस अंचल में अध्ययन-अध्यापन, प्रशासन, संचालन, वाङमय विकास की दिशा में माध्यम भाषा—जो प्रश्न है, उससे मौखिक रूप में जन-संपर्क माध्यम भाषा—का प्रश्न भिन्न है। वहाँ की वर्तमान एवं भविष्य की संभावित स्थिति को देखते हुए हमें इन दोनों को अलग-अलग प्रश्नों के रूप में स्वीकार करना पड़ेगा और इन पर अलग रूप से ही विचार करना होगा।

जहाँ तक जन-साधारण के मौखिक जन-संपर्क माध्यम का प्रश्न है, उस पर (1) अंतर्राज्य (प्रदेश विशेष की विविध जातियों के संपर्क में) तथा (2) अंतर्राज्य (अन्य राज्यों के लोगों के साथ संपर्क) स्तर पर विचार करने की आवश्यकता है। यहाँ क्रमशः प्रत्येक राज्य की वस्तु-स्थिति का विवरण प्रस्तुत है—

(1)	(2)	(3)
प्रदेश का नाम	**अंतर्राज्यीय स्तर पर**	**अंतर्राज्यीय स्तर पर**
मिज़ोरम	मिज़ो	अंग्रेजी/हिंदी
त्रिपुरा	बंगला	बंगला
मणिपुर	मणिपुरी	हिंदी
नागालैंड	नागामीस	नागामीस
अरुणाचल	असमिया/तिब्बती	असमिया
सिक्किम	नेपाली	हिंदी
असम	असमिया	नागामीस/हिंदी
मेघालय	खासी/असमिया	असमिया/बंगला/हिंदी

ऊपर कॉलम नं०-3 में जहाँ-जहाँ हिंदी लिखी गयी है, वह प्रायः पूर्वांचल के तथा बंगला के बाहर के निवासियों के साथ प्रयोग में लायी जाती है। जो स्थानीय विशेषताओं को लिये हुए—'पिजिन टाइप' की हिंदी होती है, जिसका व्यवहार क्षेत्र अधिक सीमित ही होता है।

इस अंचल के अध्ययन का अध्यापन प्रशासन, संचालन एवं वाङ्मय विकास की दिशा में माध्यम भाषा की समस्या पर जब हम विचार करते हैं, तब हमारे मानस पटल पर निम्नलिखित प्रश्न उभर कर आते हैं—

(1) उस प्रदेश विशेष की कोई भाषा, या
(2) निकट प्रादेशिक भाषा में से कोई भाषा, या
(3) हिंदी भाषा या
(4) अंग्रेजी भाषा

के माध्यम से उपर्युक्त आवश्यकताओं की पूर्ति करते हुए राष्ट्रीय निष्ठा और राष्ट्रीय विकास की मुख्यधारा से इन लोगों को जोड़ा जा सकता है।

मिज़ोरम

पूर्वांचल का मिज़ोरम एक प्रमुख केंद्र शासित राज्य है, जिसमें 51 राजकीय मिडिल और 142 सहायता प्राप्त मिडिल स्कूल हैं। इसी प्रकार 7 और 86 संख्या क्रमशः राजकीय और सहायता प्राप्त हाई स्कूल की है।

त्रिभाषा सूत्र के अंतर्गत स्कूलों में कक्षा 5-8 तक के पाठ्यक्रम में हिंदी को अनिवार्य स्थान प्राप्त है। इस प्रकार मिज़ोरम राज्य के विद्यालयों में तृतीय भाषा के रूप में हिंदी को 4 वर्ष तक पढ़ाई जाने की अनिवार्य व्यवस्था है। 5-7 तक की कक्षाओं में हिंदी के लिए 50 अंक निर्धारित हैं तथा आठवीं कक्षा में हिंदी के लिए 100 अंक निर्धारित किये गये हैं। प्रत्येक कक्षा में उत्तीर्णांक 30 प्रतिशत रखा गया है।

हिंदी पढ़ाने वाले शिक्षकों को स्तर (ग्रेड) के अनुसार हम दो श्रेणियों में रख सकते हैं। प्रथम, कक्षा 5-7 तक के मिडिल स्कूल हिंदी शिक्षक—इस श्रेणी में पूर्णत अहिंदी भाषी लोग हैं, जिनमें अधिकांश मिज़ो भाषा-भाषी और कुछ नेपाली लोग हैं। जिसमें से कुछ अध्यापक द्वितीय भाषा के रूप में हिंदी प्रशिक्षण प्राप्त कर चुके हैं, कुछ कर रहे हैं और कुछ करने की प्रतीक्षा सूची में हैं।

हाई स्कूल स्तर पर काम करने वाले हिंदी शिक्षक दूसरी श्रेणी के कहे जा सकते हैं, जिनमें कुछ मिज़ो भाषा-भाषी हैं और कुछ मिज़ोतर अर्थात् हिंदी भाषा-भाषी; दोनों ही वर्गों के इन हिंदी शिक्षकों में कुछ प्रशिक्षित हैं, कुछ अप्रशिक्षित। जो प्रशिक्षित हैं, वे या तो केंद्रीय हिंदी संस्थान, आगरा से अथवा इस प्रकार का प्रशिक्षण उन्होंने मिज़ोरम राजकीय हिंदी प्रशिक्षण, आइज़ोल से

प्राप्त किया है।

मिडिल स्कूल पाठ्यक्रम के अंतर्गत हिंदी अध्ययन-अध्यापन के लिए प्रति सप्ताह पाँच अंतर प्रदान किये जाते हैं। जिन्हें कुछ दिन दोपहर से पूर्व और कुछ दिन दोपहर के बाद हिंदी शिक्षण के लिए दिये जाते हैं। परीक्षा कार्यक्रम के अंतर्गत हिंदी में परीक्षण की अनिवार्य व्यवस्था है और 30 प्रतिशत अंक पाने वाला छात्र सफल घोषित किया जाता है।

पाठ्य पुस्तकें

जहाँ तक हिंदी की पाठ्य पुस्तकों का संबंध है, इस समय कक्षा 5 से 8 तक राज्य सरकार द्वारा प्रकाशित राष्ट्रीयकृत पुस्तकें हिंदी रीडर भाग-1, 2, 3 और 4 पढ़ाई जा रही हैं, जो कि मिज़ो राज्य के अनुभवी शिक्षकों द्वारा छात्रों के सामाजिक, धार्मिक और भौगोलिक परिवेश को ध्यान में रखकर बनायी गयी हैं। विषय की दृष्टि से पाठों में विविधता का समावेश किया गया है। पाठों को भाषा वैज्ञानिक दृष्टि से अनुस्तरित करने का भरसक प्रयास रहा है। भाषा शिक्षण प्रविधि की दृष्टि से चित्र प्रणाली (देखो और कहो) पद्धति को प्रमुखता दी गयी है।

त्रिपुरा में प्रमुख रूप से 5 जनजातीय भाषाएँ बोली जाती हैं, जिनमें त्रिपुरी बोलने वालों की संख्या करीब तीन लाख है। इसके बावजूद वहाँ बंगला भाषा के प्रभुत्व के कारण बंगलाकरण की प्रक्रिया जोरों से चल रही है। अतः यह उम्मीद की जा सकती है कि भविष्य में माध्यम भाषा के रूप में त्रिपुरा में निकट की प्रादेशिक भाषा अर्थात् बंगला उक्त प्रयोजनों के लिए काम में लायी जाने लगे।

यद्यपि यहाँ के स्थानीय लोगों का भावनात्मक संबंध हिंदी के साथ है, फिर भी यहाँ हिंदी के अध्ययन का स्तर इतना ऊँचा नहीं है कि उसे निकट भविष्य में उच्च अध्ययन आदि के लिए माध्यम भाषा बनाया जा सके। नेपाली को संविधान की अष्टम अनुसूची में जुड़वाने का प्रयास चल रहा है। यदि यह प्रयास सफल होता है, तो हो सकता है कि कभी भविष्य में नेपाली यहाँ की माध्यम भाषा का सम्मान प्राप्त कर सके।

मणिपुर

मणिपुर पूर्वांचल का सुदूरवर्ती राज्य है, जहाँ के प्राथमिक, मिडिल और माध्यमिक स्कूलों में हिंदी शिक्षण की वैकल्पिक व्यवस्था है। जहाँ तक पाठ्यचर्या में हिंदी के शिक्षण के प्रावधान का प्रश्न है, उसे पटेल रिथु कमेटी द्वारा संशोधित त्रिभाषा सूत्र के अंतर्गत स्थान दिया गया है, जिसका स्वरूप इस प्रकार है—

(1) मातृभाषा अथवा क्षेत्रीय भाषा
(2) संघ की कार्यालय भाषा अथवा सहकार्यालय भाषा
(3) वर्तमान भारतीय अथवा विदेशी भाषा भी नहीं है।

इस प्रकार इस राज्य में पाठ्यक्रम की कुछ ऐसी ही व्यवस्था है। यद्यपि कक्षा 4-8 तक मणिपुर में हिंदी अन्य भाषा के रूप में अनिवार्य थी, परंतु सन् 1981 से राज्य सरकार ने कक्षा 6-8 तक ही इसे स्वीकृति प्रदान की। उच्च शिक्षा के स्तर पर छात्र ऐच्छिक विषय के रूप में हिंदी का अध्ययन कर सकता है। स्नातक स्तर पर हिंदी को द्वितीय भाषा का स्थान दिया गया है। प्रथम कक्षा से ही हिंदी ऐच्छिक रूप में अध्ययन विषय बना सकता है। परंतु ऐसा अपवाद स्वरूप ही संभव होगा। कक्षा तीन से पाँच तक प्रथम भाषा के रूप में अथवा द्वितीय भाषा के रूप में हिंदी लेना उसके लिए अनिवार्य हो जाता है; जिसके लिए समय-सारिणी में चार अंतर प्रति सप्ताह और एक से अट्ठाईस अंतर प्रतिवर्ष निर्धारित है। कक्षा 6-8 तक छात्र प्रथम भाषा अथवा द्वितीय भाषा अथवा तृतीय भाषा (जैसी भी परिस्थिति हो) के रूप में हिंदी का अध्ययन करेगा। अगर वह प्रथम भाषा के रूप में हिंदी विषय का चयन करता है, तो उसे प्रति सप्ताह तीन अंतर के हिसाब से वर्ष में सौ अंतर पढ़ने की सुविधा हुई। अगर छात्र द्वितीय अथवा तृतीय भाषा के रूप में हिंदी का अध्ययन करता है, तब उसे चार अंतर प्रति सप्ताह के वर्ष में 133 अंतर पढ़ने होंगे।

कक्षा 9-10 के पाठ्यक्रम में छात्र हिंदी को प्रथम भाषा के अंतर्गत मुख्य भाषा के रूप में अथवा प्रारंभिक भाषा के रूप में हिंदी को ऐच्छिक रूप से अध्ययन का विषय बना सकता है। परीक्षा नीति के अंतर्गत इसके दो प्रश्न पत्र होंगे, जिसके लिए पूर्णांक 100 होंगे और प्रत्येक प्रश्न पत्र तीन घंटे का होगा। उत्तीर्णांक का प्रतिशत 33 रखा गया है।

पाठ्यक्रम एवं पाठ्य पुस्तकें स्थानीय आवश्यकताओं की पूरक नहीं हैं। पाठों के संकलन में जातीय, संस्कृति, धर्म, समाज आदि पर ध्यान नहीं रखा गया है। उच्च कक्षाओं के पुस्तक लेखक अथवा रचनाकार केंद्रित हैं। प्रारंभिक स्तर की पुस्तकें अंग्रेजी प्रारूप की या तो अनुवाद है या रूपांतरण अथवा हिंदी भाषी क्षेत्रों की नकल है या फिर भोंडा विचलन है अथवा निरूद्देश्य परिवर्तन।

पाठ्य पुस्तकें एवं अध्यापक

अन्य भाषा के रूप में हिंदी पढ़ाने वाले शिक्षक राज्य में सुविधापूर्वक उपलब्ध हो सकें। इस उद्देश्य को ध्यान में रखकर मणिपुर सरकार द्वारा हिंदी अध्यापकों के हेतु प्रशिक्षण केंद्रों की व्यवस्था की गयी है। प्राथमिक विद्यालयों के हिंदी अध्यापकों को प्रशिक्षित करने के लिए सन् 1955 में "राजकीय हिंदी शिक्षक

प्रशिक्षक संस्थान" खोला गया था, जो अपने स्थापना काल से आज तक प्राथमिक हिंदी शिक्षकों के प्रशिक्षण कार्य में जुटा हुआ है। प्राथमिक स्तर के हिंदी शिक्षकों की अगली पीढ़ी माध्यमिक स्तर के हिंदी अध्यापकों को प्रशिक्षित करने के लिए सन् 1955 में "राजकीय हिंदी शिक्षक प्रशिक्षक महाविद्यालय" स्थापित किया गया। इस प्रशिक्षण महाविद्यालय में "केंद्रीय हिंदी शिक्षक मंडल, आगरा" की पारंगत उपाधि एवं परीक्षा के लिए हिंदी अध्यापक तैयार किये जाते हैं। अतः कहा जा सकता है कि पूर्वांचल के अन्य अहिंदी भाषी राज्यों की दृष्टि से मणिपुर अन्य भाषा के रूप में हिंदी शिक्षण कार्य की दृष्टि से पर्याप्त आगे है।

नागालैंड

नागालैंड में 170 राजकीय माध्यमिक विद्यालय और 48 राजकीय उच्च विद्यालय हैं। सरकारी सहायता प्राप्त माध्यमिक विद्यालयों की संख्या 107 तथा उच्च विद्यालयों की संख्या 53 है। इन सभी विद्यालयों में अनिवार्य रूप से हिंदी शिक्षण की व्यवस्था है। फलतः सभी में हिंदी शिक्षक नियुक्त हैं।

नागालैंड राज्य के इन विद्यालयों में पाँचवीं कक्षा से आठवीं कक्षा तक हिंदी तृतीय भाषा के रूप में पढ़ायी जाती है। पाँचवी और छठवीं कक्षाओं के लिए प्रति सप्ताह तीन अंतर और सातवीं-आठवीं कक्षा के लिए प्रति सप्ताह चार अंतरों की व्यवस्था है।

अध्यापक

नागालैंड के विद्यालयों में तृतीय भाषा के रूप में जो हिंदी अध्यापक नियुक्त हैं, उनको हम दो श्रेणियों में विभाजित कर सकते हैं। पहली श्रेणी नागा भाषी हिंदी अध्यापकों की है। इन नागाभाषी हिंदी अध्यापकों की सामान्य योग्यता और साथ-ही-साथ हिंदी की योग्यता निर्धारित अनिवार्य न्यूनतम योग्यता से भी कम है। इनमें से अधिकांश हिंदी शिक्षक तो मैट्रिक पास भी नहीं हैं। दूसरी श्रेणी में गैर-नागा भाषी हिंदी अध्यापक आते हैं। इस श्रेणी के अध्यापक अधिकांश हिंदी भाषा-भाषी हैं।

गैर-नागा भाषी हिंदी शिक्षकों में से भी कुछ को छोड़कर अधिकांश द्वितीय भाषा के रूप में हिंदी शिक्षण में दीक्षित नहीं हैं। इस प्रकार अप्रशिक्षित होने के कारण ये हिंदी शिक्षक भाषा शिक्षण की अधुनातन शिक्षण विधियों से अपरिचित हैं।

यद्यपि सैद्धांतिक दृष्टि से पाठ्यक्रम और टाइम-टेबल में हिंदी के अध्ययन-अध्यापन की व्यवस्था कुछ हद तक संतोषजनक स्वीकार की भी जा सकती है परंतु व्यवहार रूप में यह चिंतनीय एवं असंतोषजनक हो जाती है। जब हम देखते

हैं कि हिंदी को प्रति सप्ताह दिये जाने वाले तीन अंतर भी प्रायः स्कूल के शिक्षण काल के अंत में निर्धारित होते हैं, जिनमें कि प्रायः अवकाश हो जाया करता है। विद्यालय के प्रशासन में हिंदी के अध्यापक को भी कोई विशेष महत्त्व नहीं दिया जाता है।

यद्यपि नागालैंड के इन स्कूलों में हिंदी के पठन-पाठन की अनिवार्य व्यवस्था है परंतु इस अध्ययन-अध्यापन का मूल्यांकन आवश्यक नहीं है। इस प्रकार परीक्षा का अभाव छात्रों की हिंदी पठन-पाठन की रुचि को सुसुप्त बना देता है। इसका दुष्परिणाम यह होता है कि हिंदी की अनिवार्य कक्षा में छात्र का उपस्थित रहना उसकी रुचि पर निर्भर करता है। फलतः अनिवार्य हिंदी शिक्षण की व्यवस्था भी ऐच्छिक हो जाती है। यदि परीक्षा ली भी जाती है, तो विद्यार्थी के लेखन कौशल का ही परीक्षण किया जाना है। श्रवण-भाषण परीक्षण कौशलों को अनदेखा कर दिया जाता है। इस प्रकार भाषा शिक्षण के अति-महत्त्वपूर्ण कौशल उपेक्षित रह जाने के कारण हिंदी शिक्षण की सार्थकता शून्य बन जाती है।

पाठ्य पुस्तकें

(1) असम राष्ट्रभाषा प्रचार समिति, गुवाहाटी द्वारा निर्मित पुस्तकें—राष्ट्रभाषा हिंदी भाग—1, 2, 3 और 4 सर्वथा अभाव की दृष्टि से "न कुछ से कुछ अच्छा" का विकल्प ही इन्हें स्वीकारा जा सकता है अन्यथा नागालैंड के सामाजिक और सांस्कृतिक परिवेश को ध्यान में रखकर इन पुस्तकों की रचना नहीं की गयी है। यह इनकी सबसे बड़ी त्रुटि है।

(2) नागालैंड भाषा परिषद्, कोहिमा की 'हिंदी रीडर'—असम राष्ट्रभाषा प्रचार समिति, गुवाहाटी के हिंदी पुस्तकों की तुलना में ये हिंदी रीडर विषय-वस्तु की दृष्टि से कुछ आगे हैं और इस दृष्टि से पाठों के स्वरूप और विषय की विविधता सराहनीय है परंतु इनके पाठों का अनुस्तरण भाषा वैज्ञानिक आधार पर नहीं है। जिससे शिक्षण के सुचारु रूप से चलने में बाधा रहती है।

(3) 1980 के नागालैंड राज्य की हिंदी पाठ्य पुस्तकों में पर्याप्त परिवर्तन कर दिया गया है और यही पुस्तकें पाँचवीं से आठवीं कक्षा तक पाठ्य पुस्तक के रूप में मान्य हैं। फिर भी न तो ये नागालैंड के छात्रों को दृष्टि में रखकर लिखी गयी हैं और न इनके पाठ ही भाषा वैज्ञानिक दृष्टि से अनुस्तरित हैं। अतः स्थिति यथावत् ही समझी जानी चाहिए।

अरुणाचल में कुछ वर्ष पहले तक असमिया को माध्यम भाषा के रूप में स्वीकार करने की संभावनाएँ थीं लेकिन बदली हुई परिस्थितियों में अब ये संभावनाएँ लगभग समाप्त हो चुकी हैं। ऐसा प्रतीत होता है कि अब इस पद का अधिकार अंग्रेजी ग्रहण करने वाली है।

सिक्किम

सिक्किम में बहुसंख्यक लोगों की भाषा नेपाली है लेकिन यह स्थानीय लोगों की भाषा नहीं। स्थानीय भाषाएँ तो भोटिया और लेप्चा हैं, जो इतनी विकसित नहीं हैं कि माध्यम भाषाओं का पद प्राप्त कर सकें। निम्नलिखित प्रश्न उभर कर आते हैं कि, क्या—

(1) उस प्रदेश की विशेष कोई भाषा, अथवा
(2) निकट प्रादेशिक भाषा में से कोई भाषा, अथवा
(3) हिंदी भाषा, अथवा
(4) अंग्रेजी भाषा

के सहारे से ही उपरोक्त आवश्यकताओं की पूर्ति करते हुए राष्ट्रीय निष्ठा एवं राष्ट्रीय विकास की मुख्य धारा से इन लोगों को जोड़ने के काम में लायी जा सकती है ?

असम

पूर्वांचल के अधिकांश नवोदित राज्य अपने अस्तित्व में आने से पूर्व अविभाजित असम के अंग थे और इसके समभाग में हिंदी का अध्ययन-अध्यापन बहुत पहले प्रारंभ कर दिया गया था। इस समय असम के स्कूलों में पाँचवीं से सातवीं तक हिंदी त्रिभाषा सूत्र के अंतर्गत द्वितीय भाषा के रूप में अनिवार्य रूप से पढ़ायी जाती है और आठवीं से दसवीं तक के पाठ्यक्रम में हिंदी को वैकल्पिक रूप में पढ़ायी जाने की व्यवस्था है। इस प्रकार पूर्वांचल के सभी राज्यों में असम ही एक ऐसा राज्य है, जहाँ अनिवार्य और ऐच्छिक रूप से कुल मिलाकर छह वर्ष तक के हिंदी शिक्षण की व्यवस्था है। विविध नगरों में चल रहे हिंदी माध्यम विद्यालय, हिंदी-अंग्रेजी माध्यम के केंद्रीय विद्यालयों की भी हिंदी प्रचार के क्षेत्र में उल्लेखनीय भूमिका है।

असम के स्कूलों में जहाँ तक हिंदी शिक्षकों की श्रेणी और विषय योग्यता एवं प्रशिक्षण का संबंध है, उसमें पूर्वांचल के अन्य राज्यों जैसी ही समानता है। कहने का तात्पर्य यह है कि मिडिल और हाई स्कूल दोनों ही स्तरों पर कुछ असमिया भाषी प्रशिक्षित और अप्रशिक्षित हिंदी शिक्षक हैं और कुछ असमेत्तर हिंदी भाषा-भाषी प्रशिक्षित और अप्रशिक्षित शिक्षक कार्य कर रहे हैं।

समय-सारिणी में हिंदी शिक्षक के लिए प्रति सप्ताह अंतर निर्धारित हैं।

परीक्षा नीति के अंतर्गत हिंदी में भी मूल्यांकन किये जाने की अनिवार्य व्यवस्था नहीं है और 30 प्रतिशत निष्पत्ति वाले प्रत्येक छात्र को उत्तीर्ण घोषित किया जाता है।

पुस्तकें एवं अध्यापक

माध्यमिक स्तर के लिए हिंदी पाठ्य पुस्तकों को जुटाने के लिए पाठ्य पुस्तकों अथवा रीडरों का निर्माण और प्रकाशन कार्य असम राष्ट्रभाषा प्रचार समिति, गुवाहाटी ने अपने हाथों में ले लिया है। असमिया और बंगला माध्यम से हिंदी पढ़ाने के उद्देश्य से तैयार की गयी पुस्तकों में व्याकरण, परिचय, अनुवाद माला, बातचीत आदि प्रमुख रूप से उल्लेखनीय हैं।

हिंदी माध्यम से असमिया सिखाने वाली पुस्तकों में विधुभूषण दासगुप्ता की 'असमिया परिचय', मानिक चंद दत्त की 'सरल त्रिभाषा परिचय', कृष्ण नारायण प्रसाद 'मागध' की 'असमिया भाषा परिचय', गणेश बिहारी शर्मा 'शास्त्रीय' की 'असमिया भाषा शिक्षा', असम राष्ट्रभाषा प्रचार समिति की 'असमिया व्याकरण', परेश्चंद देव शर्मा की 'आपकी असमिया' आदि के नाम लिये जा सकते हैं जिनमें अंतिम पुस्तक बहुचर्चित एवं बहुप्रशंसित हैं।

शिक्षक

माध्यमिक स्तर के हिंदी शिक्षक अधिकांश वे लोग हैं, जो पहले असम राष्ट्रभाषा प्रचार समिति, गुवाहाटी के वैतनिक प्रचारक थे, जिन्हें असम राज्य सरकार ने शासकीय और अशासकीय माध्यमिक एवं उच्च माध्यमिक विद्यालयों में हिंदी पढ़ाने की अनुमति दे रखी थी। जब हिंदी शिक्षण सरकार को अनिवार्य करने की आवश्यकता पड़ी तब सरकार ने असम राष्ट्रभाषा प्रचार समिति से अनुरोध किया कि वह अपने वैतनिक प्रचारकों को, राज्य सरकार को सौंप दे। सरकार के इस अनुरोध को ध्यान में रखते हुए सन् 1952 में समिति ने सरकार के अनुरोध को स्वीकार करते हुए अपने वैतनिक हिंदी प्रचारकों को सरकारी सेवा में जाने की अनुमति प्रदान कर दी थी।

इस परिप्रेक्ष्य को ध्यान में रखते हुए निश्चयपूर्वक कहा जा सकता है कि हिंदी शिक्षक न तो अपेक्षानुकूल योग्य हैं और न प्रशिक्षित ही। इस क्षतिपूर्ति के लिए हिंदी शिक्षक प्रशिक्षक महाविद्यालय, उत्तर गुवाहाटी और केंद्रीय हिंदी संस्थान, आगरा सतत सचेष्ट है और आशा की जाती है कि निकट भविष्य में असम राज्य के माध्यमिक विद्यालय में प्रत्येक हिंदी शिक्षक अपेक्षानुसार शैक्षिक योग्यताधारी ही होगा, साथ ही द्वितीय भाषा के रूप में हिंदी शिक्षण में पारंगत होगा।

मेघालय

मेघालय में यद्यपि हिंदी के पठन-पाठन का कार्य और राज्यों की तुलना में बहुत बाद में शुरू हुआ, फिर भी वह हिंदी शिक्षण के क्षेत्र में अपने पड़ोसी राज्यों के

साथ कंधे से कंधा मिलाकर आगे बढ़ने के मूड में है। यहाँ के विद्यालयों में कक्षा चार से आठ तक हिंदी विषय के पठन-पाठन की व्यवस्था है। हाई स्कूल स्तर पर हिंदी को दो श्रेणियों में रखा गया है, जिनमें से छात्र सुविधानुसार हिंदी को चुन सकते हैं।

ऊपर के विवेचन से यह स्पष्ट हो जाता है कि असम (असमिया के संदर्भ में), मणिपुर, त्रिपुरा, और कुछ हद तक सिक्किम को छोड़कर बाकी के समस्त प्रदेशों में अंग्रेजी ही माध्यम के रूप में आगे भी स्वीकृत होगी। यह स्वीकार करते हुए कि भारत के संविधान की आठवीं अनुसूची में उल्लिखित प्रादेशिक भाषाओं का वर्चस्व बढ़ता जा रहा है, उक्त प्रयोजनों के लिए माध्यम भाषाओं के रूप में काम आने हेतु वे विकासमान हैं और वे पाठ्याचार्य के रूप में उपयुक्त स्थान प्राप्त करती जा रही हैं। हमें यह भी स्वीकार करना पड़ेगा कि देश में अंग्रेजी की सामाजिक प्रतिष्ठा विकासोन्मुख है। अब भी अंग्रेजी (हिंदी प्रदेशों को छोड़) सारे भारत में द्वितीय भाषा के रूप में पढ़ाई जाती है न कि विदेशी भाषा के रूप में। पूर्वांचल में तो अंग्रेजी कहीं-कहीं प्रथम भाषा के रूप में भी मान्य है।

उक्त प्रयोजनों के लिए माध्यम भाषा के रूप में, सामान्य एवं उच्च शिक्षा के माध्यम के रूप में हिंदी केवल हिंदी भाषी राज्यों में अपनायी जा रही है। अहिंदी प्रदेशों में जहाँ-जहाँ हिंदी सामान्य एवं उच्च शिक्षा के माध्यम के रूप में पढ़ायी जाती है, वहाँ पढ़ने वाले समस्त छात्र हिंदी भाषी ही होते हैं। समग्र भारतीयता के प्रस्तुत करने लायक स्तरीय शिक्षण सामग्री और पाठ्य पुस्तकों का हिंदी में नितांत अभाव है। पूर्वांचल के संदर्भ में तो ऐसी सामग्री कुछ भी नहीं है।

इन कारणों से भी तथा पूर्व में बताये गये कारणों से एवं अन्य भाषा के रूप में हिंदी के वैज्ञानिक शिक्षण के अभाव के कारण पूरे पूर्वांचल में (मणिपुर, त्रिपुरी और सिक्किम को छोड़कर) माध्यम भाषा के रूप में हिंदी के स्वीकरण की कल्पना तक नहीं की जा सकती है।

यहाँ माध्यम भाषा के रूप में अंग्रेजी की जो स्थिति है, वह भी कोई संतोषजनक नहीं है। आख्याओं से पता चलता है कि पूरे भारत में अंग्रेजी के शिक्षण का स्तर गिरता जा रहा है। ऐसी दशा में पूर्वांचल की स्थिति अधिक चिंतनीय है। इस स्थिति के बावजूद कई गहरे राजनीतिक, सांस्कृतिक कारणों से पूर्वांचल में अंग्रेजी ही माध्यम भाषा की भूमिका निभा पायेगी, ऐसा प्रतीत होता है। जिसके परिणामस्वरूप हो सकता है कि भविष्य में देश के संविधान की अष्टम अनुसूची में नेपाली के साथ-साथ अंग्रेजी को भी स्थान मिले।

विश्वविद्यालय स्तर पर हिंदी का पठन-पाठन

जिस क्षेत्र को हम पूर्वांचल की संज्ञा से संबोधित करते हैं, उसमें छोटे-बड़े पूर्ण दर्जा प्राप्त और केंद्र शासित कुल आठ राज्य सम्मिलित किये जाते हैं—मिज़ोरम त्रिपुरा, मणिपुर, नागालैंड, अरुणाचल, सिक्किम, असम और मेघालय। मिज़ोरम, नागालैंड, अरुणाचल, सिक्किम और त्रिपुरा ऐसे राज्य हैं, जहाँ पर अभी तक कोई विश्वविद्यालय स्थापित नहीं हो सका है। असम एक मात्र पूर्वांचल का ऐसा राज्य है, जहाँ पर तीन विश्वविद्यालय कार्य कर रहे हैं—(1) कृषि विश्व-विद्यालय, जोरहाट, (2) गुवाहाटी विश्वविद्यालय, जालुकबाड़ी, गुवाहाटी और (3) डिब्रूगढ़ विश्वविद्यालय, डिब्रूगढ़।

सन् 1960 ई० से असम राज्य में विश्वविद्यालय स्तर पर हिंदी के पठन-पाठन की कोई व्यवस्था नहीं थी। इसी वर्ष कुछ उत्साही लोगों के प्रयत्न से कोनोई कॉलेज, डिब्रूगढ़ और प्राग्ज्योतिष कॉलेज, गुवाहाटी ने विश्वविद्यालय स्तर पर हिंदी शिक्षण की ओर कदम बढ़ाया। सन् 1963 ई० में सरकारी कॉलेज में हिंदी विभाग की स्थापना कर हिंदी अध्यापन का कार्य शुरू किया। गुवाहाटी विश्वविद्यालय में पी० यू० सी० से बी० ए० तक आधुनिक भारतीय भाषा के रूप में हिंदी के अध्ययन-अध्यापन का प्रावधान भी कर दिया गया है। अहिंदी भाषी छात्र अपनी मातृभाषा के बदले हिंदी विषय का अध्ययन कर सकता है।

सन् 1970 ई० से हिंदी का एक स्वतंत्र स्नातकोत्तर विभाग भी इस विश्व-विद्यालय में कार्य करने लगा है। सन् 1974 से इस विभाग में शोधकार्य की भी व्यवस्था की जा चुकी है। डिब्रूगढ़ विश्वविद्यालय में भी अब हिंदी का स्नात-कोत्तर विभाग कार्य कर रहा है।

मणिपुर राज्य में आठवें दशक के मध्य में इस अभाव की पूर्ति के लिए जवाहरलाल नेहरू विश्वविद्यालय, दिल्ली के एक एकक के रूप में जवाहरलाल नेहरू विश्वविद्यालय, स्नातकोत्तर महाविद्यालय, इम्फाल नाम से प्रारंभ किया गया था। यही एकक अप्रैल, 1981 से मणिपुर विश्वविद्यालय, इम्फाल के रूप में परिवर्तित कर दिया गया है। इस विश्वविद्यालय में हिंदी तथा मणिपुरी का संयुक्त स्नातकोत्तर विभाग है, जिसमें एम० ए० तक हिंदी के अध्ययन-अध्यापन की व्यवस्था है।

उत्तर पूर्वांचल पर्वतीय विश्वविद्यालय, शिलांग मेघालय राज्य का ऐसा विश्वविद्यालय है, जिसका सीमा क्षेत्र नागालैंड, मिज़ोरम और अरुणाचल राज्यों तक फैला हुआ है। इस विश्वविद्यालय में "आधुनिक भारतीय भाषा" नाम के

विभाग में खासी, असमिया, बंगाली और हिंदी भाषाओं के अध्ययन-अध्यापन की व्यवस्था है और इस स्नातक स्तरीय पाठ्यक्रम की अवधि दो वर्ष है।

विश्वविद्यालय स्तर का पाठ्यक्रम और पाठ्य पुस्तकें

यद्यपि भाषा केंद्रित हिंदी पाठ्यक्रम की स्नातक स्तर पर पढ़ने-पढ़ाने की बात की जाने लगी है और इस प्रकार के पाठ्यक्रमों की कहीं-कहीं शुरुआत भी कर दी गयी है। परंतु इस प्रकार के पाठ्यक्रम को पूर्ण रूप से विकसित करके अभिनव रूप देना बाकी है। साथ ही इस पाठ्यक्रम के अनुकूल भाषा केंद्रित पाठ्य पुस्तकों का तो लगभग अकाल-सा है।

अधिकांश विश्वविद्यालयों में स्नातक और स्नातकोत्तर हिंदी के पाठ्यक्रम प्रधानतः साहित्यपरक हैं। इस दृष्टि से पूर्वांचल के विश्वविद्यालय भी इसके अपवाद नहीं। स्नातक और स्नातकोत्तर हिंदी पाठ्यक्रमों का स्वरूप भी अभी तक परंपरागत है और थोड़े-बहुत परिवर्तन को यदि अनदेखा कर दिया जाये तो इनमें सर्वत्र समानता दिखलायी पड़ती है। इन समस्त पाठ्यक्रमों का प्रयोजन हिंदी अध्येताओं को परीक्षा पास कराके हिंदी भाषा और साहित्य का प्रारंभिक स्तर से लेकर विश्वविद्यालय स्तर तक का शिक्षक बना देना प्रतीत होता है।

पाठ्यक्रम निर्धारण का भी अभी तक एक ही आयाम प्रयोग में लाया जा रहा है और वह है, विधा निर्धारण (कहानी, उपन्यास, निबंध अथवा नाटक के अनुसार) और उस विधा के किसी एक प्रमुख अथवा एकाधिक रचनाकारों की उत्तम अथवा तथाकथित उत्तम कृतियों का निर्धारण। इसी के अनुकूल पाठ्य पुस्तकें भी परंपरागत हैं। अतः पाठ्य सामग्री भी कवि, लेखक, उपन्यासकार, कहानीकार आदि एक आयाम पर केंद्रित हैं, जिसके पीछे कोई वैज्ञानिक दृष्टिकोण, शैक्षिक दर्शन अथवा शिक्षणपरक चिंतन दिखलायी नहीं पड़ता है।

समय की माँग है कि पाठ्यक्रम को भाषा केंद्रित बनाया जाये। साथ ही साथ साहित्य प्रधान पाठ्यक्रम को भी बहुआयामी रूप प्रदान किया जाये, ताकि साहित्य और विशेष रूप से काव्य के माध्यम से काव्येतर विषय (विशेष रूप से काव्य के माध्यम से काव्येतर मानविकी विषय) पढ़ाये जा सकें। इसके लिए पाठ्य पुस्तकों का कवि-लेखक प्रधान रूप से बदलना होगा और उनमें काव्यांशों को विषयवार अर्थात् मनोविज्ञान, बाल-मनोविज्ञान, किशोर मनोविज्ञान, शिक्षा मनोविज्ञान, शिक्षा एवं शिक्षण मनोविज्ञान, व्याकरण, भाषा-विज्ञान, शैली-विज्ञान (समीक्षा शास्त्र), यौन अथवा काम विज्ञान, सैन्य विज्ञान और इतिहास के क्रम में रखना होगा। इसी प्रकार इसका दूसरा रूप शीर्षक के अनुसार भी हो सकता है जो इस प्रकार हो सकते हैं—व्यक्ति नीति, समाजनीति, राष्ट्रनीति, छात्र एवं राजनीति, शिक्षा और उसका राष्ट्रीयकरण, प्रजातंत्र एवं पब्लिक स्कूल,

युगधर्म अथवा युगमांग, अंतर्जातीयता, धर्म-निरपेक्षता, अछूतोद्धार, भावात्मक अथवा राष्ट्रीय एकता, भारतीय एकता के सूत्रधार आदि-आदि। तभी हम साहित्य शिक्षण की विश्वविद्यालय स्तर पर सार्थकता सिद्ध कर सकते हैं और तभी 'साहित्य रत्नाकार' अथवा 'साहित्य सुधारक' हैं, जैसी गर्वोक्तियों को आधार भूमि प्रदान कर सकते हैं। साहित्य शिक्षण के इस प्रकार के नवीनीकरण अथवा अभिवर्गीकरण अथवा बहु-आयामीकरण के द्वारा ही हम साहित्य शिक्षण के विरुद्ध लगाये गये आरोपों का निराकरण कर सकते हैं और बहुत कुछ सीमा तक साहित्य शिक्षण के पुरातन और परंपरागत शिक्षण को वैज्ञानिक रूप प्रदान कर सकते हैं।

अध्याय-5

पूर्वांचल में हिंदी की वर्तमान स्थिति

समीक्षा और विकास के लिए सुझाव एवं संभावना

हिंदी अध्यापकों के लिए शिक्षण-प्रशिक्षण की व्यवस्था

केंद्रीय हिंदी संस्थान, आगरा का योगदान

अखिल भारतीय हिंदी परिषद्, आगरा द्वारा सन् 1952-53 ई० में अखिल भारतीय हिंदी शिक्षक महाविद्यालय के नाम से आगरा में एक प्रशिक्षण महाविद्यालय स्थापित किया गया था। इसका उद्देश्य अहिंदी भाषी हिंदी शिक्षकों को प्रशिक्षित करना था। इस संस्था के अंतर्गत सन् 1961 तक 'भारतीय हिंदी पारंगत' और 'हिंदी शिक्षण कला प्रवीण' नाम की दो परीक्षाओं की व्यवस्था थी। सन् 1961 के मार्च में शिक्षा मंत्रालय ने 'केंद्रीय हिंदी शिक्षण मंडल' नाम से एक स्वायत्त संस्था की स्थापना की, जिसके उस समय 33 संघटक थे। इस मंडल ने संविधान के 351वें अनुच्छेद में दिये गये निर्देशों के अनुसार हिंदी को शैक्षिक, सांस्कृतिक और व्यावहारिक स्तरों पर विविध भूमिकाएँ निभाने और सुनियोजित अनुसंधान द्वारा शिक्षण विधि, प्रशिक्षण अध्यापन, साहित्य तथा उपकरण आदि विकसित करने के लिए सन् 1961-62 में 'अखिल भारतीय हिंदी शिक्षक महाविद्यालय, आगरा' (स्थापित सन् 1952-53) ने अपने साथ में ले लिया और उसे 'केंद्रीय हिंदी शिक्षक महाविद्यालय, आगरा' नाम दिया। सन् 1963 में मंडल ने कार्य-कलापों की समीक्षा की और हिंदी के प्रचार-प्रसार को मद्देनजर रखते हुए कुछ परिवर्तन और परिवर्धन स्वीकार किये। तदनुसार उक्त महाविद्यालय का नाम केंद्रीय हिंदी संस्थान (सेंट्रल इंस्टीट्यूट ऑफ हिंदी) कर दिया गया। कालांतर में इसके तीन केंद्र दिल्ली (मई, 1970), हैदराबाद (1976) और गुवाहाटी शिलांग (1976) में स्थापित कर दिये गये।

आज केंद्रीय हिंदी संस्थान, आगरा द्वितीय भाषा एवं विदेशी भाषा के रूप में हिंदी के अध्ययन एवं अध्यापन, तत्संबद्ध अनुसंधान तथा प्रमुख रूप से अनु-

प्रयुक्त भाषा विज्ञान और भाषा शिक्षण का उच्च अध्ययन केंद्र के रूप में कार्यरत है।

केंद्रीय हिंदी संस्थान, आगरा के मुख्य प्रयोजन इस प्रकार बताये गये हैं; यथा—

(1) अहिंदी भाषी भारतीयों और विदेशियों को द्वितीय अथवा विदेशी भाषा के रूप में हिंदी पढ़ाने की सुविधा प्रदान करना।

(2) भारत तथा विदेशों में हिंदी अध्यापन के स्तर को ऊँचा करने के लिए लेक्चररों तथा अध्यापकों को भाषा शिक्षण की आधुनिक तकनीकों में प्रशिक्षित करना।

(3) हिंदी शिक्षण विधियों तथा तकनीकों का विकास करना और इस उद्देश्य की पूर्ति हेतु उपयुक्त शिक्षण सामग्री तैयार करना।

(4) हिंदी भाषा साहित्य अनुप्रयुक्त (एप्लाइड) भाषा विज्ञान तथा शिक्षा शास्त्र में अनुसंधान करना और विभिन्न भाषाओं का तुलनात्मक अध्ययन करना।

(5) विभिन्न व्यवसायों (जैसे—सरकारी अधिकारी, बैंक अधिकारी, विमान परिचारिका, नर्स आदि) के सेवा माध्यम रूप में विशिष्ट व्यवसायिक हिंदी की ट्रेनिंग देना और तत्संबंधी शिक्षण सामग्री तैयार करना।

(6) विभिन्न क्षेत्रों में हिंदी शिक्षण विस्तार कार्यक्रम संचालित करना और संस्थान के अध्ययनों, निर्मित सामग्री और अनुसंधान को विस्तृत उपयोग के लिए प्रकाशित करना।

उक्त प्रयोजनों की पूर्ति के लिए केंद्रीय हिंदी संस्थान, आगरा ने हिंदी भाषा के आधारभूत अनुसंधान और अन्य भाषाओं के व्यतिरेकी अनुसंधान की भूमिका में विश्वविद्यालय स्तर से लेकर स्कूली स्तर तक के लेक्चररों और अध्यापकों को भाषा शिक्षण के आधुनिक और वैज्ञानिक प्रणाली विज्ञान में प्रशिक्षण प्रदान किया जाता है। देश में हिंदी शिक्षण के स्तर को ऊँचा उठाने, उसमें एकरूपता लाने तथा अधिक संख्या में हिंदी अध्यापकों को दीक्षित करने के लिए संस्थान द्वारा एक बी० एड० स्तरीय प्रशिक्षण पाठ्यक्रम पत्राचार के माध्यम से आरंभ किया जा चुका है। इसके साथ ही साथ संस्थान द्वारा बहुत से स्तरों पर हिंदी शिक्षण और प्रशिक्षण में सभी अहिंदीभाषी राज्यों के अनुकूल पाठ्य सामग्री तथा सहायक सामग्री का निर्माण कार्य करने लगा है। संस्थान द्वारा बनायी गयी शिक्षण सामग्री का उपयोग देश के पूर्वांचल के राज्यों में —विशेष रूप से मिज़ोरम और नागालैंड में सफलतापूर्वक किया जा रहा है। विविध प्रयोजनों के लिए हिंदी के विशिष्ट पाठ्यक्रमों के निर्माण और संचालन करने का कार्य भी देश में संस्थान द्वारा ही सर्वप्रथम प्रयास किया गया है। ऐसे पाठ्यक्रमों के अंतर्गत कार्यालयीन हिंदी और

बैंकिग हिंदी के पाठ्यक्रम विशेष रूप से उल्लेखनीय हैं। संस्थान को कई विश्वविद्यालयों द्वारा पी-एच० डी० उपाधि के लिए कार्य कराने की मान्यता भी मिल चुकी है। ऐसे शोध छात्रों को संस्थान द्वारा चार सौ रुपये मासिक की शोध छात्रवृत्ति भी प्रदान की जाती है।

संस्थान में विदेशियों के लिए भी विविध प्रकार के हिंदी पाठ्यक्रम चलाये जा रहे हैं। अनेक विदेशी अध्यापक और विश्वविद्यालयों के छात्र संस्थान के निर्देशन में अपना शोध कार्य पूरा कर चुके हैं। संस्थान के अध्यापकों को विजिटिंग प्रोफेसर के रूप में अथवा अनुसंधान कार्यों के लिए विविध विदेशी विश्वविद्यालयों द्वारा आमंत्रित किया जाता है। संस्थान द्वारा भारत, फ्रांस आदान-प्रदान कार्यक्रम के अंतर्गत बहुमाध्यम के हिंदी पाठ्यक्रमों का निर्माण किया जा रहा है।

स्पष्ट है कि केंद्रीय हिंदी संस्थान हिंदी प्रचार-प्रसार के कार्य को भावात्मक और संवेगात्मक परिवेशों से ऊपर उठाकर विवेक, व्यवहार, उपयोगिता और प्रयोजन के धरातल पर लाने हेतु अनेक दिशाओं में महत्त्वपूर्ण कार्य कर रहा है। साथ ही संविधान में समाहित निर्देशों के अनुकूल अपने सभी कार्यक्रमों में हिंदी के सहज व्यावहारिक, उदार और ग्रहणशील रूप को अपनाते हुए उसको संपर्क भाषा के रूप में विकसित करने में प्रभावी योगदान दे रहा है।

संस्थान के प्रमुख पाठ्यक्रम

केंद्रीय हिंदी संस्थान के सभी केंद्रों पर प्रमुख रूप से पाँच पाठ्यक्रमों की व्यवस्था है।

(1) विश्वविद्यालयीन और स्कूली अध्यापकों के प्रशिक्षण पाठ्यक्रम।
(2) सेवा माध्यम के हिंदी पाठ्यक्रम।
(3) विदेशियों के लिए हिंदी शिक्षण-प्रशिक्षण पाठ्यक्रम।
(4) अनुप्रयुक्त भाषा विज्ञान का पोस्ट एम० ए० डिप्लोमा पाठ्यक्रम।
(5) उच्च स्तरीय शोध के लिए मार्ग-दर्शन।

प्रमुख पाठ्यक्रमों का संक्षिप्त विवरण इस प्रकार है—

(1) विश्वविद्यालयीन और स्कूली अध्यापकों के प्रशिक्षण पाठ्यक्रम

(अ) पूर्ण सत्रीय पाठ्यक्रम

(1) हिंदी शिक्षण निष्णात (एम० एड० स्तरीय) यद्यपि इसको एम० एड० के समकक्ष माना गया है। एम० एड० में प्रवेश पाने के लिए बी० एड०, बी० टी० एल० टी० होना अनिवार्य है, परंतु इस कोर्स में प्रवेश पाने के लिए हिंदी शिक्षण

पारंगत पूर्व शर्त नहीं है।

(2) हिंदी शिक्षण पारंगत (बी० एड० स्तरीय)[1] पत्रचार द्वारा हिंदी शिक्षण पारंगत (1981-82 से)।

(3) गहन हिंदी शिक्षण-प्रशिक्षण पाठ्यक्रम (अन्य विषयों के प्रशिक्षित स्नातक अध्यापकों के लिए)।

(4) विशेष गहन हिंदी-शिक्षण-प्रशिक्षण पाठ्यक्रम (पूर्वांचल राज्यों मिज़ोरम, नागालैंड, अरुणाचल प्रदेश, मेघालय, सिक्किम, आदि के अप्रशिक्षित अध्यापकों के लिए)।

(5) चतुर्वर्षीय समन्वित गहन हिंदी प्रशिक्षण पाठ्यक्रम (नागालैंड के हिंदी प्रशिक्षण संस्थान, दीमापुर के छात्राध्यापकों के लिए)।

(6) हिंदी प्रशिक्षण प्रमाण-पत्र पाठ्यक्रम (असम रायफल्स के अध्यापकों के लिए)।

(7) हिंदी प्रशिक्षण प्रवीण (हिंदी शिक्षक प्रशिक्षण डिप्लोमा)।

(आ) लघु अवधीय पाठ्यक्रम

(1) उच्च नवीकरण पाठ्यक्रम/कार्यशाला (विश्वविद्यालयों और राजभाषा विभाग के हिंदी प्रवक्ताओं के लिए)।

(2) एक-मासीय नवीकरण पाठ्यक्रम (अहिंदी भाषी राज्यों के स्कूली अध्यापकों के लिए)।

(3) लघु अवधि पत्राचार संपर्क द्वारा प्रशिक्षण पाठ्यक्रम (आंध्र प्रदेश के हिंदी अध्यापकों के लिए)।

(4) सुधारात्मक पाठ्यक्रम (प्रशिक्षण महाविद्यालयों / संस्थानों के छात्राध्यापकों के लिए)।

(2) सेवा माध्यम के पाठ्यक्रम

(1) 90/60 दिवसीय गहन हिंदी पाठ्यक्रम (केंद्र सरकार के अहिंदी भाषी अधिकारियों और कर्मचारियों के लिए)।

(2) एक-मासीय गहन हिंदी पाठ्क्रम (भारत सरकार के सचिवालय प्रशिक्षण और प्रबंध संस्थान के प्रोबेशनरों के लिए)।

(3) बैंकिंग हिंदी पाठ्यक्रम (बैंकिंग अधिकारियों के लिए)।

---

1. दोष—यद्यपि इस कोर्स को बी० एड० स्तर का माना जाता है, परंतु बी० ए० स्तर की हिंदी योग्यता न रखने वाले भी प्रवेश पाते हैं, यह इसका एकेडेमिक दोष है।

(3) विदेशियों के लिए शिक्षण-प्रशिक्षण पाठ्यक्रम

(1) हिंदी भाषा दक्षता एडवांस डिप्लोमा पाठ्यक्रम।
(2) हिंदी भाषा दक्षता डिप्लोमा पाठ्यक्रम।
(3) हिंदी भाषा दक्षता प्रमाण-पत्र पाठ्यक्रम।
(4) ग्रीष्मकालीन भाषा कार्यक्रम।

(4) अनुप्रयुक्त हिंदी भाषा विज्ञानपरक एवं हिंदी व्यवहारपरक में पोस्ट एम०ए० डिप्लोमा स्तर के पाठ्यक्रम

(1) पोस्ट एम० ए० अनुप्रयुक्त हिंदी भाषा विज्ञान एडवांस डिप्लोमा।
(2) पोस्ट एम० ए० अनुप्रयुक्त हिंदी भाषा विज्ञान डिप्लोमा।
(3) अनुवाद सिद्धांत और व्यवहार डिप्लोमा।

(5) पी-एच० डी० तथा अन्य उच्च स्तरीय शोध निर्देशन

केंद्रीय हिंदी संस्थान उक्त शिक्षण-प्रशिक्षण तथा शोध निर्देशन के अतिरिक्त पाठ्य-पुस्तक प्रकाशन का दायित्व भी संभाले हुए है। प्रकाशन की दृष्टि से उसके अभी तक के अधिकांश प्रकाशन भाषा-विज्ञान, शैली-विज्ञान और व्याकरण से संबंधित ही हैं। हिंदी साहित्य और शिक्षा तथा शिक्षा-मनोविज्ञान की दिशा में इसकी भूमिका नगण्य ही रही है। केंद्रीय हिंदी संस्थान तीन पत्रिकाएँ भी प्रकाशित करता है—एक पत्र 'संस्थान बुलेटिन' है। यह द्वैभाषिक और प्राक्तन छात्र संघ का मुख पत्र है। वैसे यह समय से शायद ही कभी प्रकाशित होता हो। प्रायः इसके दो अथवा तीन अंक एक साथ ही निकला करते हैं। संस्थान की दूसरी पत्रिका गवेषणा है। यह अर्धवार्षिक शोध पत्रिका है। इसके भी अंक अपवाद स्वरूप ही समय से निकल पाते हैं। 'युनिवर्सिटी न्यूज' वाल्यूम—21, अंक—21, नवंबर 1, 1983, पृ० 765 के अनुसार, 'गवेषणा को भाषा शिक्षण, शिक्षा-शास्त्र, भाषा विज्ञान और तुलनात्मक साहित्य के गवेषणापूर्ण लेख प्रकाशित करने चाहिए। परंतु आदि के कतिपय अंकों को यदि अपवाद मान लें, तो यह विशुद्ध रूप से भाषा विज्ञान मात्र में सीमित रह गयी है और भाषा विज्ञान शिक्षा-शास्त्र तथा तुलनात्मक साहित्य की लगभग एक दशक से निरंतर उपेक्षा करती आ रही है।"

केंद्रीय हिंदी संस्थान, आगरा परिसर के पुरुष और महिला छात्रावास पुस्तकालय भवन एवं शिक्षण भवन सबके सब सन् 1981 तक किराये के भवनों में थे। जून, 1981 से शिक्षण और कार्यालय भवन अपने नव-निर्मित तिमंजिला भवन में आ गया है, और इसके पुरुष एवं महिला छात्रावास अभी भी किराये के भवनों में ही हैं।

केंद्रीय हिंदी संस्थान, आगरे में एक भाषा विज्ञान प्रयोगशाला भी है, जो भाषा-शिक्षण और उच्चारण संबंधी अधुनातन उपकरणों से सज्जित और समृद्ध है। इसमें एक साथ सोलह बूथ प्रशिक्षणार्थियों के बैठने की व्यवस्था है। इस प्रयोगशाला में टैक्निशियन और छात्रों के निर्देशन के लिए उच्चारण सिखाने के लिए टेप-सामग्री का निर्माण किया जाता है। मिज़ोरम तथा नागालैंड के स्कूली अध्यापकों के लिए उच्चारण अभ्यास के पाठ (टेपांकित सहित) तैयार किये जा चुके हैं।

केंद्रीय हिंदी संस्थान, आगरा देश के अहिंदी भाषी अंचलों में स्थापित हिंदी शिक्षक प्रशिक्षण संस्थानों अथवा महाविद्यालयों की परीक्षा संचालित करने का उत्तरदायित्व भी संभालता है और इस दृष्टि से अब तक निम्नलिखित हिंदी शिक्षक प्रशिक्षण संस्थान अथवा महाविद्यालय संबद्ध हो चुके हैं—

(1) हिंदी शिक्षक प्रशिक्षण महाविद्यालय, गुवाहाटी (असम)।
(2) हिंदी शिक्षक प्रशिक्षण संस्थान, इम्फाल (मणिपुर)।
(3) मिज़ोरम हिंदी प्रशिक्षण संस्थान, आइजोल (मिज़ोरम)।
(4) हिंदी शिक्षक प्रशिक्षण संस्थान, दीमापुर (नागालैंड)।
(5) हिंदी शिक्षक प्रशिक्षण महाविद्यालय, मैसूर (कर्नाटक)।

केंद्रीय हिंदी संस्थान, शिलांग/गुवाहाटी

संस्थान के बढ़ते हुए दायित्वों और बहुमुखी कार्यों को सुचारु रूप से संपादित करने के लिए संस्थान ने अपना अगला केंद्र जुलाई, 1976 में शिलांग (मेघालय) में स्थापित किया है, जो जून, 1979 तक कार्य करता रहा, तदोपरांत जुलाई, 1979 से गुवाहाटी में स्थानांतरित कर दिया गया और अभी तक वहीं कार्य कर रहा है। इस केंद्र के क्षेत्रांतरगत निम्नलिखित पूर्वांचल के राज्य सम्मिलित हैं—

(1) असम
(2) मेघालय
(3) अरुणाचल
(4) मिज़ोरम
(5) नागालैंड
(6) मणिपुर
(7) त्रिपुरा

इस केंद्र पर दो प्रकार के पाठ्यक्रम चलाये जाते हैं—

(1) लघु अवधीय नवीकरण।
(2) लघु अवधीय सुधारात्मक।

भारतीय संविधान के अनुरूप राष्ट्रभाषा हिंदी का बहुमुखी विकास करना

और तत्संबंधी विविध क्रिया-कलापों, योजनाओं आदि को संचालित करना और इन सब में एक समुचित संयोजन बनाये रखने का उत्तरदायित्व भारत सरकार का है। इस संवैधानिक दायित्व के सफल संपादन के लिए भारत सरकार ने कई योजनाएँ बनायी हैं और कई संस्थाएँ स्थापित की हैं।

केंद्रीय हिंदी संस्थान, उक्त कार्यों के अतिरिक्त द्वितीय भाषा के रूप में हिंदी शिक्षकों के प्रशिक्षण का दायित्व भी वहन करता है। यद्यपि केंद्रीय हिंदी संस्थान का यह दायित्व 'अहिंदी भाषी क्षेत्रों के हिंदी अध्यापकों के प्रशिक्षण' मात्र में सहज ही सीमित रूप में व्यक्त कर दिया जाता है। परंतु 'अहिंदी भाषी हिंदी शिक्षकों का प्रशिक्षण कार्य' क्रियान्वयन के स्तर पर व्यापक और बहुमुखी रूप धारण कर लेता है। इसका कारण यह है कि अहिंदी भाषी क्षेत्र अपने आप में भारतवर्ष की चारों सीमाओं के विस्तृत भू-भाग को अपने में समाहित करता है, जिसमें अनेक भाषा परिवारों की भाषाएँ, उपभाषाएँ और बोलियाँ प्रचलित हैं। उन सबकी अपनी-अपनी वाक्य व्यवस्थाएँ हैं, ध्वनि विधान है और अर्थ प्रणालियाँ हैं। जो हिंदी प्रशिक्षण कार्य को किसी-न-किसी रूप में प्रभावित किया करती हैं। अतः यह अनुभव किया गया है कि केवल केंद्रीय हिंदी संस्थान आगरा, त्रिपुरा, मणिपुर, नागालैंड, अरुणाचल, मेघालय, मिज़ोरम, असम, सिक्किम, कश्मीर, गुजरात, महाराष्ट्र, आंध्र प्रदेश, कर्नाटक, केरल, तमिलनाडु, उड़ीसा, और पश्चिमी बंगाल तथा अनेक जनजातीय क्षेत्रों के हिंदी शिक्षकों की विशिष्ट समस्याओं को ध्यान में रखते हुए तद्नुसार गहन और अपेक्षित प्रशिक्षण की व्यवस्था नहीं कर सकता। संभवतः इन्हीं सीमाओं को ध्यान में रखते हुए केंद्रीय संस्थान ने अपने केंद्र गुवाहाटी, शिलांग तथा हैदराबाद में खोल दिये हैं।

अपनी-अपनी हिंदी शिक्षण विषयक विशिष्ट समस्याओं के समुचित समाधान हेतु अहिंदी भाषी राज्य सरकारों ने अपने-अपने हिंदी शिक्षक प्रशिक्षण महाविद्यालय स्थापित करने का निश्चय किया है। राज्य सरकारों के इस निश्चय का स्वागत करते हुए भारत सरकारों ने समस्त आर्थिक भार वहन करने का दायित्व स्वीकार किया है और केंद्रीय हिंदी संस्थान, आगरा ने एकेडेमिक तथा शैक्षिक सहयोग तथा संदर्शन देने का दायित्व स्वीकार किया है।

केंद्रीय हिंदी संस्थान, आगरा के प्रशिक्षणार्थियों की वार्षिक संख्या अब तक विभिन्न पाठ्यक्रमों में प्रशिक्षित पूर्वांचल से संबंधित प्रतिभागियों का वर्षवार विवरण निम्नलिखित तालिका में दृष्टव्य है—

मिज़ोरम

वर्ष	निष्णांत	पारंगत	प्रवीण	चतुर्थ वर्ष	गहन
1960-61	—	—	—	—	—
1961-62	—	—	—	—	—
1962-63	—	—	—	—	2
1163-64	—	—	—	—	—
1964-65	—	—	—	—	—
1965-66	—	—	—	—	4
1966-67	—	—	—	—	—
1967-68	—	—	—	—	3
1968-69	—	—	—	—	5
1969-70	—	—	—	—	—
1970-71	—	—	—	—	—
1971-72	—	2	—	—	—
1972-73	—	—	—	—	45
1973-74	—	—	—	—	24
1974-75	—	—	—	—	19
1975-76	—	—	—	—	18
1976-77	—	—	—	—	—
1977-78	—	—	—	—	—
1978-79	—	—	—	—	—
1979-80	—	—	—	1	—
1980-81	—	—	—	—	—
1981-82	1	—	—	—	—
1982-83	3	—	—	—	—
1983-84	2	—	—	—	—
1984-85	2	—	—	—	—
1985-86	3	—	—	—	—
1986-87	2	—	—	—	—

मणिपुर

वर्ष	निष्णांत	पारंगत	प्रवीण	चतुर्थ वर्ष	गहन
1960-61	—	—	—	—	—
1961-62	—	—	—	—	—
1962-63	—	—	—	—	—
1963-64	—	4	—	—	2
1964-65	5	—	—	—	1
1965-66	1	3	—	—	—
1966-67	—	2	—	—	4
1967-68	3	1	—	—	—
1968-69	—	3	—	—	—
1969-70	1	8	—	—	—
1970-71	—	6	—	—	4
1971-72	—	6	—	—	—
1972-73	3	5	—	—	—
1973-74	—	7	—	—	2
1974-75	5	2	—	—	—
1975-76	3	4	—	—	—
1976-77	2	1	—	—	—
1977-78	1	—	—	—	4
1978-79	—	—	—	—	—
1979-80	1	—	—	—	—
1980-81	1	—	—	—	—
1981-82	1	—	—	—	—
1982-83	2	—	—	—	—
1983-84	1	—	—	—	—
1984-85	—	—	—	—	—
1985-86	—	1	—	—	—
1986-87	4	—	—	—	—

मेघालय

वर्ष	निष्णांत	पारंगत	प्रवीण	चतुर्थ वर्ष	गहन
1960-61	—	—	—	—	—
1961-62	—	—	—	—	—
1962-63	—	—	—	—	—
1963-64	—	—	—	—	—
1964-65	—	—	—	—	2
1965-66	—	—	—	—	3
1966-67	2	—	—	—	1
1967-68	—	—	—	—	4
1968-69	1	—	5	—	—
1969-70	—	—	—	—	—
1970-71	—	—	—	—	—
1971-72	—	—	—	—	—
1972-73	—	—	—	—	—
1973-74	1	—	—	—	—
1974-75	—	—	—	—	4
1975-76	—	—	—	—	1
1976-77	—	—	—	—	—
1977-78	—	—	—	—	—
1978-79	1	—	—	—	—
1979-80	—	—	—	—	—
1980-81	—	—	4	—	—
1981-82	—	—	—	—	—
1982-83	—	—	—	—	—
1983-84	—	—	—	—	—
1984-85	1	—	3	—	—
1985-86	—	—	—	—	—
1986-87	—	—	—	—	—

नागालैंड

वर्ष	निष्णांत	पारंगत	प्रवीण	चतुर्थ वर्ष	गहन
1960-61	—	—	—	—	—
1961-62	—	—	—	—	—
1962-63	—	—	—	—	—
1963-64	—	—	—	—	—
1964-65	—	—	—	3	5
1965-66	—	—	—	—	2
1966-67	—	—	1	1	3
1967-68	—	1	2	2	—
1968-69	1	1	1	—	4
1969-70	—	1	—	—	—
1970-71	—	—	—	—	—
1971-72	—	—	—	—	18
1972-73	—	—	—	—	21
1973-74	1	—	—	—	1
1974-75	1	—	—	—	21
1975-76	—	—	—	—	14
1976-77	—	—	—	10	—
1977-78	—	—	—	5	—
1978-79	—	—	—	7	6
1979-80	—	1	—	9	7
1980-81	—	—	1	7	4
1981-82	—	1	5	—	14
1982-83	—	—	2	6	5
1983-84	—	1	2	9	5
1984-85	1	1	9	12	11
1985-86	—	—	2	7	4
1986-87	—	1	6	12	8

असम

वर्ष	निष्णांत	पारंगत	प्रवीण	चतुर्थ वर्ष	गहन
1960-61	—	—	—	—	—
1961-62	—	—	—	—	—
1962-63	—	—	—	—	—
1963-64	—	2	—	—	1
1964-65	—	—	—	—	4
1965-66	—	—	—	—	—
1966-67	—	1	—	2	—
1967-68	—	—	—	—	2
1968-69	—	3	—	1	—
1969-70	—	2	—	—	—
1970-71	—	8	—	—	—
1971-72	—	—	—	—	—
1972-73	—	1	—	—	—
1973-74	—	—	—	—	4
1974-75	—	—	—	—	—
1975-76	1	—	—	—	3
1976-77	—	—	—	—	—
1977-78	—	1	—	1	—
1978-79	—	—	—	2	—
1979-80	—	—	—	—	—
1980-81	3	—	—	—	—
1981 82	—	—	—	—	—
1982-83	—	—	—	—	3
1983-84	—	—	—	1	—
1984-85	—	—	—	—	—
1985-86	—	—	—	—	—
1986-87	5	—	—	—	—

1. मिज़ोरम हिंदी प्रशिक्षण संस्थान, आइज़ोल

हिंदी शिक्षकों के प्रशिक्षण में आत्मनिर्भर बनने के प्रयोजन से मिज़ोरम सरकार ने केंद्रीय हिंदी संस्थान, आगरा के सहयोग से सन् 1975 ई० में मिज़ोरम हिंदी प्रशिक्षण संस्थान, आइज़ोल की स्थापना की। अद्यतन मिज़ोरम हिंदी प्रशिक्षण संस्थान, हिंदी प्रशिक्षण संबंधी तीन पाठ्यक्रमों का संचालन कर रहा है—

1. दो-वर्षीय हिंदी शिक्षक डिप्लोमा

इस पाठ्यक्रम में निम्नलिखित योग्यता धारक प्रवेश के पात्र होंगे—

(1) हिंदी शिक्षक के रूप में सेवारत हो।

(2) कम से कम आठवीं कक्षा उत्तीर्ण हो, परंतु दसवीं स्तर की कोई हिंदी परीक्षा उत्तीर्ण हो।

(3) आर्मी का "फर्स्ट क्लास" पास भी इस पाठ्यक्रम में प्रवेश पाने की पात्रता रखता है। क्योंकि "फर्स्ट क्लास" को आठवीं कक्षा के साथ हिंदी की दसवीं तक की योग्यता के समकक्ष माना गया है।

(4) यह प्रशिक्षण प्राप्त करने के उपरांत 5-7 की मिडिल कक्षाएँ पढ़ाने हेतु मिडिल स्कूल के प्रशिक्षित अध्यापक के रूप में स्वीकार किया जायेगा।

2. पाँच-मासीय हिंदी सेतु कोर्स (ब्रिज कोर्स)

इस पाठ्यकम में प्रवेश पाने के लिए निम्नलिखित योग्यता निर्धारित की गयी है—

(1) सेवारत हिंदी शिक्षक हो।

(2) दसवीं स्तर की हिंदी योग्यता के साथ मैट्रिक पास हो।

(3) दो-वर्षीय हिंदी शिक्षक डिप्लोमा उत्तीर्ण हो।

(4) यह पाठ्यक्रम पास करने के बाद मिडिल स्कूल के प्रशिक्षित अध्यापक के रूप में मान्य होगा। यह पाठ्यक्रम उत्तीर्ण करने से केवल यह लाभ होगा कि अध्यापक बिना बी० ए० की योग्यता के भी हिंदी शिक्षण पारंगत में प्रवेश पाने का अधिकारी होगा।

3. हिंदी शिक्षण पारंगत (बी० एड० समकक्षीय)

इस प्रशिक्षण पाठ्यक्रम में निम्नलिखित योग्यता धारक प्रवेश प्राप्त कर सकेंगे—

(1) उक्त पांच-मासीय हिंदी सेतु कोर्स पूरा करने वाले अध्यापक प्रवेशाधिकारी होंगे।

(2) असम राष्ट्रभाषा प्रचार समिति, गुवाहाटी की प्रवीण परीक्षा पास

करने वाले इस पाठ्यक्रम में प्रवेश पा सकेंगे, जबकि वे मैट्रिक परीक्षा भी उत्तीर्ण हों ।

(3) हिंदी के साथ बी० ए० योग्यता वाले भी प्रवेश के पात्र समझे जायेंगे (विचाराधीन) ।

(4) यह पाठ्यक्रम उत्तीर्ण करने के बाद प्रशिक्षित स्नातक वेतनमान (टी० जी० टी०) प्राप्त कर सकेगा ।

इन सभी प्रशिक्षण पाठ्यक्रमों का प्रारूप इस प्रकार तैयार किया गया है कि उनको पूरा करने वाले अध्यापक हिंदी के भाषाई कौशलों पर उत्तरोत्तर पूर्ण अधिकार प्राप्त कर योग्य और सफल हिंदी अध्यापक सिद्ध हो सकें । इन समस्त पाठ्यक्रमों की परीक्षाओं का संचालन केंद्रीय हिंदी संस्थान करता है ।

मिज़ोरम हिंदी प्रशिक्षण संस्थान, आइज़ोल में एक प्राचार्य के अतिरिक्त दस अध्यापक कार्यरत हैं, जिनमें एक उप-प्राचार्य, तीन लेक्चरर, चार अनुदेशक और एक अनुसंधान सहायक हैं । यहाँ यह बता देना भी आवश्यक है कि पूर्वांचल के जिन राज्यों में भी हिंदी के ऐसे प्रशिक्षण संस्थान स्थापित किये गये हैं, वहाँ न तो अध्यापकों की इतनी संख्या है और न भाषा प्रयोगशाला की व्यवस्था भी ।

अन्य भाषा के रूप में हिंदी शिक्षण के संदर्भ में नवीन शोध और तद्नुरूप जो नवीन शिक्षण पद्धतियाँ विकसित हो रही हैं, उनसे सेवारत हिंदी अध्यापकों को परिचित कराते हैं । तद्नुसार अपने कार्य में गति लाने तथा हिंदी शिक्षण को अधिकाधिक प्रभावी बनाने के उद्देश्य से केंद्रीय हिंदी संस्थान, आगरा के गुवाहाटी केंद्र द्वारा अनेक लघु अवधीय नवीकरण पाठ्क्रम चलाये जाते हैं । इन लघु अवधीय हिंदी प्रशिक्षण पाठ्क्रमों का भरसक लाभ उठाने वाला पूर्वांचल का यदि कोई राज्य है, तो वह मिज़ोरम राज्य है । इतना ही नहीं, मिज़ोरम सरकार ने संस्थान के गुवाहाटी केंद्र के सहयोग से हिंदी अध्यापकों के लिए पिछले वर्ष एक ऐसा लघु अवधीय हिंदी प्रशिक्षण पाठ्यक्रम भी आयोजित किया था । हिंदी शिक्षण प्रशिक्षण कार्यक्रम में यह एक नयी शुरुआत थी, जो हिंदी के लिए ही नहीं, किसी भी भारतीय भाषा के संदर्भ में नये आयाम उद्घाटित करने में समर्थ हो सकती है ।

मिज़ोरम हिंदी टीचर्स एसोसिएशन

विगत कई वर्षों से मिज़ोरम राज्य में 'मिज़ोरम हिंदी टीचर्स एसोसिएशन' नामक संस्थान भी काम कर रही है । इसका उद्देश्य अध्यापक सदस्यों को अपनी हिंदी की शैक्षिक योग्ताओं को बढ़ाकर उनकी प्रगति का मार्ग प्रशस्त करना है । इस एसोसिएशन का दूसरा लक्ष्य हिंदी अध्यापकों के वेतनमान और सेवा नियमों को ठीक

कराने के लिए सरकार के साथ संपर्क बनाए रखना है। साथ ही साथ मिज़ोरम के हिंदी अध्यापकों में पारस्परिक सद्भाव और सौहार्द्र विकसित करने के लिए उनका वार्षिक सम्मेलन और मिलन गोष्ठियों का आयोजन करते रहना है।

2. हिंदी शिक्षक प्रशिक्षण महाविद्यालय, उत्तर गुवाहाटी

असम

हिंदी शिक्षक प्रशिक्षण हेतु भारत सरकार द्वारा शत-प्रतिशत सहायता दिये जाने की नीति से प्रभावित और प्रोत्साहित होकर असम सरकार ने सन् 1965-66 ई० में एक शिक्षक प्रशिक्षण महाविद्यालय, उत्तर गुवाहाटी में स्थापित किया। इस प्रशिक्षण महाविद्यालय में पारंगत (बी० एड० के समकक्ष) पाठ्यक्रम की व्यवस्था की गयी जो कि हिंदी के स्नातक शिक्षकों को प्रशिक्षित करने के मंतव्य से तैयार किया गया है।

सन् 1975-76 ई० तक महाविद्यालय के पारंगत पाठ्यक्रम की परीक्षा का संचालन शिक्षा विभाग, असम सरकार के हाथों में रहा। इसके पश्चात् महाविद्यालय को केंद्रीय हिंदी संस्थान, आगरा से संबद्ध कर दिया गया है। अतः तब से इसका पाठ्यक्रम केंद्रीय हिंदी संस्थान के अनुरूप कर दिया गया है और परीक्षा का संचालन भी केंद्रीय हिंदी संस्थान, आगरा ही करता है।

इस पारंगत के प्रशिक्षण पाठ्क्रम में वही प्रवेश पाने के पात्र समझे जाते हैं, जो असम राष्ट्रभाषा प्रचार समिति, गुवाहाटी की प्रवीण परीक्षा पास होते हैं और मैट्रिक भी। इस महाविद्यालय के पारंगत पाठ्यक्रम में पचास प्रशिक्षणार्थियों के प्रशिक्षण की व्यवस्था है।

इससे पूर्व असम राज्य सरकार ने हिंदी शिक्षक तैयार करने के लिए एक हिंदी अध्यापक प्रशिक्षण कॉलेज दुधनै में 1950[1] में स्थापित किया था। परंतु कालांतर में कुछ प्रशासनिक असुविधाओं के कारण इसे मिसामारी में स्थानांतरित कर दिया गया। प्रारंभ में यहाँ पर 50 शिक्षकों के प्रशिक्षण की सुविधा थी। परंतु आगे चलकर 125 प्रशिक्षणार्थियों के प्रशिक्षण की व्यवस्था कर दी गयी। इस प्रशिक्षण कॉलेज में प्रशिक्षणार्थी के रूप में महिलाएँ और पुरुष दोनों ही प्रवेश पा सकते हैं।

प्रवेश की सामान्य योग्यताएँ

(1) प्रारंभ में हिंदी की मिडिल पास योग्यता वाले प्रत्याशी प्रवेश प्राप्त करने

---

1. राष्ट्रभाषा विकास प्रचार और प्रसार के लेखक श्री चित्र महंत के अनुसार 'हिंदी अध्यापक प्रशिक्षण कॉलेज' दुधनै में सन् 1951 ई० में खोला गया था। पृ० 110।

के अधिकारी माने जाते थे ।

(2) मैट्रिक हिंदी योग्यता वाले दस-बारह वर्ष से हिंदी शिक्षण कार्य करने वाले शिक्षक इस पाठ्यक्रम में प्रवेश पाने के अधिकारी समझे जाते हैं ।

प्रशिक्षण अवधि

आदिम जाति के प्रतिभागियों के लिए प्रशिक्षण अवधि दो वर्ष की रखी गयी है और असम के मैदानी प्रतिभागियों के लिए यह प्रशिक्षण अवधि केवल एक साल है ।

इस पाठ्यकम में प्रशिक्षण प्राप्त करने के बाद प्रशिक्षणार्थी को शिक्षा विशारद मिडिल स्कूल की कक्षा 6 को पढ़ाने की योग्य स्वीकार किये गये थे । परंतु बाद में उन्हें आठवीं कक्षा तक पढ़ाने के लिए सक्षम स्वीकार कर लिया गया ।

ऐसे अध्यापकों को इंटर प्रशिक्षित के समकक्ष ही वेतन प्रदान किया जाता है।

3. हिंदी शिक्षक प्रशिक्षण संस्थान, दीमापुर (नागालैंड)

15 नवम्बर, 1968 को स्थापित हिंदी शिक्षक प्रशिक्षण संस्थान, दीमापुर पूर्वांचल का एक मात्र ऐसा संस्थान है, जो केंद्रीय हिंदी संस्थान, आगरा से संबद्ध है । परंतु पारंगत पाठ्यक्रम का संचालन न कर चतुर्थवर्षीय हिंदी शिक्षक डिप्लोमा की व्यवस्था किये हुए हैं । इस प्रशिक्षण पाठ्यक्रम में नॉनमैट्रिक हिंदी टीचर प्रवेश पाने की योग्यता रखते हैं । इस डिप्लोमा को पास करने के बाद हिंदी शिक्षण प्रवीण (जिसे केंद्रीय हिंदी संस्थान, आगरा ने पुनः प्रारंभ कर दिया है) में प्रवेश पाने के अधिकारी हो जाते हैं । इस समय इस संस्थान में 66 छात्र प्रशिक्षण प्राप्त कर रहे हैं । पाठ्यक्रम की दृष्टि से यह चतुर्वर्षीय हिंदी शिक्षक डिप्लोमा थोड़े-बहुत हेर-फेर के साथ लगभग पारंगत पाठ्यक्रम के ही अनुरूप है । पारंगत से भी अधिक यह पाठ्यक्रम इस बात में है कि यह शिक्षकों को द्वितीय भाषा हिंदी शिक्षक के रूप में ही प्रशिक्षित नहीं करता है वरन् सामाजिक अध्ययन एवं अंग्रेजी जैसे विषयों में भी प्रशिक्षित करता है। इस प्रकार जहाँ पारंगत एकांगी है, वहाँ यह पाठ्यक्रम बहुआयामी एवं पूर्ण है ।

4. हिंदी शिक्षक प्रशिक्षण महाविद्यालय, मणिपुर, इम्फाल

यद्यपि पूर्वांचल के अन्य राज्यों की तुलना में मणिपुर में हिंदी के प्रचार-प्रसार तथा शिक्षण-प्रशिक्षण की जड़ें पर्याप्त पुरानी हैं, फिर भी स्नातक स्तर के हिंदी शिक्षक प्रशिक्षण संस्थान की स्थापना सन् 1975-76 में ही हो सकी । तभी से हिंदी

शिक्षक प्रशिक्षण संस्थान, इम्फाल पारंगत के शिक्षण-प्रशिक्षण की व्यवस्था करता चला आ रहा है। इस समय संस्थान में 21 प्रशिक्षणार्थी प्रशिक्षण प्राप्त कर रहे हैं। इस पाठ्यक्रम में प्रवेश पाने की वह योग्यताएँ हैं, जो केंद्रीय हिंदी संस्थान, आगरा से संबद्ध महाविद्यालयों एवं संस्थानों के पारंगत पाठ्यक्रम में प्रवेश पाने की योग्यताएँ निर्धारित हैं।

परीक्षा का संचालन केंद्रीय हिंदी संस्थान, आगरा करता है। इस प्रकार यह प्रशिक्षण संस्थान केंद्रीय हिंदी संस्थान से संबद्ध देश के पाँच अहिंदी भाषी क्षेत्रों के हिंदी शिक्षक प्रशिक्षण संस्थानों में प्रमुख स्थान रखता है।

इस संस्थान की स्थापना में श्री गोड़चंद शर्मा, उप-शिक्षा निदेशक, हिंदी मणिपुर सरकार और संस्थान के वर्तमान प्रधान आचार्य डॉ० कुंज किशोर सिंह का महत्त्वपूर्ण योगदान रहा है। डॉ० कुंज किशोर सिंह हिंदी के प्रचार और प्रसार में संलग्न एक समर्पित तथा सराहनीय व्यक्तित्व हैं।

मणिपुर राज्य में हिंदी शिक्षक प्रशिक्षण विद्यालय, इम्फाल भी मैट्रिक तथा नॉनमैट्रिक हिंदी योग्यतावाले शिक्षकों को प्रशिक्षित करने का कार्य दशकों से करता चला आ रहा है। इसकी परीक्षाओं का संचालन शिक्षा विभाग, मणिपुर सरकार के द्वारा किया जाता है। यह विद्यालय अपने प्रशिक्षणार्थियों को हिंदी प्रशिक्षण की नवीनतम गतिविधियों से परिचित कराने के उद्देश्य से केंद्रीय हिंदी संस्थान, आगरा से भी भरपूर सहायता लिया करता है।

मिज़ोरम में भाषा संपर्क की स्थिति

मिज़ोरम में विभिन्न भाषाओं के बोलने वाले रहते हैं। निश्चित रूप में इनमें मिज़ो (लुशाइ) बोलने वालों की संख्या सर्वाधिक है। मिज़ो एक ओर तो बहु-संख्यक समुदाय की भाषा है, दूसरी ओर प्रांतीय स्तर पर संपर्क भाषा भी है। चूँकि यह भाषा प्रांत के मध्यवर्ती और अत्यन्त व्यापक क्षेत्र में बोली जाती है, राजधानी आइज़ोल की भाषा है, अंतः इसका प्रभाव पूरे प्रांत की अन्य बोलियों पर ही नहीं, बल्कि बाहरी भाषाओं—विशेषकर हिंदी-अंग्रेजी पर भी मिलता है। दूसरी ओर केंद्रीय भाषा, शासन एवं संपर्क की भाषा होने के कारण प्रांत में बोली जाने वाली अन्य भाषाओं से भी यह जुड़ी हुई है, और अपने व्यापक संपर्क से उन अनेकानेक भाषाओं के प्रभाव को भी ग्रहण किये हुए है।

मिज़ो भाषा (75 प्रतिशत) के अतिरिक्त पूरे प्रांत में जो अन्य भाषाएँ बोली जाती हैं, उनका विवरण इस प्रकार है—

म्हार	—	4 प्रतिशत
नेपाली	—	2 प्रतिशत
चकमा + बंगाली	—	3 प्रतिशत

कुकी	—	2 प्रतिशत
पोई	—	3 प्रतिशत
पइते	—	1 प्रतिशत
लखेर	—	4 प्रतिशत
शलते	—	नगण्य
अन्य	—	6 प्रतिशत

इनके अलावा हिंदी और अंग्रेजी भी हैं। कार्यालयीन स्तर पर मिज़ो के बाद दूसरी महत्त्वपूर्ण भाषा अंग्रेजी है।

यहाँ अंग्रेजी 1973 से लिखित भाषा के रूप में अपना वर्चस्व बनाये हुए है। अन्य स्थानों की तरह मिज़ोरम में भी कार्यालयीन संपर्क के दो महत्त्वपूर्ण स्तरों में से एक लिखित स्तर पर अंग्रेजी का प्रभुत्व है और दूसरे मौखिक स्तर पर मिज़ो का। विशेष परिस्थितियों में, वह भी विशेष रूप से मौखिक स्तर पर, कहीं-कहीं हिंदी भी व्यवहृत होती है, जो वक्ताओं की मातृभाषा भेद के कारण कई रूपों में सामने आती है, जिसके फलस्वरूप मिज़ो-हिंदी नाम से लक्षित एक भाषा भेद विकसित हो गया है।

मिज़ोरम में हिंदी, अंग्रेजी और मिज़ो के अतिरिक्त बोली जाने वाली अन्य भाषाओं और उनके बोलने वालों की स्थिति के आधार पर भाषा संपर्क की स्थिति इस प्रकार है—

नेपाली

मिज़ोरम में बहुत से नेपाली समुदाय के लोग आकर बस गये हैं। ये इधर-उधर बिखरे हुए हैं और इस प्रकार से मिज़ो समुदाय के साथ घुल-मिल गये हैं। इन लोगों की भाषा नेपाली घरेलू बोली के रूप में सुरक्षित है। संपर्क भाषा के रूप में ये प्रधानतः मिज़ो और गौणतः तथा परिस्थिति विशेष में हिंदी का प्रयोग करते हैं। चूँकि नेपाली और हिंदी में एक ही परिवार की भाषा निकटता है, अतः नेपाली भाषियों के लिए हिंदी का प्रयोग अपेक्षाकृत अन्य भाषा-भाषियों से अधिक सहज एवं सरल है। इसके फलस्वरूप राज्य में नेपाली-मिज़ो की संपर्क स्थिति मिलती है।

बंगाली

मिज़ोरम में बंगला भाषी समुदाय के लोग भी हैं। इनका मुख्य पेशा व्यवसाय है, अतः ये शहरों में ही केंद्रित हैं। इधर विकास के क्रम में कुछ सरकारी सेवाओं में भी इनकी संख्या बढ़ी है। बंगला भाषी समुदाय में ही बंगला भाषा के तीन

समुदाय मिल जाते हैं। व्यवसाय पेशे में जो बंगाली हैं, वे ढाका, कूच बिहार के इलाकों से संबंधित हैं, फलतः उनकी बोली नौकरी पेशे वालों बंगालियों—जो प्रायः पश्चिमी बंगाल के हुगली घाटी वाले क्षेत्र से संबंधित हैं—की बोली से किंचित भिन्न है। तीसरा स्तर चकमा समुदाय के लोगों द्वारा बोली जाने वाली 'चकमा' बंगला का है, जो चटगाँव की बंगला बोली जाने वाली बोली के अधिक नजदीक है। ये लोग भी मिज़ो भाषियों के साथ व्यवहार करते हुए मिज़ो का प्रयोग करते हैं। फलस्वरूप बंगला-मिज़ो की संपर्क स्थिति विकसित हो गयी है।

कुकी

कुकी भाषा बोलने वाले समुदाय को ही कुकी कहते हैं। कुकी भाषी लोग प्रधानतः उत्तर-पूर्वी मिज़ोरम में रहते हैं और मणिपुर के कुकी लोगों से संबद्ध हैं। कुकी भाषा मिज़ो भाषा की अपेक्षा मणिपुरी (माथतीलोन) के अधिक निकट की भाषा है किंतु बहुसंख्यक लुशाइ। मिज़ो भाषियों के साथ प्रशासनिक एवं अन्यान्य प्रकार के संपर्कों की अधिकता के कारण कुकी भाषा के मिज़ोरम में बोले जाने वाले रूप पर मिज़ो भाषा का प्रभाव है। कुकी भाषी लोगों के लिए भी संपर्क भाषा मिज़ो भाषा ही है। इस प्रकार कुकी-मिज़ो की संपर्क स्थिति बन गयी है।

पोई

कुकी भाषा-भाषी समुदाय के दक्षिण एवं मिज़ोरम तथा बर्मा की सीमा के उत्तरी क्षेत्र में 'पोई' भाषी समुदाय के लोग हैं। पोई भाषी समुदाय के उत्तर में कुकी, पश्चिम में मिज़ो (लुशाइ) और दक्षिण में लखेर भाषाएँ बोली जाती हैं। पूर्वी क्षेत्र में अराकन पहाड़ियों में बोली जाने वाली बर्मी की बोलियों का क्षेत्र है। कुकी भाषियों की तरह ही पोई भाषी भी संपर्क भाषा के रूप में मिज़ो का प्रयोग करते हैं। वैसे पोई भाषा प्रांत में बोली जाने वाली अन्य भाषाओं की अपेक्षा मिज़ो भाषा के अधिक निकट की भाषा है।

लखेर

मिजोरम प्रदेश के सुदूर दक्षिण में बोली जाने वाली लखेर भाषा अन्य भाषाओं की अपेक्षा अधिक कटी हुई भाषा है। रूपात्मक वर्णनात्मक दृष्टि से लुशाइ एवं पोई के अधिक नजदीक होने पर भी परस्पर समझ की दृष्टि से यह एक अलग भाषा है। लखेर भाषी क्षेत्र में संपर्क भाषा लखेर ही है, केवल कुछ ही पढ़े-लिखे लोग मिज़ो एवं अंग्रेजी का प्रयोग कर पाते हैं। चूँकि लखेर भाषी क्षेत्र का विकास बहुत कम हुआ है, अतएव इस क्षेत्र में भाषायी संपर्क की स्थिति नगण्य के बराबर है।

चकमा

पहले ही कहा जा चुका है कि चकमा पूर्वी बंगला की एक स्थानीय एवं किंचित् अविकसित बोली है, जो भाषायी संपर्क के अभाव में मानक बंगला से अधिक हटी हुई दिखायी पड़ती है। प्रशासनिक दृष्टि से मिज़ो भाषा के संपर्क में होने के कारण चकमा लोगों के लिए भी संपर्क भाषा मिज़ो ही है। हिंदी भी इनके लिए अधिक अपरिचित भाषा नहीं है, जैसा कि वह लखेर, पोई और कुकी लोगों के लिए है।

इन भाषाओं के अलावा अंग्रेजी एवं हिंदी का भी प्रयोग मिज़ोरम में किया जाता है।

अंग्रेजी

सरकारी कामकाज, बहुसंख्यक समुदाय की धर्म, भाषा एवं शिक्षा माध्यम होने के कारण अंग्रेजी किसी की भी मातृभाषा न होने पर भी प्रांतीय स्तर तक मिज़ो के बाद दूसरी महत्त्वपूर्ण भाषा है। मिज़ो भाषा और अंग्रेजी में लिपि-साम्य है। इस कारण भी अंग्रेजी मिज़ो भाषी समुदाय के काफी निकट है।

हिंदी

अखिल भारतीय स्तर पर संपर्क भाषा होने के नाते हिंदी मिज़ोरम में भी प्रतिष्ठित है। केंद्रीय सेवाओं से संबद्ध लोगों की संख्या मिज़ोरम में काफी है। सेना, केंद्रीय रिजर्व पुलिस, सीमा सुरक्षा दल आदि के अलावा टेलीफोन,डाक-तार आदि से संबद्ध कर्मचारियों में अधिकतर लोग बाहर के हैं। इन लोगों के बीच संपर्क भाषा हिंदी ही है।

अखिल भारतीय संपर्क भाषा के रूप में हिंदी का अध्ययन-अध्यापन कक्षा पाँच से आठवीं तक अनिवार्य है। फलतः लगभग सभी मिज़ोरम के निवासी हिंदी के संपर्क में आ जाते हैं। हिंदी चलचित्र, रेडियो कार्यक्रम आदि प्रायःसभी सुनते हैं और इससे वे इसी सीमा तक हिंदी से परिचित हैं। मुख्य-मुख्य शहरों में मिज़ो भाषा के बाद जो दूसरी महत्त्वपूर्ण संपर्क भाषा है, वह हिंदी ही है। इस प्रकार सरकारी अधिकरण जहाँ अंग्रेजी को द्वितीय भाषा के रूप में बनाये रखने का प्रयोग कर रहा है, वहाँ जन-मानस द्वितीय भाषा के रूप में हिंदी का प्रयोग करता हुआ दिखायी पड़ता है।

भाषा संपर्क मानचित्र

मिज़ोरम भाषा संपर्क की स्थिति का पूरा मानचित्र इस प्रकार प्रस्तुत किया जा सकता है।

(क) राज्य में आंतरिक संपर्क के स्तर पर

नेपाली	—	मिज़ो
बंगाली	—	मिज़ो
कुकी	—	मिज़ो
पोई	—	मिज़ो
लखेर	—	मिज़ो
चकमा	—	मिज़ो

(ख) राज्य में आंतरिक संपर्क के साथ राज्य-केंद्र के संपर्क के स्तर पर

हिंदी	—	मिज़ो
अंग्रेजी	—	मिज़ो

मिज़ोरम में हिंदी का प्रवेश और उसके कारण

मिज़ोरम में हिंदी का प्रवेश इस शताब्दी के उत्तरार्द्ध में हुआ है। ब्रिटिश सेना में भर्ती हुए मिज़ो भाषी लोगों के प्रत्यावर्तन के साथ-साथ हिंदी मिज़ोरम पहुँची। जैसा कि सर्वविदित है कि मिज़ोरम पहले असम का ही एक अंग था। बँटवारे के पूर्व चटगाँव की ओर से भी मिज़ोरम खुला हुआ था और चटगाँव में बहुत से हिंदी भाषी लोग रहा करते थे। इनके संपर्क के कारण ही हिंदी मिज़ोरम में अपरिचित भाषा नहीं थी। द्वितीय विश्वयुद्ध के समय बर्मा की सीमा पर जमे सैनिकों के कारण भी हिंदी भाषी समुदाय के सैनिक मिज़ोरम पहुँचे थे और मिज़ोरम के साथ हिंदी का संपर्क स्थापित हुआ था।

किंतु, इन घटनाओं को हम मिज़ोरम में हिंदी का वास्तविक रूप में प्रवेश नहीं कह सकते क्योंकि हिंदी भाषा की उपयोगिता एवं उसके व्यापक संदर्भ के प्रति चेतना का मिज़ो क्षेत्र में विकास आजादी के बाद ही हुआ। भारतीय गणतंत्र के एक प्रदेश के रूप में एक नयी स्थिति में होने का बोध मिज़ोरम के लोगों में विकासवादी प्रवृत्तियों को बढ़ावा देने लगा। अपना शासक स्वयं होने की जिम्मेदारी उनके जीवन पद्धति में, चिंतन में एक क्रांति ले आयी। इस क्रांति के फलस्वरूप मिज़ो प्रदेश पूरे देश के प्रति जागरूक हो उठा। अखिल भारतीय स्तर पर संपर्क एवं व्यवहार के लिए हिंदी के प्रति उनमें आकर्षण बढ़ा। सन् 1965 में मिज़ोरम हिंदी प्रचार समिति का गठन हुआ और उसके बाद 1975 में राष्ट्र-भाषा प्रचार समिति (वर्धा) की शाखा भी वहाँ खोली गयी। इन संस्थाओं ने पूरे मिज़ोरम में क्रमशः तैंतीस शाखाएँ और एक केंद्र खोला और हिंदी का प्रचार प्रसार कार्य करना शुरू किया।

मिज़ोरम में हिंदी के प्रचार के अनेक कारण हैं—

सामाजिक

मिज़ोरम पहले एक स्वकेंद्रित क्षेत्र था। जैसे-जैसे विकास होता गया, बाहर के लोगों से इस क्षेत्र के लोगों का संपर्क बढ़ा। आज मिज़ोरम के प्रमुख शहरों में मिज़ो लोगों के बाहुल्य के बावजूद अखिल भारतीय संपर्क की स्थितियाँ उभर आयी हैं और इन परिस्थितियों में हिंदी और अंग्रेजी का व्यवहार बढ़ने लगा है। कुछ सामाजिक संपर्क की स्थितियाँ तो ऐसी भी उभरने लगी हैं, जहाँ हिंदी का ही व्यवहार होता है। बहुत से केंद्रीय नेताओं का मिज़ोरम जाना और मिज़ोरम के लोगों का दिल्ली आना हिंदी के व्यवहार क्षेत्र के विस्तार में काफी योगदान दे रहा है। इनके अलावा अंतःप्रांतीय वैवाहिक सबंध के कारण भी हिंदी के व्यवहार का क्षेत्र विस्तृत हो रहा है। अंग्रेजी और हिंदी को सफलतापूर्वक बोल पाने की क्षमता उपलब्ध करने वाले को सामाजिक दृष्टि से प्रतिष्ठित एवं विशिष्ट माना जाता है। यह भी एक कारण है कि लोग हिंदी एवं अन्यान्य पेशों की ओर आकर्षित हो रहे हैं। इससे उनका अन्य राज्यों में आवागमन बढ़ रहा है। इस आवागमन के परिणामस्वरूप उनके बाजार हिंदी के प्रति आकर्षण भी बढ़ा है। आइज़ोल मिज़ोरम की राजधानी और सबसे बड़ा शहर है। जहाँ दुकानों पर आने वाले खरीददारों में काफी बड़ी मात्रा में अच्छे पैसे देने वाले बाहर के लोग होते हैं, जिनसे संपर्क स्थापन के लिए हिंदी का ज्ञान अपेक्षित है। हिंदी जानने वाले दुकानदारों की बिक्री अन्य की अपेक्षा अधिक होती है। नौकरी की दृष्टि से भी हिंदी का अत्यधिक महत्त्व है। मिज़ोरम में थोड़ी-सी अच्छी हिंदी होने पर हिंदी शिक्षक की नौकरी मिल जाती है अथवा केंद्र सरकार की किसी भी नौकरी के लिए संभावनाएँ बढ़ जाती हैं। इसलिए भी हिंदी के प्रति आकर्षण काफी बढ़ रहा है।

हिंदी फिल्मों एवं रेडियो प्रसारणों के कारण भी हिंदी भाषा को काफी प्रचार एवं प्रसार मिला है। मिज़ो भाषी समुदाय की नयी पीढ़ी हिंदी फिल्मों के गीतों को गाती हुई मिज़ोरम के किसी भी क्षेत्र में दिखायी पड़ सकती है, जो परिदृश्य इस समय दिखाई पड़ रहा है कि मिज़ोरम में सामाजिक परिवर्तन का नया अध्याय हिंदी में ही लिखा जाने वाला है।

संवैधानिक-प्रशासनिक

संवैधानिक दृष्टि से हिंदी भारत की राजभाषा तो है ही, संपर्क भाषा भी है। राजभाषा तथा संपर्क भाषा के रूप में इसके महत्त्व से मिज़ोरम के लोग परिचित होने लगे हैं फलतः हिंदी के प्रचार-प्रसार के लिए पर्याप्त उपक्रम किये जा रहे हैं, औपचारिक/अनौपचारिक रूप से अनेकानेक संस्थाएँ इस दिशा में कार्य कर रही हैं, जिनमें सरकारी स्तर पर 'मिज़ोरम हिंदी प्रशिक्षण संस्थान' और गैर-सरकारी

स्तर पर 'मिज़ोरम राष्ट्रभाषा प्रचार समिति' तथा 'राष्ट्रभाषा प्रचार समिति, वर्धा' प्रमुख हैं ।

मिज़ोरम में हिंदी का व्यवहार करने वाले वर्ग निम्नलिखित हैं—

(1) हिंदी शिक्षक एवं प्रचारक
(2) दुकानदार एवं व्यवसायी
(3) केंद्रीय सेवाओं के लोग
(4) सेना के लोग
(5) राजनीतिक नेता ।

केंद्र सरकार को विभिन्न अभिकरणों द्वारा जारी की जाने वाली सूचनाएँ द्विभाषिक होती हैं और उनके माध्यम से प्रशासन से एक सीमा तक हिंदी का प्रयोग भी मिल जाता है । प्रांतीय प्रशासन में हिंदी का प्रयोग नहीं के बराबर है । इसका कारण है हिंदी में कार्यालयीन कार्य कर सकने की क्षमता का अभाव । राजकीय हिंदी शिक्षक प्रशिक्षक के कार्यालय का कार्य हिंदी में किया जाता है। किंतु बाहरी संपर्क के लिए इसमें भी अंग्रेजी का उपयोग करना पड़ता है ।

राजनैतिक

मिज़ोरम अब भारतीय गणतंत्र की एक अलग राजनैतिक इकाई है । केंद्र शासित राज्य के रूप में उमका एक अलग व्यक्तित्व उभरा है और अन्य राज्यों की तुलना में अधिक समुन्नत होने की स्पर्धा भी उसमें जागी है । अखिल भारतीय स्तर पर अपनी अस्मिता को उभारने के लिए वहाँ हिंदी का महत्त्व स्वीकृत होने लगा है। प्रांतीय नेता अब राष्ट्रीय स्तर के नेता बनने की इच्छा रखने लगे हैं । फलत: हिंदी के प्रति उनमें भी रुझान बढ़ती दिखायी पड़ रही है । हिंदी के पठन-पाठन, प्रशिक्षण आदि के क्षेत्र में राज्य सरकार की रुचि का बढ़ना वस्तुत: इन्हीं राजनैतिक कारणों से है ।

आर्थिक

द्रुतगति से हो रही प्रगति सहभागी बनने के लिए मिज़ोरम के लोग अपने मूल पेशे को छोड़कर व्यवसाय, उच्च नौकरी और अन्यान्य ऐसे नये पेशे की ओर आकर्षित हो रहे हैं, जिनमें हिंदी का ज्ञान आवश्यक होता है । व्यवसाय के लिए सामान बाहर से लाना पड़ता है और मिज़ोरम से बाहर निकलते ही मिज़ो और अंग्रेजी भाषाओं की उपयोगिता समाप्त होने लगी है । इनके स्थान पर हिंदी का प्रयोग अनिवार्य आवश्यकता बन जाती है। उच्च नौकरी में जाने वाले की नियुक्तियाँ मिज़ोरम से बाहर होती हैं, तो अपनी दैनिक जीवन को चलाने के लिए उन्हें हिंदी का आश्रय लेना पड़ता है । इसी तरह कलाकारों को भी अपनी

कला को और प्रभावशाली बनाने के लिए बाहर जाकर प्रशिक्षण लेना पड़ता है तथा इसके लिए हिंदी में अपेक्षित योग्यता अर्जित करनी पड़ती है।

इस समस्त आर्थिक कारणों से हिंदी के प्रति लोगों में सहज आकर्षण पैदा होने लगा है और वे विभिन्न माध्यमों से हिंदी सीखने के लिए सचेष्ट होते हैं।

मिज़ोरम में हिंदी के व्यवहार क्षेत्र

भाषाई व्यवहार के क्षेत्रों को दो प्रमुख वर्गों में रखा जा सकता है—

(1) औपचारिक
(2) अनौपचारिक

औपचारिक क्षेत्र

(1) शिक्षा
(2) शासन व्यवस्था
(3) समूह संचार के माध्यम
 (अ) समाचार-पत्र
 (आ) सिनेमा
 (इ) रेडियो
 (ई) दूरदर्शन।

अनौपचारिक क्षेत्र

(1) बस स्टैंड
(2) डाक घर
(3) बाजार
(4) कार्यालय
(5) सार्वजनिक भाषण।

(1) **औपचारिक क्षेत्र** से तात्पर्य उन क्षेत्रों से है, जहाँ भाषा का शिष्ट एवं मानक प्रयोग ही प्रचलित रहता है। भाषा के सामान्य रूप के स्थान पर भाषा के विशिष्ट रूप पर ही अधिक जोर दिया जाता है। शिक्षा, शासन व्यवस्था तथा संचार आदि के साधनों के माध्यम के रूप में भाषा के इसी रूप का प्रयोग होता है।

(2) **अनौपचारिक क्षेत्र** आकस्मिक होते हैं और इनमें प्रयुक्त भाषा में संरचनात्मक संसजन पर नहीं बल्कि अर्थ-संप्रेषण पर अधिक बल दिया जाता है।

बाजार, सार्वजनिक स्थल (पब्लिक क्षेत्र) और डाकघर जैसे स्थानों पर जिस भाषा का प्रयोग किया जाता है, उसे भाषा का अनौपचारिक संदर्भ कहेंगे।

(1) औपचारिक क्षेत्र

मिज़ोरम में हिंदी के व्यवहार के औपचारिक संदर्भ निम्नलिखित हैं—

शिक्षा

शिक्षा के क्षेत्र में हिंदी कक्षा पाँच से आठ तक एक अनिवार्य विषय है। हिंदी अध्यापन के लिए मिज़ो और गैर-मिज़ो-दोनों प्रकार के शिक्षक हैं। गैर-मिज़ो शिक्षकों के समक्ष कथन में हिंदी प्रयोग के अतिरिक्त दूसरा कोई विकल्प नहीं है। मिज़ो शिक्षक भी हिंदी का माध्यम के रूप में प्रयोग करते हैं, यद्यपि वे अनुवाद विधि से ही अधिक पढ़ाते हैं। इनके अतिरिक्त मिज़ोरम हिंदी शिक्षक प्रशिक्षण संस्थान भी है, जो मिज़ोरम में कार्यरत हिंदी शिक्षकों को प्रशिक्षित करता है।

इस संस्थान की स्थापना के बाद पूरे प्रदेश में हिंदी के शिक्षण में काफी सुधार आया है।

सरकारी व्यवस्था से अलग हटकर मिज़ोरम हिंदी प्रचार समिति के तथा राष्ट्रभाषा प्रचार समिति (वर्धा) के क्रमशः 3371 केंद्रों में भी हिंदी के विविध पाठ्यक्रम चलाये जाते हैं। मिज़ोरम हिंदी प्रचार समिति के सैकड़ों प्रचारक हिंदी में—

(1) राष्ट्रभाषा प्राथमिक परीक्षा
(2) राष्ट्रभाषा प्रारंभिक परीक्षा
(3) राष्ट्रभाषा प्रवेश परीक्षा

तीन प्रकार की परीक्षाएँ चलाते हैं, जिनमें काफी मात्रा में लोग भाग लेते हैं।

राष्ट्रभाषा प्रचार समिति (वर्धा) भी अपने एक मात्र केंद्र से राष्ट्रभाषा परिचय एवं राष्ट्रभाषा कोविद की उच्च स्तरीय परीक्षाएँ चलाती है। इन परीक्षाओं में मिज़ोरम हिंदी प्रचार समिति के द्वारा चलायी जाने वाली तीन परीक्षाओं में लगभग पाँच से छह सौ तक विद्यार्थी प्रति वर्ष बैठते हैं। वर्धा की परीक्षा में भी प्रति वर्ष दो सौ से ऊपर विद्यार्थी बैठते हैं।

मिज़ोरम में हिंदी का अध्यापन शैक्षिक विषय के रूप में होता है। शैक्षिक माध्यम के रूप में हिंदी केवल दो विद्यालयों में पढ़ाई जाती है। केंद्रीय विद्यालय में सामाजिक विषय पढ़ाने के लिए हिंदी माध्यम का प्रयोग किया जाता है। राजकीय हिंदी शिक्षक प्रशिक्षण संस्थान में तो यह शैक्षिक माध्यम है ही।

शासन व्यवस्था

मिज़ोरम की शासन व्यवस्था में हिंदी का व्यवहार नहीं के बराबर है। विधान मंडल, कार्यकारिणी, मंत्रिमंडल तथा प्रशासन और न्यायपालिका में मिज़ो और अंग्रेजी का ही व्यवहार होता है। लिखित व्यवहार के रूप में अंग्रेजी का ही प्रचलन है।

मौखिक व्यवहार का क्षेत्र मुख्यतया मिज़ो और कहीं-कहीं परिस्थिति-वश हिंदी या अंग्रेजी द्वारा परिचालित है। हिंदी का कुछ व्यवहार केंद्र राज्य संपर्क के संदर्भ में परिलक्षित होता है। वह भी मौखिक अधिक, लिखित कम है।

समूह संचार के माध्यम

समाचार-पत्र—हिंदी के कुछ ही समाचार-पत्र मिज़ोरम पहुँचते हैं। ये हिंदी समाचार-पत्र प्रायः दिल्ली से निकलने वाले ही हैं। मिज़ोरम से हिंदी का कोई समाचार-पत्र प्रकाशित नहीं होता।

पत्र-पत्रिकाओं में भी धर्मयुग एवं साप्ताहिक हिंदुस्तान की कुछ प्रतियाँ आती हैं। अन्य पत्रिकाएँ नहीं आतीं।

सिनेमा—अन्य गैर-हिंदी भाषी राज्यों की तरह मिज़ोरम में भी हिंदी के हिंदी फिल्मों के प्रचार-प्रसार के माध्यम के रूप में सिनेमा का महत्त्व सर्वाधिक है। मिज़ोरम में प्रति बड़ा आकर्षण है और प्रायः सभी वर्ग के लोग हिंदी फिल्मों को पसंद करते हैं और उसके संगीत का आनंद लेते हैं। यद्यपि हिंदी फिल्म देखने वाले मिज़ोरम के लोग सिनेमा-हाल में भी मिज़ो-हिंदी का आपसी व्यवहार होता है, अतः वे हिंदी के व्यवहार में विविध संदर्भों एवं रूपों से परिचित होते हैं। फिल्मों के अधिक प्रभावशाली संवाद एवं गीत दर्शकों द्वारा हल्के-फुल्के एवं मनोरंजन के क्षणों में दुहराये एवं गाये जाते हैं।

रेडियो—आकाशवाणी के स्थानीय एवं दूर के केंद्रों से होने वाले हिंदी प्रसारणों को मिज़ोरम में रुचि के साथ सुना जाता है। प्रसारणों में सर्वाधिक लोकप्रिय कार्यक्रम हिंदी फिल्मों के गीत, समाचार-बुलेटिन आदि हैं। इनके अलाव फिल्मों के 'साउंडट्रैक' और हल्के-फुल्के एकांकी प्रहसन भी सुने जाते हैं। भारतीया रेडियो स्टेशनों के अलावा बंगलादेश के रेडियो स्टेशन भी हिंदी फिल्मों के गीत आदि प्रसारित करते हैं।

मिज़ोरम के आकाशवाणी केंद्र से हिंदी के पाठ भी प्रसारित किये जाते हैं। इन पाठों के माध्यम से लोगों में हिंदी सीखने के प्रति जागरूकता ही नहीं आयी है बल्कि उन्हें काफी सुविधा भी हुई है।

दूरदर्शन—मिज़ोरम में टेलीविजन पर जो कार्यक्रम आते हैं, वे प्राय: बंगलादेश से प्रसारित होते हैं। इनमें भी कभी-कभी हिंदी फिल्मों के कार्यक्रम होते हैं। मिज़ोरम के लोग ऐसे कार्यक्रमों का आनंद उठाते हैं। दुर्भाग्य की बात हैं कि विभिन्न भारतीय दूरदर्शन केंद्रों के द्वारा प्रसारित होने वाले कार्यक्रम यहाँ तक नहीं आ पाते हैं।

(2) अनौपचारिक क्षेत्र

औपचारिक क्षेत्र में हिंदी का प्रयोग बहुत कम और अंग्रेजी का प्रयोग अधिक है, किंतु अनौपचारिक क्षेत्र में मिज़ोरम के बाद दूसरी महत्त्वपूर्ण भाषा हिंदी ही है। अंग्रेजी में मौखिक व्यवहार कर सकने में दक्षता प्राप्त लोग भी बाजार में तथा अन्य परिस्थितियों में हिंदी का व्यवहार करने के लिए बाध्य होते हैं। यह बाध्यता मिज़ोरम में गैर-मिज़ो भाषा के एक बड़े वर्ग की उपस्थिति के कारण है।

अनौपचारिक संदर्भ में हिंदी के व्यवहार क्षेत्र निम्नलिखित हैं—

बस स्टैंड

मिज़ोरम के विभिन्न नगरों में बस अड्डों पर हिंदी में वार्तालाप सुनायी पड़ सकता है। विशेषकर आइज़ोल के बस अड्डे पर विभिन्न प्रांतों से आने वाले विभिन्न वर्ग के यात्रियों के मध्य विभिन्न भाषाओं के बलापातों से युक्त हिंदी का व्यवहार होता दिखायी पड़ जाता है। बस अड्डे के मिज़ो भाषी कर्मचारी भी गैर-मिज़ो भाषियों के हिंदी में पूछे गये प्रश्नों का हिंदी में ही उत्तर देते हैं।

डाकघर

डाक-तार विभाग के कर्मचारी अनेकानेक प्रांतों से संबद्ध हैं। डाकघरों में कार्यालयीन व्यवहार में भी और खिड़की पर उपभोक्ताओं के साथ संपर्क के समय भी हिंदी का प्रयोग पाया जाता है। यहाँ मिज़ो और हिंदी दोनों भाषाएँ समानांतर चलती दिखायी पड़ेगी। आइज़ोल को छोड़कर जो अन्य अंतर्वर्ती क्षेत्रों में स्थित डाकघर हैं वहाँ हिंदी का प्रयोग अत्यंत सीमित है। जहाँ तक डाकघर के कर्मचारियों का प्रश्न है, अधिकतर कर्मचारी हिंदी में व्यवहार कर सकने में समर्थ हैं।

बाजार

पर्यटकों, सेवा एवं केंद्रीय सरकार के अन्य अभिकरणों में कार्य करने वाले गैर-मिज़ो भाषी लोगों की बड़ी संख्या में उपस्थिति के कारण आइज़ोल के बाजारों में हिंदी का प्रयोग द्वितीय संपर्क भाषा के रूप में होता है। दुकानदार अपनी मातृभाषाओं और मिज़ो के अलावा हिंदी का प्रयोग कर सकने में समर्थ होते हैं। सामान्य मिज़ो ग्राहकों के अलावा बहुत बड़ी संख्या में और अधिक मात्रा में सामान खरीदने वाले ग्राहक सेना, केंद्रीय रिजर्व पुलिस के हैं, जो हिंदी का ही प्रयोग कर सकते हैं। इनके कारण बाजार में हिंदी, मिज़ो के समानांतर चल रही है। बाजार हिंदी में मिज़ो भाषा के तत्त्व काफी मात्रा में घुल-मिल गये हैं और मिज़ो में भी हिंदी के तत्त्वों का प्रवेश हो गया है। एक प्रकार से कहें तो मिज़ो एवं हिंदी के मध्य की 'संकर भाषा' बाजार में देखी जा सकती है।

कार्यालय

राज्य सरकार के कार्यालयों में जहाँ भी गैर-मिज़ो भाषी अधिकारी/कर्मचारी वर्ग उपस्थित हैं, हिंदी का प्रयोग वहाँ भी एक सीमा तक सुनाई पड़ जाता है। यही स्थिति नगरपालिका की भी है। इन कार्यालयों में हिंदी का व्यवहार बहुत ही सीमित है और प्रायः मौखिक है। केंद्रीय सरकार के कार्यालयों में हिंदी का संपर्क भाषा के रूप में प्रयोग होता है। यहाँ भी प्रयोग का स्वरूप मुख्यतः मौखिक है और कार्यालयीन कार्य में अर्थात् लिखित रूप में अंग्रेजी का ही प्रभुत्व है।

इन सरकारी निकायों द्वारा जारी किये जाने वाले प्रपत्रों एवं फार्मों का अध्ययन करने पर पता चलता है कि राज्य सरकार के प्रपत्र और फार्म वहाँ मिज़ो और अंग्रेजी भाषा में छपे हुए मिलते हैं, वहीं केंद्रीय सरकार के प्रपत्र एवं फार्म हिंदी और अंग्रेजी में छापे गये होते हैं। सार्वजनिक सूचनाओं की भी यही दशा है। राज्य सरकार एवं नगरपालिका अपनी सूचनाएँ मिज़ो और अंग्रेजी में निकालती है किंतु केंद्रीय सरकार के कार्यालयों द्वारा निकाली जाने वाली सूचनाएँ प्रायः हिंदी, अंग्रेजी और आवश्यकता पड़ने पर मिज़ो में निकाली जाती है।

सार्वजनिक भाषाओं में हिंदी का प्रयोग वही करता है, जो मिज़ो भाषा या अंग्रेजी का प्रयोग नहीं कर पाता। हिंदी में दिये जाने वाले भाषणों को लोग एक सीमा तक समझ लेते हैं किंतु अंग्रेजी में दिये गये भाषण केवल कुछ ही पढ़े-लिखे लोग समझ पाते हैं। अधिकांश आयोजनों में भाषण आदि के लिए मिज़ो का ही प्रयोग किया जाता है।

औपचारिक शिक्षण में हिंदी

मिज़ोरम की शिक्षा व्यवस्था में हिंदी शिक्षण पर विचार करते समय दो पक्षों को

ध्यान में रखना जरूरी हो जाता है—विषय के रूप में हिंदी और शिक्षण माध्यम के रूप में हिंदी।

विषय के रूप में हिंदी

शैक्षिक विषय के रूप में हिंदी की स्थिति पर विचार करते समय दो वर्गों में विवेचन आवश्यक हो जाता है क्योंकि हिंदी शिक्षण की दृष्टि से कुछ प्रयास सरकारी स्तर पर किया जाता है और कुछ प्रयास स्वैच्छिक संस्थाओं के द्वारा किया जा रहा है।

शासन की व्यवस्था के अंतर्गत हिंदी शिक्षण के दो स्तर हैं—अनिवार्य विषय के रूप में हिंदी और वैकल्पिक विषय के रूप में हिंदी।

अनिवार्य विषय के रूप में हिंदी

मिज़ोरम में हिंदी को कक्षा पाँच से आठ तक अनिवार्य विषय के रूप में पढ़ाया जाता है। अपेक्षा यह रखी जाती है कि कक्षा आठवीं उत्तीर्ण होने के बाद विद्यार्थी हिंदी भाषा में औपचारिक तथा अनौपचारिक प्रसंगों में व्यवहार कर सकने के लिए अपेक्षित क्षमता अर्जित कर लेगा।

अनिवार्य विषय के रूप में हिंदी को पढ़ाने वाले अध्यापकों को तैयार करने के लिए शासन ने एक हिंदी शिक्षक प्रशिक्षण संस्थान स्थापित किया है, जिसमें हिंदी शिक्षकों को प्रशिक्षित किया जाता है और उन्हें यथासंभव आदर्श हिंदी शिक्षक के रूप में तैयार किया जाता है।

वैकल्पिक विषय के रूप में हिंदी

इसके अलावा हिंदी को उच्च माध्यमिक कक्षाओं में वैकल्पिक विषय के रूप में भी स्थान प्राप्त है। वैकल्पिक विषय के रूप में हिंदी पढ़ने वालों की संख्या कम नहीं है, लगभग 15 प्रतिशत विद्यार्थी मिज़ो भाषा के स्थान पर हिंदी को चुनते हैं। स्नातक स्तर पर न तो हिंदी शिक्षण के लिए कोई व्यवस्था है और न विद्यार्थी ही हिंदी से भिन्न विषयों के लिए माध्यम के रूप में हिंदी का प्रयोग करते हैं। शिक्षक की व्यवस्था इस स्तर पर नहीं है।

हिंदी के अनौपचारिक व्यवहार की भाषा संबंधी विशेषताएँ

मिज़ोरम में अनौपचारिक रूप से हिंदी का जो व्यवहार मिलता है, उसे समाज भाषा वैज्ञानिक दृष्टि से निम्नलिखित भौगोलिक क्षेत्रों में बाँटा जा सकता है—

(1) आइज़ोल में हिंदी का औपचारिक-अनौपचारिक व्यवहार।

(2) दूरस्थ शहरों और ग्रामीण क्षेत्रों में हिंदी का अनौपचारिक व्यवहार।

आइज़ोल में हिंदी का अनौपचारिक व्यवहार और व्यवहृत भाषा की विशेषताएँ

आइज़ोल मिज़ोरम का प्रमुख नगर है। शहर में भारत के अन्य विकसित शहरों की भाँति कुछ सुविधाएँ उपलब्ध हैं। फलतः मिज़ोरम के लोगों के लिए आइज़ोल आकर्षण का प्रमुख केंद्र है। मिज़ोरम में कार्य कर रहे बाहर के लोगों के लिए आइज़ोल राष्ट्रीय मार्ग पर होने के कारण अधिक सुविधाजनक शहर लगता है। आइज़ोल इस प्रदेश की राजधानी भी है। अतः राज्य सरकार तथा केंद्रीय सरकार के सभी महत्त्वपूर्ण कार्यालय यहीं हैं। इन कारणों से आइज़ोल की आबादी का एक बड़ा हिस्सा बाहर से आये हुए लोगों का है, जिनमें से कुछ लोग हिंदी भाषी हैं और जो हिंदी भाषी नहीं हैं, वे संपर्क माध्यम के लिए मिज़ो भाषा न जानने के कारण हिंदी का व्यवहार करने के लिए बाध्य हैं। इस प्रकार आइज़ोल शहर में ही हिंदी के अनौपचारिक व्यवहार के तीन स्तर प्राप्त हो जाते हैं।

हिंदी भाषी लोगों का हिंदी भाषा व्यवहार

मिज़ोरम में रहने वाले हिंदी भाषी—हिंदी, अंग्रेजी और मिज़ो, इन तीनों भाषाओं का परिस्थितियों के अनुसार प्रयोग करते हैं। उनकी हिंदी, हिंदी प्रवेश में प्राप्त होने वाले हिंदी के बोलचाल रूप से भिन्न होती हैं तथा मिज़ो हिंदी के निकट होती है।

गैर-मिज़ो किंतु अहिंदी भाषी अन्य प्रांत के लोगों का हिंदी भाषा व्यवहार

इनमें पंजाबी, बंगाली, मलयाली, तेलुगू भाषी, असमिया, मणिपुरी लोगों के द्वारा बोली जाने वाली हिंदी को रखा जा सकता है। वक्ताओं की मातृभाषा के प्रभाव के कारण हिंदी के इस रूप के अनेकानेक उपस्तर बन जाते हैं। उदाहरण के लिए पंजाबी हिंदी का प्रयोग करते समय अन्विति संबंधी त्रुटियाँ नहीं करता। किंतु 'ने' संबंधी त्रुटियाँ करता है। बंगाली और नेपाली तथा कुछ हद तक असमिया 'ने' संबंधी त्रुटि तो नहीं करते किंतु लिंग अन्विति संबंधित त्रुटियाँ अवश्य करते हैं।

मिज़ो लोगों का हिंदी भाषा व्यवहार

मोटे रूप में इसके दो भेद किये जा सकते हैं—

(क) मिज़ो भाषी लोगों द्वारा प्रयुक्त हिंदी।

(ख) अन्य (कुकी, लखेर, पोई, म्हार) आदि द्वारा व्यवहृत हिंदी। यद्यपि ये लोग भी हिंदी को मिज़ो भाषा के माध्यम से ही समझते हैं।

राज्य के भीतरी क्षेत्र में हिंदी का अनौपचारिक व्यवहार

आइज़ोल के अलावा मिज़ोरम के अन्य प्रमुख शहरों में ही हिंदी के अनौपचारिक व्यवहार के उदाहरण मिल जाते हैं। निश्चित रूप से अन्य शहरों में बाहर के लोगों की संख्या उतनी नहीं है कि हिंदी व्यवहार के क्षण हरदम उपस्थित हों। फिर भी प्रसंग उपस्थित होने पर हिंदी का प्रयोग किया जाता है। बाहर के लोगों के हिंदी में वही दो स्तर मिलते हैं, जो आइज़ोल में बतायी जा चुकी है। स्थानीय लोगों की हिंदी निश्चित रूप से आइज़ोल के स्थानीय लोगों की हिंदी से कुछ अलग हो जाती है। इस पार्थक्य के मूल में स्थानीय लोगों की मातृभाषा से संबंधित आदतें हैं।

ग्रामीण क्षेत्रों में हिंदी के व्यवहार का प्रसार नहीं के बराबर है। ग्रामीण क्षेत्रों में जहाँ-जहाँ जूनियर हाई स्कूल हैं, वहाँ के विद्यार्थी अथवा हिंदी अध्यापक आवश्यकता पड़ने पर हिंदी का प्रयोग कर सकते हैं।

भाषा प्रयोग का प्रतिमान

अनौपचारिक संदर्भ में मिज़ो और लखेर, पोई आदि के बोलने वाले मिज़ोरम निवासी लोगों के द्वारा व्यवहृत होने वाली हिंदी के स्वरूप को इस प्रकार विवेचित किया जा सकता है (केवल कुछ ही उदाहरण दिये गये हैं)।

वाक्य रचना

इनके वाक्य प्रायः कर्तृवाच्य के होते हैं। आवश्यक परिस्थितियों में कर्तृ-कर्मवाच्य के वाक्यों (पेड़ कट गया) का भी प्रयोग मिल जाता है। वाक्य प्रायः सरल होते हैं। पढ़े-लिखे लोग संयुक्त वाक्यों का प्रयोग भी कर लेते हैं। आकार की दृष्टि से वाक्य छोटे होते हैं। सामान्यतः प्रचलित वाक्य साँचा—

(क) कर्ता, कर्म, क्रिया; (ख) कर्ता, पूरक, क्रिया; (ग) कर्ता, लक्ष्य स्थान, क्रिया; (घ) कर्ता, कर्म, लक्ष्य स्थान, क्रिया; (ङ) कर्ता + को, कर्म, पूरक, क्रिया के हैं। उदाहरण—

(क) लड़की छाङ खाता है।

(ख) पहाड़ का आदमी अच्छा होता है।

(ग) हम आइज़ोल जायेगा।

(घ) साहब हमको घर भेजना चाहता है।

(ङ) लड़का को लड़की अच्छा लगता है।

इन वाक्यों में पायी जाने वाली त्रुटियाँ मुख्यतया अन्विति संबंधी हैं। पदक्रम संबंधित त्रुटियाँ मुख्यतः नहीं होतीं। अध्याहार वाक्य अथवा अपूर्ण वाक्यों का प्रयोग बहुतायत से होता है।

शब्द

स्थानीय लोगों द्वारा बोली जानेवाली हिंदी में व्यक्तिवाचक संज्ञाओं के अतिरिक्त अनेक जातिवाचक संज्ञाएँ मिज़ो भाषा से घुसपैठ कर गयी हैं। उदाहरण के लिए—

छाङ (रोटी), थिङपुइ (चाय), चो (भात), तुइ (पानी) आदि शब्द मिज़ो हिंदी में प्रयुक्त होते हैं। भाववाचक संज्ञाएँ बहुत कम व्यवहृत होती हैं। प्रयुक्त होने वाले विशेषणों की सूची में अच्छा, बुरा, लंबा, छोटा, काला, लाल, पीला, सफेद, सुंदर, बूढ़ा, जवान आदि शब्दों की आवृत्ति अधिक है।

क्रिया-विशेषणों में ऊपर-नीचे, इधर-उधर, धीरे, जोर, आगे, पीछे आदि का अधिक व्यवहार होता है। दैनिक क्रियाओं से संबंधित खाना-पीना, सोना-जागना, उठना-बैठना, पढ़ना-रोना, देना-लेना, चलना-घूमना आदि क्रियाएँ अधिक व्यवहृत होती हैं। शब्द-कोश के स्तर पर आधारभूत शब्दावली के प्रयोग की ओर अभाव दिखाई देता है। स्थानीय संदर्भ के अनुसार कुछ अतिरिक्त शब्द भी प्रयुक्त होते हैं। जंगल, नदी, पहाड़, चढ़ाई, चोटी आदि शब्दों का प्रयोग अधिक होता है। इसके मूल में मिज़ोरम की भौगोलिक एवं प्राकृतिक स्थिति है।

हिंदी व्यवहार के विषय क्षेत्र

हिंदी का व्यवहार बाजार में क्रय-विक्रय, सार्वजनिक स्थानों पर पूछताछ, झगड़े, गाली-गलौज के लिए अधिक होता है।

बाजार की परिस्थिति में

क्रय-विक्रय की स्थिति में खरीदार गैर-मिज़ो भाषी हो तो दुकानदार से हिंदी के व्यवहार की अपेक्षाएँ बढ़ जाती हैं। इस परिस्थिति में दुकानदार मिज़ो व्याघात से युक्त हिंदी का प्रयोग करते हैं। बातचीत प्रायः सामान की उपलब्धि-अनुपलब्धि, उसकी क्वालिटी और दाम के ऊपर केंद्रित होती है। मोलभाव की स्थिति में हिंदी व्यवहार का समय बढ़ जाता है।

सामान्यतः इस स्थिति में जिन शब्दों का प्रयोग होता है, वे निम्नलिखित हैं—भाव, रेट, दाम, महँगा, संस्था, अच्छा, मजबूत, कम, बेसी, छोटा, बड़ा, गंदा, मैला, ताजा, मीटर, किलो, क्वाटर (क्वार्टर), कच्चा, पक्का, रंगों के नाम, कितना, कैसा, कौन-सा, किधर का, लेना, देना, चलेगा, फटना, खराब होना आदि। इनके अलावा वस्तुओं के नाम, उत्पादन, स्थानों के नाम आदि भी प्रयुक्त होते हैं।

वाक्य अधिकतर अल्पांग ही होते हैं। कभी-कभी पूर्णांग वाक्यों का प्रयोग होता है। बाजार की परिस्थिति में, ग्राहकों की भाषा में, काफी स्तर-भेद मिलते

हैं, कारण ग्राहक विभिन्न प्रकार की भाषाओं से संबद्ध होते हैं। दुकानदारों की भाषा में यह स्तर-भेद बहुत ही कम मिलता है।

कपड़े की दुकान पर हुए हिंदी व्यवहार का एक उदाहरण यहाँ है—

ग्राहक—आपके पास शर्ट के लिए डिस्को कपड़े हैं?

दुकानदार—जी, दिखाता है (दिखा रहा हूँ)।

ग्राहक—क्या कीमत है?

दुकानदार—मीटर में साठ रुपया।

ग्राहक—इसमें और कलर (रंग)?

दुकानदार—ये तीन कलर हैं—मेहरून, ब्लू और हरा।

ग्राहक—रेट ठीक बताओ।

दुकानदार—जी, रेट ठीक है। आप बाहर से आया है, एक रुपया सस्ता देगा।

सार्वजनिक स्थानों पर पूछताछ

सार्वजनिक स्थानों के अंतर्गत बस-अड्डे, डाकघर, सिनेमा-हाल और टैक्सी-स्टैंड आदि आते हैं। बाहर के लोग प्रायः इन स्थानों पर देखे जा सकते हैं। इनकी सुविधा के लिए खिड़कियों पर उपस्थित मिज़ो भाषियों को हिंदी में भी बोलना पड़ता है। अन्य प्रदेशों में इन स्थानों पर जो 'रेजिस्टर्स' सामान्य स्थिति में पाये जाते हैं, कमोवेश मिज़ोरम में भी वह व्यवहृत होते हैं। अंतर, स्थानीय रंग का है।

इन स्थानों पर चूंकि बातचीत खिड़की पर केंद्रित होती है, अतः यह संक्षिप्त एवं विशुद्ध रूप से प्रयोजनबद्ध रहती है। बातचीत में विषय टिकट, लिफाफा, पोस्ट कार्ड, मनीआर्डर, कहाँ, किधर, कब, कितना, समय, छुटना, पहुँचना, सकना, सीट रिजर्वेशन आदि के बारे में होती है। वाक्य छोटे और भीड़ होने पर कई बार दुहराये जाते हैं।

इन स्थानों पर चूंकि पेशेवर लोग ही मिलते हैं, अतः उनकी भाषा भी सामान्य लोगों की भाषा से विशिष्ट एवं अलग होती है। ये मिज़ो भाषी क्षेत्रों के हिंदी शिक्षकों से अच्छी हिंदी बोल लेते हैं।

झगड़े और गाली-गलौज

सामान्यतः सांस्कृतिक अंतराल और भाषाई असूझ के कारण कभी-कभार मिज़ो और गैर-मिज़ो लोगों के बीच झगड़ा उठ खड़ा होता है। इस स्थिति का कारण प्रायः यह होता है कि मिज़ो-भाषी हिंदी को पूरी तरह नहीं समझ पाते (अस्पष्टतः) या उस अर्थ में समझ लेते हैं, जिसमें उसका व्यवहार अभीष्ट नहीं (बहु अर्थकता)। ऐसी स्थिति में मिज़ो भाषी हिंदी की गालियों का प्रयोग करने लगता

है । जिसमें कभी-कभी मिज़ो का भी शब्द आ जाता है । मुख्यतः जो गालियाँ प्रयुक्त होती हैं, वे इस प्रकार हैं—साला, बंदर, गधा, हरामी, सुअर, सुअर का बच्चा, म्हेलछिया, वाइछिया (मैदान का खराब आदमी) आदि । ऐसी स्थिति में वाक्य अधूरे होते हैं । एक दृष्टि से इसमें नयापन भी मिलता है, जिसमें कुछ मिज़ो, कुछ हिंदी, कुछ अंग्रेजी के तत्त्व मिले होते हैं ।

प्रमुख भाषा कौशल तथा संप्रेषण क्रियाएँ

मिज़ोरम में हिंदी का व्यवहार मुख्यतया अनौपचारिक क्षेत्र में और मौखिक रूप से है । भाषाई कौशलों में जो प्रधान कौशल हिंदी के संदर्भ में देखने को मिलता है, वह भाषण कौशल है । वक्ताओं में से हिंदी भाषी वक्ता बहुत कम होते हैं, शेष हिंदी के वक्ता की मातृभाषा कुछ और होती है । मिज़ो न जानने के कारण वे संपर्क भाषा के रूप में हिंदी में व्यवहार के लिए बाध्य होते हैं । लिखित माध्यम में अनौपचारिक प्रसंगों में हिंदी का प्रयोग लगभग नहीं के बराबर है ।

व्यवहार का मुख्य रूप प्रश्न और उत्तर के रूप में ही दिखायी पड़ता है । कथन वाक्य बहुत कम प्रयुक्त होते हैं । प्रश्नों के उत्तर निषेधात्मक और सकारात्मक वाक्यों में मिलते हैं । ये वाक्य प्रायः अल्पांग होते हैं । अर्थ संप्रेषण और प्रयोजन सिद्धि ही भाषा के व्यवहार के मूल में होती है, जैसा कि पहले बताया जा चुका है, संरचनात्मक शुद्धता की ओर कोई ध्यान नहीं देता ।

अध्याय-6

पूर्वांचल का हिंदी साहित्य एवं उसका परिचय

पूर्वांचल के लेखकों का हिंदी साहित्य में योगदान

हिंदी विद्वान हिंदी साहित्य को अखिल भारतीय हिंदी साहित्य के रूप में यथार्थ रूप में कभी प्रस्तुत नहीं कर पाये। यद्यपि हिंदी साहित्य के इतिहासों में हिंदीतर प्रदेशों के हिंदी साहित्यकारों की थोड़ी-बहुत चर्चा की जाती रही है, लेकिन केवल प्रासंगिक रूप में ही। उसके अखिल भारतीय स्वरूप को प्रस्तुत करने का अभी तक कोई साभिप्राय प्रयास नहीं हुआ है। यही कारण है कि नागरी प्रचारिणी सभा, काशी द्वारा हिंदी साहित्य का वृहत इतिहास (सोलह खंडों में) प्रस्तुत करने के बाद भी प्रोफेसर जी० सुंदर रेड्डी जैसे दक्षिण भारत के हिंदी विद्वानों को यह शिकायत बनी हुई है कि हिंदी साहित्य के इतिहास में हिंदीतर प्रदेशों के हिंदी सेवियों को समुचित स्थान नहीं दिया गया है। "अतः यह वांछनीय है कि हिंदी साहित्य का पुनर्लेखन हो और उसमें इन दक्षिण के हिंदी साहित्यकारों को भी समुचित स्थान प्रदान किया जाये। ऐसा नहीं होगा तो हिंदी साहित्य का अखिल भारतीय स्वरूप पूर्णतः प्रगट नहीं होगा···।"[1]

शोधकर्त्री के मतानुसार यह भी वांछनीय है कि इस दिशा में हुए व्यक्तिगत प्रयासों को स्वीकृति नहीं मिली। ऐसा एक प्रयास हो चुका है, जिसको प्रथम विश्व हिंदी सम्मेलन की बेला में मात्र एक व्यक्ति डॉ० मोतीलाल जोतवाणी ने स्वीकारते हुए लिखा था—"आगरा से हाल ही में 'अखिल भारतीय हिंदी साहित्य का इतिहास' पुस्तक निकली है। इसमें अहिंदी प्रदेशों के हिंदी साहित्य का अपर्याप्त और कहीं-कहीं त्रुटिपूर्ण विवरण है। परंतु ऐसा प्रयास श्लाघनीय है।"[2]

इन पंक्तियों की लेखिका का विश्वास है कि प्रो० जी० सुंदर रेड्डी का कथन

---

1. राजभाषा भारती, पृष्ठ 37, अंक 23.
2. क्या अहिंदी लेखकों का सही सत्कार हुआ ? पृष्ठ 17, धर्मयुग, 9 फरवरी, 1975.

एकांगी है क्योंकि हिंदी साहित्य के अखिल भारतीय स्वरूप को उजागर करने के लिए न केवल दक्षिण भारत के हिंदी साहित्यकारों का मूल्यांकन किया जाना आवश्यक है वरन् सर्वथा उपेक्षित सुदूर पूर्वांचल के राज्यों (मिज़ोरम, त्रिपुरा, मणिपुर, नागालैंड, अरुणाचल, असम तथा मेघालय) के हिंदी साहित्य सेवियों के कृतित्वों का मूल्यांकन किया जाना भी अपरिहार्य है। तभी हम हिंदी भाषा और हिंदी साहित्य को भारतीय एकता की कड़ी के रूप में प्रस्तुत कर सकेंगे और एक सम्यक् न्यायसंगत हिंदी साहित्य का इतिहास प्रस्तुत कर सकेंगे।

यद्यपि इस शोध प्रबंध का उद्देश्य हिंदी साहित्य का अखिल भारतीय स्वरूप प्रतिपादित करना न होकर केवल पूर्वांचल के अनचिते हिंदी भाषा और साहित्य की सेवा में समर्पित हिंदी सेवियों की सेवाओं का संक्षिप्त ब्यौरा देना भर है, ताकि भविष्य में अखिल भारतीय हिंदी साहित्य का इतिहास लिखने वाली संस्थाओं/व्यक्तियों का मार्गदर्शन हो सके।

अब तक के विवेचन से यह स्पष्ट हो चुका है कि हिंदी का प्रचार-प्रसार पूर्वांचल के तीन प्रांतों, मिज़ोरम, मणिपुर और असम में सर्वाधिक हुआ। यही कारण है कि हिंदी में मौलिक लेखन कार्य भी इन तीनों प्रांतों में अधिक हुआ। अतः इन तीनों प्रांतों के हिंदी लेखकों, साहित्यकारों एवं अन्य हिंदी सेवियों के योगदान का विवेचन समीचीन होगा।

(क) मिज़ोरम

वी० एल० ङाहका

आपका जन्म बुट्बान गाँव में 31 दिसंबर, 1932 को हुआ था। 1942 में लुङमुआत में आ बसे। यहीं से शिक्षा का प्रारंभ हुआ और प्राइमरी तथा मिडिल परीक्षा प्रथम श्रेणी में उत्तीर्ण की। सन् 1967 में गुवाहाटी विश्वविद्यालय से राजनीति विज्ञान में एम० ए० की उपाधि प्राप्त की। सन् 1982 में उत्तर-पूर्व पहाड़ी विश्वविद्यालय (NEHU) शिलांग से एम० एड० की परीक्षा में बैठ चुके। सन् 1956-57 में आप बेसिक टीचर ट्रेनिंग संस्थान में हिंदी शिक्षक के रूप में कार्य कर चुके। इससे पूर्व सन् 1954 में आप हिंदी प्रचारक के रूप में कार्यरत थे।

हिंदी सेवा

आपकी उल्लेखनीय हिंदी सेवा व्याकरण और तुलनात्मक शब्द कोश के क्षेत्र में है। आपके द्वारा निर्मित हिंदी-मिज़ो शब्दकोश असम प्रकाशन समिति, गुवाहाटी से प्रकाशित किया जा चुका है।

टिप्पणी

कथित कुछ त्रुटियों के साथ प्रयास श्रम-साध्य होने के कारण सराहनीय है।

आपने एक हिंदी व्याकरण की भी रचना की है, जो जूनियर स्तर के हिंदी छात्रों को दृष्टि में रखकर लिखा गया है। हिंदी भाषियों की दृष्टि में यह रचना त्रुटिपूर्ण हो सकती है, लेकिन अहिंदी भाषी द्वारा व्याकरण लेखन की दिशा में किया गया यह प्रथम और दिशा-बोधक प्रयास है। मेरी व्यक्तिगत धारणा है कि सुदूर पूर्वांचल के हिंदी सेवियों के सर्जना संसार को उनकी उत्साह की दृष्टि से आँका जाना चाहिए। हिंदी भाषी क्षेत्र के मानक से जाँचना किसी भी प्रकार न्यायसंगत न होगा।

सी० कामलोवा

सी०कामलोवा एक मामूली पढ़े-लिखे माता-पिता के पुत्र हैं। अतः उनके निश्चित जन्म के बारे में कुछ कहना कठिन है। अनुमानतः उनका जन्म सन् 1942 ठहराया जा सकता है। आपके पिता मस्त फौजी थे। फलतः सन् 1952 में अपना जन्मस्थल मामपुइ छोड़कर पिता के साथ जयरामपुर जाना पड़ा। वहीं पर हिंदी के माध्यम से आपकी शिक्षा का प्रारंभ हुआ। आप अपने संस्मरण सुनाते हुए कहते हैं कि प्रारंभ में वे शिक्षकों के व्यवहार से अति-प्रभावित थे। परंतु जैसे ही सीनियर और नटखट छात्रों के संपर्क में आये, अध्यापक उनकी उपेक्षा करने लगे। फिर क्या था, कानों का लाल होना, गृहकार्य न करके लाने पर छड़ियों द्वारा हथेलियों का लाल हो जाना, आये दिन के उपहार हो गये। विविध प्रकार के दंडों की टीस-स्मृति की संपत्ति अभी तक बनी हुई है। जयरामपुर के सैनिक स्कूल से आर० बी० एफ० सी० हायर सेकेंडरी स्कूल, मेरठ तक की अध्ययन-यात्रा का इतिहास भी सुख-दुःख का मिश्रण रहा है, जिसकी यादें कवि के भावुक हृदय पर आज भी अंकित है।

सी० कामलोवा 1963 में भारतीय सेना में दाखिल हुए, एक दशक के पश्चात् 1973 से हिंदी शिक्षक के रूप में कार्य करने लगे और अवकाश के क्षणों में राष्ट्रभाषा हिंदी की सेवा करने लगे।

साहित्य प्रेरणा

आप में चौथी कक्षा से ही शब्दों को जोड़ने की आदत पड़ गयी, जो निरंतर विकासोन्मुख रही। उन्हीं के शब्दों में—"शब्दों की आँख-मिचौली में भावों की अभिव्यक्ति के लिए हिंदी को माध्यम बनाया।

"समाज के टूटते रिश्ते, अविश्वास और स्वार्थ के समुद्र में डूबती-उतराती मानव जाति, जुड़ने की प्रक्रिया में दिन-दिन टूटते लोग और दिन-दिन बिगड़ती

मानवीय दशा को देखकर मन आदर से बहुत ही कसैला हो जाता है।

"कदम-कदम पर टूटते-बिखरते पुरुषार्थ को देखकर भविष्य का प्रश्न झकझोर उठता है। यही सब परिस्थितियाँ मुझे कलम उठाने को मजबूर करती हैं।"

पूर्वांचल के इस हिंदी के लाल की कतिपय कविताएँ अविकल रूप से यहाँ प्रस्तुत हैं। 'कथ्य' और 'शिल्प' का परिचय इन कविताओं में देखना अधिक समीचीन होगा।

हारा हुआ पुरुषार्थ

उनींदी साँझ की प्रथम पहर से
नीरव, निश्तब्ध रात्रि को पार कर
भोर के प्रथम किरण तक का
एक लंबा सफर
तय कर गया 'वह'
वाह !
कितनी बड़ी घटना
इस शहर में
अनजाने ही घटित हो गयी।
बाद में
लोग बाग
उसकी इस वीरता पर
वाह-वाह कर उठे
पर सभी वास्तविकता से
कोसों दूर
इस संघर्षपूर्ण यात्रा की
सफलता का राज तो
बस इतना ही था
कि—
उसने
इच्छाओं के समुद्र में
भावनाओं के नाव को
कल्पना की पतवार से
कुशल खिवैये की तरह
किनारे की ओर
बढ़ाना ही छोड़ दिया था।

नारा

जिस तरह लहरों का
आपसी संघर्ष ही
नदी का भँवर होता है
उसी तरह—
विचारों का सिमट जाना ही
वास्तव में
उसका फैलाव होता है।
तभी तो—
वर्षों से यहाँ लोग
जीने की प्रक्रिया में
क्षण-क्षण मर रहे हैं।
अपनी-अपनी मूक पीड़ा को
ढोते, सहलाते
अपना अलग मौलिक इतिहास
रचते, गढ़ते
एकता और प्यार
निर्माण और उन्नति।
नारों की नदी
बहाते आ रहे हैं
मैं, मैं की घृणित आवाज
यहाँ, वहाँ सर्वत्र
लेकिन क्या नारों के पर्त को
एक-एक कर
उधेड़ा जा सकता है?
उधेड़ा भी जाए तो क्या
केवल नारों की
बेकार गुदड़ी से
भूख-प्यास को
मिटाया जा सकता है?

समझौता

ला-इलाज मर्ज ने
एक दिन
हताश स्वर में···
विष के प्याले से कहा—
आओ !
क्यों न हम दोनों
सौंदर्य रूपी छलावे को ही,
प्याले में ढाल उसे
जाय के उपनाम से
सुशोभित कर दें,
दीवानों की महफिल को
प्रथम और अंतिम उपहार !!
जो ला-इलाज मर्जी का
इलाज ?
वैज्ञानिक ढंग से
किया करेगी।

उलझन

मन कहता है—
कुछ तो पढ़ो-लिखो।
ज्ञानार्जन का
सुनहरा मौका
व्यतीत होता जा रहा है।
मस्तिष्क कहता है—
कुछ और भटको।
खुली वादियों में
भटकने का मजा
अर्थहीन होता जा रहा है।
दर्द कहता है—
चुप रहो शांत !
पुराने घावों से

वर्षों का जमा पीप
अब
रिसना ही चाहता है ।

सच्चाई

नये भवन के
हर्षित दीवारों से
सदियों का टूटा
एक
खंडहर ने कहा—
"ओ···अहंकारी !
क्यों तुझे नाज इतना ?
अपने क्षणिक सुंदरता पर !
इतिहासों की जो कड़ी
मेरे सीने में है संचित
वह तेरे इन
अर्थहीन सौंदर्य में कहाँ ?

श्री सेलेत थङा

श्री सेलेत थङा द्वारा रचित हिंदी सीखने की पुस्तक-एक (हिंदी जिरना बू-1) 1 मार्च, 1980 तथा हिंदी सीखने की पुस्तक-दो (हिंदी जिरना बू-2), 2 अक्टूबर, 1978 भी प्रस्तुत प्रसंग में उल्लेखनीय है ।

(ख) मणिपुर

हजारी मयुम गोकुलानंद शर्मा

शर्मा जी का जन्म 3 फरवरी, 1924 तदनुसार फागुन मास के कृष्ण पक्ष तिथि त्रयोदशी, दिन रविवार के चौथे पहर ठीक संध्या समय इम्फाल ख्वाइरम्बंद बाजार के निकट नागमपाल नाम के स्थान में हुआ था । आपका पालन-पोषण ठीक प्रकार से हुआ । आपके पिता का नाम है गोरहरि शर्मा और माता का नाम इबेमहल देवी है । कुछ वर्षों के पश्चात् पारस्परिक अनबन के कारण माँ को तलाक दे दिया गया । परिणामस्वरूप आपका और आपकी छोटी बहन का लालन-पालन ननिहाल में हुआ । आप बचपन से ही कर्मठ और आज्ञाकारी थे । परंतु इन विस्थापित पारिवारिक परिस्थितियों के कारण शिक्षा-दीक्षा ठीक

प्रकार से नहीं हो सकी । जब आप 17 वर्ष की अवस्था के थे, पिताजी स्वर्गलोक सिधार गये । इन परिस्थितियों से जूझते हुए 24 वर्ष की अवस्था प्राप्त करने के बाद आपके मन में शिक्षा प्राप्त करने की लगन जागी । उस समय भारतवर्ष में स्वतंत्रता संग्राम अपने पूर्ण यौवन पर था, जिससे प्रभावित होकर शर्मा जी राष्ट्रीय एकता के पुजारी बन गये और उसकी पूर्ति हेतु राष्ट्रीय एकता की कड़ी हिंदी शिक्षा के प्रचार-प्रसार में लग गये । परंतु माताजी ने आँसू बहाते हुए विवाह करने का आग्रह किया, तो दो वर्ष तक शिक्षा प्राप्त करने की शर्त पर आपने माता-जी की विवाह की शर्त को स्वीकार कर ली । 21 अप्रैल, 1947 की शाम को ठीक चार बजे उरिपोक हिंदी स्कूल, इम्फाल में राष्ट्रभाषा हिंदी की प्रारंभिक शिक्षा लेना आरंभ किया । प्रतिभाशाली शर्मा जी ने नये सिरे से शिक्षा लेते हुए छः माह के अंदर राष्ट्रभाषा हिंदी में अपनी मौलिक जीवन कहानी लिख डाली । इस अप्रत्याशित परिश्रम के परिणामस्वरूप शर्माजी रोग का शिकार हो गये। स्थानीय प्राकृतिक चिकित्सक के साथ उदार तेलेम योगेन्द्र सिंह जी के मुख उपदेश से आप स्वयं उपचार करने लगे । जिसके अंतर्गत कभी-कभी पाँच दिन तक उपवास करते-करते स्कूल में उपस्थित होते । उनकी इस अद्भुत सहनशीलता और अध्ययन अनुराग का, क्षेत्र के लोगों पर पर्याप्त प्रभाव पड़ा । उनके अध्यापन में उनकी माताजी, पूरा समाज, जीवन निर्वाह की कठिनाइयाँ आदि एकजुट होकर एक-एक कर रोड़े अटकाते रहे और शर्मा जी उन्हें एक-एक कर अपने रास्ते से हटाते हुए निरंतर आगे बढ़ते रहे । फलतः सन् 1950 ई० में शर्मा जी राष्ट्रभाषा कोविद परीक्षा में उत्तीर्ण हुए । इसके पश्चात् संस्थागत विद्यार्थी के रूप में पढ़ना छोड़ दिया । परंतु स्वाध्याय के सहारे व्यक्तिगत परीक्षार्थी के रूप में शिक्षा साधना में लगे रहे 1 जुलाई, 1950 में आपकी मणिपुरी रचना 'शंकरवं शैरें'— आत्मबोध कविता प्रकाशित हुई । इसके पश्चात् शर्मा जी कहानी और कविताओं की रचना कर राज्य सरकार के शिक्षा विभाग की प्रतियोगिताओं में पुरस्कार प्राप्त करते रहे । इसी क्रम में सन् 1957 ई० में आपने राष्ट्रभाषा रत्ना परीक्षा इम्फाल केंद्र से उत्तीर्ण की । 22 अगस्त, 1959 ई० को बुनियादी शिक्षा संस्थान, मणिपुर सरकार में हिंदी अध्यापक नियुक्त हुए । शर्मा जी ने मणिपुर के मुख्यायुक्त कमिश्नर जगत मोहन रैना जी की पत्नी श्रीमती विमला रायना के लिखे हुए हिंदी नाटक 'सवेरा' का मणिपुरी में रूपांतरण किया । स्थानीय विख्यात नाटककार श्री जी० सी० तोंब्राजी के लिखे हुए नाटक 'श्रीमती लिकली' (मिस बोतल) के नाम से आपने 27 घंटों में अनुवाद किया ताकि उसे मणिपुर के रूप मेल आर्टिस एसोसिएशन द्वारा पंचवर्षीय योजना के अंतर्गत दिल्ली में अभिनीत किया जा सके । 14 जून, 1960 ई० में समकालीन शिक्षा निदेशक एस०डी० बहुगुणाजी से अनुमति लेकर आपने वांखे राष्ट्रभाषा महाविद्यालय, इम्फाल की स्थापना की,

ताकि राष्ट्रभाषा हिंदी में सुदूर पूर्वांचलवासी मणिपुर निवासियों को शिक्षित कर उन्हें राष्ट्रीय धारा से जोड़ा जा सके और भारत में हो रही बहुमुखी प्रगति से राष्ट्रभाषा के माध्यम से उन्हें अवगत रखा जा सके। राष्ट्रभाषा की सेवा में समर्पित होने के कारण ही शर्मा जी छात्र-छात्राओं के घर-घर जाकर उन्हें हिंदी अध्ययन के प्रति प्रोत्साहित किया करते। इस लगन के कारण सन् 1968 ई० में न केवल उन्होंने सरकारी पद ही छोड़ा वरन् सांसारिक मान-मर्यादा की भी कोई चिंता नहीं की।

शर्मा जी ने निम्नलिखित बहुमुखी विधाओं की रचनाओं से मणिपुरी साहित्य को समृद्ध किया है—

(1) लैचन हुम्फु (कविता संग्रह)

(2) पामजबा लैचन (एकांकी संग्रह)—यह संग्रह अभी हाल में ही प्रकाशित हुआ है।

शर्मा जी समय-समय पर हिंदी साहित्य में जो सृजन करते रहे, उसका संक्षिप्त विवरण इस प्रकार है—

कविता संग्रह

(1) अंतर्नाद शतक
(2) द्वितीय अंतर्नाद शतक
(3) तृतीय अंतर्नाद शतक
(4) चतुर्थ अंतर्नाद शतक
(5) शुद्ध नाद
(6) वीर नाद
(7) प्रगति संग्रह

इसके अलावा कुछ कहानी संग्रह और नाटक भी शर्मा जी ने लिखे। शर्मा जी की रचनाओं का प्रयोजन विश्व शांति है। उनकी रचनाएँ जीवन के महत्त्व की प्रतिपादक हैं। राष्ट्रीय और विश्व स्तर पर सुरसा की तरह मुँह बाये खड़ी समस्याओं के समाधान की ओर उन्मुख है। शर्मा जी का यह कवि रूप 'त्याग की महिमा', 'शुद्ध शक्ति', 'सखी', 'स्वयं मानव ईश्वर है', 'फूल', 'दीपक', 'जीवन संदेश', 'माली', जैसे शीर्षक नाम की कविताओं में देखा जा सकता है। शर्मा जी राष्ट्रभाषा की महत्ता के प्रतिपादन के साथ-साथ मणिपुरी भाषा को उसका उचित

स्थान दिलाने के लिए 'हिंदुस्तान'[1], 'दिनमान'[2] जैसे अखिल भारतीय हिंदी पत्रों में लिखते रहे।

शर्मा जी की कतिपय कविताएँ कथ्य और तथ्य को समझने के लिए प्रस्तुत हैं—

सखी

सखी ! जीवन प्रगति के प्रांगण में, तेरे मधुर वचन सुनकर।
मैं शुद्धि से आया संसार की सारी, संपत्तियाँ तुझे सौंपकर।।
काम, क्रोध, मद आदि की चिंता नहीं, तुझे पाकर।
विशुद्ध विश्वास के पथ पर रहा सुख-संतोष से आगे बढ़कर।।

मैंने तुझको भी बताया, भावी जीवन की मुसीबतों के मार्ग में।
सांसारिक तूफानों के झोंके, बार-बार लगने पर तेरे मन में ।।
क्या तेरा मधुर वचन, कड़वा बनेगा प्रेम के पथ में ?
साहस की कड़ी टूटेगी, क्या तेरे स्वार्थ का समाचार पाने में ?

तूने विश्वास दिया, प्रश्न के उत्तर में, पक्की बात है।
वही होता रहेगा, जो मैंने वचन दिया है ।।
तेरे वचन की चाल से, मेरा मन पूरा हारा है।
अर्पित किया जीवन अपना, मैंने संतोष पाया है ।।

प्रिये, अभी बदले इस चलन से, क्या तेरे मन में,
विशुद्ध आनंद की मधुर लहरें उठीं निश्चित रूप में ?
भावी जीवन की शुद्ध समृद्धि—प्रगति, होती रहेगी असल में।
कोई पछतावा नहीं होगा, तेरे हृदय के किसी कोने में ।।

तेरे शुद्ध संतोष का सच्चा स्वरूप बता देना मुझे।
तेरी सच्ची उन्नति ही शुद्ध आनंद है मुझे ।।
झूठे आचरण से कभी, किसी के जीवन में सच्ची उन्नति हुई ?
क्या शुद्ध साहस छिपाने में, तेरी शुद्ध भलाई हुई ?

---

1. मणिपुर में हिंदी के प्रचार का प्रयास—हिंदुस्तान, 4 मार्च, 1983, गुरुवार, पृष्ठ 6, कालम-2.
2. हिंदी का गौरव—दिनमान, टाइम्स ऑफ इंडिया प्रकाशन, 14-20 दिसंबर, 1980, पृष्ठ 1, कालम-1.

स्वयं मानव ईश्वर है

जन्म से मानव के शरीर में, ईश्वर गुण शक्ति है।
सांसारिक प्रबल आवेग से, वह हुआ पतित है।
उसके शुद्ध मन से जग में, ज्ञान ज्योति निकली है।
शुद्ध मन से असीम शक्ति का, विकास स्वयं आया है।

गर्व के रथ पर चढ़कर, जीवन व्यर्थ नष्ट है।
शुद्ध संयम से जीवन की आनंद लहर उठी है।
किसी भी चीज की संसार में, कभी कमी हुई नहीं है।
अनवरत श्रम से भी कभी, थकान हुई नहीं है।

सुनकर शुद्ध आत्मा की पुकार, शुद्धि से जाना ही है।
निराशा की चिंता रही नहीं, मंजु जीवन-गति में है।
विश्व शांति की, शुद्ध रोशनी, चारों दिशाओं में फैली है।
सुंदर संसार में आकर, स्वयं मानव ईश्वर है।

शुद्ध शक्ति

शुद्ध शक्ति के सामने, जग शक्ति टिकी नहीं।
भवावेग दीवार का, कुछ महत्त्व नहीं।
शुद्ध मन के क्षेत्र में असंभव काम नहीं।
शुद्धि से आगे बढ़ने पर डरना नहीं।

शुद्ध निष्ठा से निरंतर, साफल्य हुआ है।
क्षणिक मद का नहीं, स्थायी विश्वास है।
रगड़ते-रगड़ते भेद रेखा मिटी है।
स्वयं जग दीवार निज स्थान से है।

शुद्ध सिद्धि महत्त्व स्थिरता से रहा है।
कुंचिता का काला पर्दा, पथ से हटा है।
शुद्ध साहस प्रभुत्व सदा दृढ़ रहा है।
विघ्न बाधा का रोड़ा, जग मार्ग से हटा है।

त्याग की महिमा

तेरी वीरता का महत्त्व, कभी घटता नहीं।
जग प्रवाह में असफलता का, प्रश्न नहीं।
जीवन का कार्य निभाने में, घबरना नहीं।
कर्तव्य मार्ग से भागना, मुँह मोड़के नहीं।

तेरा यश गान आयीं, करने ये मुसीबतें।
सुखप्रद होती हैं, दुश्मन की कड़ी बातें।
शिक्षाप्रद हैं जीवन में, हमें बुरी आदतें।
शुद्धि क्षेत्र में अच्छी लगी, सारी ही कहावतें।

जो कठोर होता है, उसमें अच्छी नरमी है।
जो नरम होता है, उसी में ही कठोरता है।
शुद्ध मिलन से जग में, सौंदर्य निखरा है।
शुद्ध त्याग से संसार की, कल्याण प्राप्त है।

सैनिक

प्रिय सैनिक ! जीवन के प्रांगण में, तूने तो साहस दिखाया।
प्रिय राष्ट्र की रक्षा में हमको, तूने अपना दायित्व बताया।
शुद्ध लगन का तत्त्व जग में, कर्तव्य सिद्धि से तूने जताया।
त्याग की वेदी पर तो आकर, देशभक्ति का आदर्श सजाया।

अनुशासन की अनुपम लाभ तेरे आचरण से प्राप्त है।
तेरी वीरता की अच्छी कहानी से, हम तो बहुत प्रभावी हैं।
स्वच्छ चाँदनी की किरण पाने पर, समुद्र लहर उठी है।
तेरे साहसी चरित्र का मन में, ऋण भाव उत्पन्न है।

कठोर जीवन क्षेत्र में निकली, अटल विश्वास ज्वाला है।
तेरे आदर्श के सुंदर प्रतीक से, मंजु आशा-दीप जला है।
राष्ट्र की शुद्ध उन्नति-रक्षा में, तेरे दायित्व का महत्त्व है।
तेरे बलिदान की क्या ज्योति तो, अमर जीवन निशानी है।

फूल

फूल ! जीवन में सफलता का सुंदर पत्र लेकर तेरे हाथों में,
कठोर आघात लगने पर भी कर्तव्य-सिद्धि का मार्ग बताकर जीवन में,
खिला तू मधुरता का आदर्श दिखाकर स्थिरता से सारे जग में।
विद्यमान है सचिदानंद स्वरूप तेरे कोमल रंगीन शरीर में।

आवेग नहीं किसी स्वार्थ का तेरे चरित्र की पवित्र गति में।
आकांक्षा नहीं किसी फल की, स्वयं फल आया तुझमें।
कठिन चाल में जटिल जगत की, निराशा नहीं किसी दुख में।
भयंकर कष्ट काँटों के बीच प्रबल उत्साह नहीं छोड़ना जीवन में।

ऊँचे-ऊँचे चढ़े राही को, शत्रु पर्वत के कठिन मार्ग में,
जितनी जटिल गति है, उतना लाभ हुआ बढ़ने में।
हँसते-हँसते सामना करना, जाकर सबका सभी विषयों में।
अवश्य पहुँचना एक न एक दिन उन्नति के शिखर में।

उत्साह की कली कड़ी रही, तो फल न आया जीवन में।
लक्ष्य नहीं व्यर्थ खेल खेलना जीवन का इसी संसार में।
अमूल्य जन्मसिद्धि के हेतु अथक परिश्रम करना विश्व में।
भूलना कहीं कभी असीम ज्ञान की खानि है अपने में।

तुच्छ स्वार्थ के वश में रहना निराशाजनक है इसी संसार में।
शुद्ध भलाई करने से विश्व की, शत्रु नहीं रहेगा जीवन में।
शुद्ध सफलता स्वयं आयेगी, सेवा के अर्थ वीर के घर में।
मुग्ध हुआ सारा जग तेरे आचरण की सुंदर चाल में।

जो शुद्धि से बढ़ा, वही ईश्वर का प्रतिनिधि बना भव में।
कोई भिन्न नहीं किसी से, शुद्ध कर्म सिद्धि के लक्ष्य में।
कभी नहीं तोड़नी है, शुद्ध उत्साह की कड़ी जीवन में।
आयी है सफल जीवन की पारी स्वयं शुद्ध कर्म में।

दीपक

दीपक ! तू इतनी, सुंदर रोशनी लाकर,
अपनी मार्मिक जलन का रहस्य न सुनाकर,
अपने कर्तव्य मार्ग में, केवल व्यस्त रहकर,
लाभ देता है, जीवन का रास्ता बताकर ।

क्या तू स्वार्थांधे मनुष्य से, व्यंग्य करके,
उनके व्यर्थ गर्व को, यहाँ आमूल मिटाकर,
विश्व कल्याण का पाठ, सिखाता है पिघलकर,
अपना स्वार्थ नहीं देखता, दूसरों को देकर ।

तूने स्पष्ट बताया, यह उन्नति का मूल,
किसी भी समय में, मत करना भूल,
परोपकार धन नहीं, होता व्यर्थ धूल,
अमर जीवन हुआ, मार्मिक पाना शूल ।

ऐसा सुंदर पाठ, तूने किससे सीखा ?
इसमें अपने प्रियतम का, मधुर संदेश लिखा,
विशुद्ध आनंद का, सुंदर प्रकाश आँखों में दीखा,
स्वार्थ कार्य के पाशाघात से जग चीखा ।

असीम अमृत रस को तूने, यहाँ व्यक्त किया ।
जीवन का विकास आराम में नहीं, जलन में पाया,
विशुद्ध ज्ञान दूसरों से नहीं, अपने से कमाया,
शुद्ध परिश्रम से जीवन में, सब धन पाया ।

तूने इतने सुंदर, आदर्श का पाठ सिखाया,
निःस्वार्थ जलन का महत्त्व, जग को स्पष्ट बताया,
सच्चे सहयोग का फल, तूने प्रदान किया,
विशुद्ध विश्व शांति का, रहस्य तूने दिखाया ।

जीवन संदेश

लगने पर भी बार-बार जीवन तरु को तीर,
अनवरत सींचा जाये, तो शुद्ध मन का नीर,
कभी नहीं सूखा है, जीवित वह चिर,
चाहे प्रलय मुसीबतें आयें, नहीं हटा वीर।

तूने समझा अमर वृक्ष, त्याग की मिट्टी में उगा।
स्वार्थ के प्रबल आवेग से है, विश्व को विष लगा !
द्वेष लोभ का रंगीन कपड़ा, सामने व्यर्थ टाँगा।
जीवन गाड़ी के धुरे पर है पवित्र तेल ओंगा।

अपने गुणों का तूने, किस काम में उपयोग किया ?
विश्व की शुद्ध भलाई का, तूने काम कैसे किया ?
शक्ति का आभास तुझे, क्या पसंद नहीं आया ?
अपने शुद्ध जीवन में, महत्त्व का दीप कैसे जलाया ?

अपने अहंकार की दीवार, तूने किस हेतु बनायी ?
विश्व की बरबादी के मार्ग में, अपनी बाँह क्यों उठायी ?
विशुद्ध शांति की इमारत, तूने क्यों नहीं बनायी ?
विनाश के हेतु तूने, तंग गली क्यों दिखायी ?

तूने अपनी शक्ति को, स्वार्थ के कुहरे में क्यों छिपाया ?
किस कारण निराश मार्ग में, तूने अपने को चलाया ?
अमर दीपक को विश्व के सामने, क्यों नहीं दिखाया ?
प्रेम मार्ग तूने सबको, क्यों नहीं बताया ?

मित्र ! जीवन ज्ञान भंडार में कोई कमी नहीं।
केवल शुद्ध त्यागने पर भव में, शत्रु रहेगा नहीं।
विश्व की शुद्ध भलाई के पथ पर कोई बाधा नहीं।
शुद्ध मन के आगे जीवन में, विरोध रहता नहीं।

माला

माला ! तूने लेकर, जीवन में समन्वय की नीति,
विषमता में रखी समता, प्रेम की सुंदर रीति,
बिखरे हुए फूलों को, गूँथकर कमल की भाँति,
विचित्र सौंदर्य सजाकर दिखायी विश्व की शांति ।

तूने बताया कई भिन्न प्रकारों वाले संसार में,
शुद्ध एकता-धारा, बही सदा जीवन में,
सुंदरता का स्वाभाविक चलन, चला शुद्ध एकता में,
ज्ञान का शुद्ध मार्ग, रहा विशुद्ध प्रेम में।

प्रेम-धारा टूटी, फूल बिखरे व्यर्थ,
सच्चा सौंदर्य नहीं, हुआ जीवन अनर्थ,
शुद्ध उत्साह रहा, कोई नहीं असमर्थ,
सच्चे परिश्रमी के हाथ में, आये सारे अर्थ ।

तूने दर्शाया एकता में रही अनेकता है,
अनेकता में रही एकता विद्यमान सदा है,
सच्चे माली के हाथ में पूर्ण कला है,
विशुद्ध मन से फूला जीवन फूल है ।

स्वार्थ की संकीर्ण दृष्टि से आयी विषमता है,
जीवन तरु सूखा गर्व के प्रहार से है,
प्रेमाभूत के मधुर रस से जीव जिया है,
आगे शुद्ध शक्ति के संसार हारा है ।

जीवन के शुद्ध मार्ग में कोई भिन्न नहीं,
सुनकर शुद्ध नाद कोई भागा नहीं ।
प्रेम का शुद्ध उपहार किसी ने फेंका नहीं,
जीवन की शुद्ध प्रगति में किसी का अपराध नहीं ।

लोइतोंगबम कालाचांद सिंह

भारतवर्ष के पूर्वी सिंहद्वार के रूप में जाने माने मणिपुर प्रांत के प्रमुख हिंदी सेवी श्री लोइतोंगबम कालाचांद सिंह का जन्म 17 जून, 1918 को मोइराङ खोम

भाखा, चुमनाम लेइकाइ, इम्फाल में हुआ था। आपके पिता का नाम एल० अमूसिंह, माता का नाम चिंगारूम अमूबी देवी तथा विमाता का नाम अकोइजाम कमला देवी था। विमाता के प्रथम पति का नाम अमूसिंह था और वे वंध्या थीं और उन्होंने एल० कालाचांद सिंह का पालन-पोषण किया था। कालाचांद सिंह ने सन् 1941 में कलकत्ता विश्वविद्यालय से मैट्रिक की परीक्षा पास की, सन् 1954 में आपने राष्ट्रभाषा 'कोविद' की परीक्षा उत्तीर्ण की और 1957 में जूनियर बेसिक ट्रेनिंग।

उक्त एकेडेमिक शैक्षिक योग्यताओं के साथ कालाचांद सिंह ने बढ़इगिरी एवं कारीगरी जैसी अन्य प्रविधिक योग्यताएँ अंगोम निंगथाव सिंह उर्फ नेत्रजीत के शिष्यत्व में अर्जित कीं।

भारतीय प्राचीन संगीत कला में भी आपकी विशेष रुचि है। और इसकी शिक्षा आपने नमेररक्यम कालाचांद सिंह से पायी थी। श्री सिंह प्रकृति से नाटक प्रेमी भी रहे हैं और मणिपुरी में एकाधिक नाटकों की भी रचना की है। 'अतोम्बा जी बागी रचना', 'अंगगी ड्रामा मचा', 'अहोम' (चिल्ड्रेंस थ्री प्लेज), 'लावनम' (सामाजिक नाटक), 'उमजाउ लाइरेमबी' (नैतिक नाटक), 'शिक्षक अहंबा' (प्रारंभिक प्राचीन संगीत)आदि मणिपुरी रचनाएँ ओ० के० स्टोर पाउना बाजार, इम्फाल से प्रकाशित हैं।

श्री सिंह मणिपुर राष्ट्रभाषा प्रचार समिति, इम्फाल के अध्यक्ष रह चुके हैं। आपने मणिपुर जनमानस में गहरी पैठी 'खंब-थोइबी' की लोक कहानी को राष्ट्र-भाषा हिंदी में उपन्यास के रूप में प्रस्तुत किया। इस पुस्तक का आधार स्व० हाउदैजम् यैते की खंब थोइबी और स्व० हिजम अडाहल की खंब-थोइबी भाग-1 रहे हैं। इस उपन्यास के प्रयोजन पर प्रकाश डालते हुए उपन्यासकार कालाचांद सिंह ने दो शब्द के अंतर्गत इस प्रकार लिखा है—"मणिपुर और मणिपुर के बाहर के हिंदी जानने वाले व्यक्ति भी इसे पढ़ सकें और इसकी लोकप्रियता अधिक से अधिक फैले।"

आचार्य राधा गोविंद कविराज

आचार्य राधा गोविंद कविराज जी का जन्म 16 फरवरी, 1942 को राजस्थान के गुलाबी नगर के रूप में विख्यात जयपुर में हुआ था। आपके पितामह ललित मोहन कविराज एक कुशल वैद्य के साथ-साथ वैष्णव पदावली के गायक तथा ब्रज वैष्णव शिरोमणि पंडित थे। पद्मश्री माइसनाम गुरु अभूवी सिंह मणिपुरी नृत्य के विख्यात गुरु ललित मोहन कविराज के शिष्य थे। राधा गोविंद के ताऊजी संगीत आचार्य कृष्णदास कविराज उर्फ किशनजी उस्ताद जयपुर के जाने-माने संगीत कला पुनरुद्धारक थे। आपके मातामह नवकुमार ठाकुर नृत्य-नाथ शैली

को जन्म देने वाले और मणिपुरी नृत्य के प्रथम आचार्य थे। आपके गुरुदेव कवींद्र रवींद्र नाटक 'नटीर-पूजा' को नृत्य-नाटक शैली में सर्वप्रथम प्रभावशाली ढंग से प्रस्तुत किया था। नवकुमार ठाकुर द्वारा संपादित मणिपुरी नृत्यों की महात्मा गांधी जी ने भूरी-भूरी प्रशंसा की थी।

आचार्य राधा गोविंद कविराज जीवन के प्रारंभिक काल से ही समाज को समर्पित रहे हैं। इस उद्देश्य की पूर्ति के लिए आपने 12 वर्ष की अल्प आयु में ही वृंदावन में 'बाल कृष्ण सेवा समिति' की स्थापना की थी। दस वर्ष की अवस्था में ही काव्य रचना कर 'होनहार बिरवान के होत चिकने पात' का संकेत देने लगे थे। सन् 1962 में 'भारत प्रहरी से' भारती में प्रकाशित हुई। आप सन् 1954 से ही नवभारत टाइम्स में पाठकों के पत्र स्तंभ में लिखते आ रहे हैं। साथ ही लेख, कहानी और कविताएँ भारती, धर्मयुग, साप्ताहिक हिंदुस्तान, बालक, अकेला राष्ट्रसेवक, मैतैलेमा, उरिपोक और समन्वय आदि में प्रकाशित होते रहे हैं।

जयपुर में जन्मे मणिपुर को कार्यक्षेत्र बनाने वाले आचार्यजी 1961 से 1965 तक त्रिपुरा में त्रिपुरा हिंदी प्रचार परिषद् की स्थापना कर हिंदी के प्रचारक और प्रसारक की भूमिका अदा कर चुके हैं। सन् 1972 के दिसंबर में हिंदी शिक्षक संघ, मणिपुर ने आपको सर्वसम्मति से महासचिव चुना। इस हिंदी शिक्षक संघ की स्थापना में आपकी भूमिका सक्रिय और सराहनीय थी। सन् 1973-74 में मणिपुर राज्य में चलने वाले हिंदी शिक्षक आंदोलन को आपने नेतृत्व प्रदान किया था। और इसी क्रम में 17 मई, 1974 को 'हिंदी शिक्षक जागृत दिवस' के रूप में मणिपुर तथा राष्ट्रभाषा हिंदी के इतिहास में सदा के लिए स्मरणीय बना दिया। 'अखिल मणिपुर हिंदी शिक्षक संघ' के द्वारा आचार्य जी सारे भारत में एक वैचारिक क्रांति को प्रसारित करने की जी-जान से जुटे हुए हैं। इस प्रयत्न के द्वारा आपने अहिंदी भाषी क्षेत्रों के हिंदी शिक्षकों के बीच जागरण लाने का प्रयास किया। इस अभियान को दम और दिशा देते रहने के लिए ही आपने सन् 1975 ई० से अखिल मणिपुर हिंदी शिक्षक संघ द्वारा विशुद्ध हिंदी पत्रिका 'हिंदी शिक्षक दीप' का प्रकाशन प्रारंभ कर दिया है।

आपकी निरभ्रांत धारणा है "अगर अहिंदी भाषी क्षेत्रों की हिंदी शिक्षकों में राष्ट्रभाषा हिंदी के प्रति प्रेम तथा आत्मीयता पैदा कर दी जाये, तो ये हिंदी शिक्षक हिंदी प्रचार करने वाली संस्थाओं तथा प्रचारकों से दस गुना अधिक कार्य कर सकते हैं। क्योंकि आज स्कूलों में भावी भारतीय नागरिकों की शत-प्रतिशत जनसंख्या हिंदी पढ़ती है।"

आचार्य जी व्यक्ति के साथ-साथ अपने-आप में एक संस्था हैं। समाज और राष्ट्र से भी संस्थाएँ खड़ी करना और उनमें प्राण-प्रतिष्ठा करना आपके जीवन का मिशन है। 'मणिपुर कल्चरल इंटीग्रेशन कान्फ्रेंस' के संस्थापक सदस्य हैं।

'वेद प्रचारक आर्य सभा' के आप संस्थापक एवं महामंत्री हैं। श्री वृंदावन के सदस्य हैं। मणिपुर हिंदी एकेडेमी के संस्थापक सदस्य भी हैं।

आपकी हिंदी कविताओं का संकलन 'क्षितिज सा ध्येय' नाम से 'आनंद कृष्ण साहित्य कला संगम' उरिपोक, इम्फाल (मणिपुर) से सन् 1976 में प्रकाशित हो चुका है। जिसको कवि ने हिंदी भाषा के विद्वान लेखक श्री निकोलाय ज्वेर्या जी को समर्पित किया है। ध्यान रहे श्री ज्वेर्या बुकारेस्त विश्वविद्यालय के हिंदी विभाग में हिंदी भाषा और साहित्य के प्राध्यापक हैं।

इस संग्रह की 'क्षितिज साध्येय', 'विनोदिनी दीन का सौभाग्य', 'कुलबुलाहट', 'युग की चेतावनी', 'नहीं परिचित यहाँ', 'घटती दूरी बढ़ते घेरे', 'पागल नहीं, गरीब है', यथार्थ का उद्घाटन तो करती हैं, साथ ही मन को स्पर्श कर एक टीस पैदाकर कुछ कर मर मिटने को भी प्रेरित करती हैं।

सी० एच० निशान नितम

श्री सी० एच० निशान नितम का जन्म सन् 1945 ई० में इम्फाल (मणिपुर) में हुआ था। आपने मैट्रिक तक की शिक्षा प्राप्त करने के उपरांत केंद्रीय हिंदी संस्थान से पारंगत की परीक्षा पास की। आपने हिंदी अध्यापक के रूप में कार्य करके जहाँ हिंदी शिक्षण का अनुभव प्राप्त किया और उसके बुद्धिजीवी समस्त रूप को सोचा-समझा है, वहीं आकाशवाणी, इम्फाल में हिंदी उद्घोषक की भूमिका निभाते हुए उसके जन-सामान्य रूप को भी आत्मसात किया है। आप मणिपुरी हिंदी एकेडेमी के सक्रिय सदस्य हैं।

इस वातावरण से प्रभावित आप दोनों भाषाओं (हिंदी-मणिपुरी) और उनके विपुल साहित्य में समान रुचि और गति रखते हैं। फलतः आपने स्वतंत्र लेखन कार्य की अपेक्षा मणिपुरी से हिंदी और हिंदी से मणिपुरी में अनुवाद को अपना जीवन लक्ष्य बनाया है। इस प्रकार आप हिंदी और मणिपुरी के साहित्य की समृद्धि में अपना योगदान दे रहे हैं।

अब तक आप निम्नलिखित रचनाओं का एक भाषा से दूसरी भाषा में रूपांतर कर चुके हैं—

(1) चित्रलेखा हिंदी से मणिपुरी में

(2) गोदान हिंदी से मणिपुरी में

(3) गबन हिंदी से मणिपुरी में।

चित्रलेखा का मणिपुरी रूपांतर जवाहरलाल नेहरू विश्वविद्यालय, इम्फाल की एम० ए० मणिपुरी पाठ्यक्रम में पाठ्य पुस्तक रूप में स्वीकृत है।

सेवासदन और कर्मभूमि का अनुवाद चल रहा है। डॉ० कमल सिंह की मणिपुरी रचना माधवी का आपने हिंदी में रूपांतर किया।

सन् 1983 में मणिपुरी हिंदी एकेडेमी, इम्फाल की स्थापना हो चुकी है, जिसके आप सक्रिय सदस्य हैं। इस एकेडेमी का लक्ष्य मणिपुरी से हिंदी और हिंदी से मणिपुरी में अनुवाद कार्य करना है।

श्री निशान निंतम से साहित्यकार के रूप में दोनों ही साहित्यों (हिंदी और मणिपुरी) को बहुत-सी आशाएँ हैं।

फुराइलातपम गोकुलानंद शर्मा

श्री फुराइलातपम गोकुलानंद शर्मा का जन्म 20 जुलाई, 1932 को ब्रह्मपुर पालेस रोड, इम्फाल में बुधवार के दिन हुआ था। आप स्व० फु० गोपालशर्मा के चौथे पुत्र हैं और आपका पालन-पोषण बचपन से ही सीधे-साधे परंतु प्रतिभा संपन्न बालक के रूप में हुआ। लेकिन अच्छी और उचित शिक्षा प्राप्त करने से वंचित रहे। फिर भी आपने अपने स्वाध्याय और श्रम के बल पर हिंदी का कामचलाऊ से कहीं अच्छा ज्ञान प्राप्त कर लिया है। बाल-विवाह के बंधन में बँध जाने के बाद भी पारिवारिक दायित्वों का निर्वाह करते हुए सामाजिक सेवा के सार्वजनिक क्षेत्र में प्रवेश किया।

हिंदी भाषा में जन्मजात रुचि होने के कारण आपने सर्वप्रथम 1958-1961 तक ब्रह्मपुर हिंदी जनता विद्यालय में प्रधानाध्यापक के पद पर कार्य किया। सन् 1961 से1963 तक हिंदी हाई स्कूल में एक सहायक हिंदी अध्यापक और उस विद्यालय की प्रबंध समिति के सदस्य की भूमिका निभायी। सन् 1963 से 1964 के मध्य आपको मणिपुरी हिंदी शिक्षक संघ के संचालक के रूप में नियुक्ति मिल गयी। और उन्हें बंबई हिंदी विद्यापीठ तथा महिला विद्यापीठ, प्रयाग की परीक्षाओं के इम्फाल केंद्र का अधीक्षक का कार्य भी सौंप दिया जिसे उन्होंने 1964-65 के अंतराल में सफलतापूर्वक निभाया।

श्री फु० गोकुलानंद शर्मा ने हिंदी में भाषारत्न की परीक्षा उत्तीर्ण की। उनके हिंदी प्रचार में कार्य की लगन और निष्ठा को देखते हुए उन्हें 1970 ई० में हिंदी प्रवीण की उपाधि से विभूषित किया गया।

श्री शर्माजी को 1973 ई० इम्फाल चाडापातमपाल के बाल कल्याण गृह (चाइल्ड नर्सिंग होम) का अध्यक्ष चुन लिया गया है। सन् 1973 से 1975 तक आप चाइडाड पोकपो में ट्राइबल हिंदी प्रचार सभा के परामर्शदाता के रूप में कार्य करते रहे और सन् 1975-76 के बीच ट्राइबल हिंदी प्रचार सभा के परीक्षा मंत्री भी रहे। सन् 1977 में आदिम जाति हिंदी प्रेस द्वारा प्रकाशित 'हिंदी मासिक' 'पार्वती वाणी' के संपादन का भी आपको सुअवसर मिला। सन् 1978 से आप नागा हिंदी विद्यापीठ, मणिपुर के अध्यक्ष बने हुए हैं और संप्रति कैथेल मानवी के आदिम जाति हिंदी के बिद्यालय के परामर्शदाता भी हैं।

आपकी हिंदी क्षेत्र में बहुमुखी प्रचार और प्रसार की सेवाओं को देखते हुए 9 मई, 1981 को ऑल मणिपुर पीरिओडिकल जोनलिस्ट एसोसिएशन का अध्यक्ष चुन लिया गया। संप्रति मणिपुरी हिंदी शिक्षक की ओर से प्रकाशित होने वाले मासिक 'युमशकैश' (मणिपुरी हिंदी जर्नल) नाम की हिंदी की एक नयी पत्रिका संपादन भी कर रहे हैं। इस पत्रिका की एक विशेषता यह भी है कि अहिंदी भाषियों के लिए हिंदी शिक्षण योजना के अंतर्गत लगातार शब्दावली या पाठ प्रकाशित करती है। साथ ही त्रै-भाषा सूत्र की पूर्ति के लिए अंग्रेजी हिंदी मणिपुरी की समानांतर पारिभाषिक शब्दावली भी क्रमशः प्रकाशित करती है।

एस० गोपेंद्र शर्मा

इम्फाल निवासी एस० गोपेंद्र शर्मा का जन्म 1 मार्च, 1939 को हुआ था। आपने हिंदी विषय लेकर बी० ए० की उपाधि प्राप्त की और कुछ समय तक प्रशिक्षित हिंदी अध्यापक के रूप में कार्य किया है। अद्यतन आप राष्ट्रभाषा शीघ्रलिपि कॉलेज संगा रोड, इम्फाल में कार्यरत हैं। इस कॉलेज को सन् 1976 से भारत सरकार की ओर से अनुदान मिलने लगा है। आकाशवाणी इम्फाल और दिल्ली से जून, 1972 में मणिपुरी संस्कृति, मणिपुरी समाज में संगीत का स्थान जैसे विषयों पर आपकी वार्ताएँ प्रसारित हो चुकी हैं।

एक सूचना के अनुसार आप 1965 से हिंदी से मणिपुरी और मणिपुरी से हिंदी नाटकों का अनुवाद कार्य करने में लगे हुए हैं और अब तक लगभग 201 कृतियों का अनुवाद कार्य पूरा कर चुके हैं। आपकी हिंदी में लिखित पुस्तक 'मणिपुरी संस्कृति—एक झाँकी' सन् 1972 में प्रकाशित हो चुकी है। शर्माजी की यह पुस्तक एक बहुचर्चित रचना है, जो मणिपुर प्रवेश की भाषिक संपदा, लोक गीतों में विद्यमान दर्शन, वहाँ के पुरातन ग्रंथ, रीति-रिवाज, उत्सव, खेल और खेलों में सन्निहित, ज्योतिष पर पर्याप्त प्रकाश डालती है।

डॉ० टी० कुंजकिशोर सिंह

मणिपुर प्रदेश में हिंदी के प्रचार और प्रसार कार्य से संबद्ध एक हस्ताक्षर हैं—डॉ० टी० कुंजकिशोर सिंह। आप हिंदी प्रचार के विविध कार्यक्रमों से अनेक वर्षों से अनेक रूपों में संबद्ध रहे हैं और सर्वत्र ही सफलतापूर्वक अपनी विविध भूमिकाओं को संपादित करते हुए राजकीय हिंदी शिक्षक प्रशिक्षक महाविद्यालय, इम्फाल के प्राचार्य पद पर पहुँचे।

आप हिंदी साहित्य के रचनात्मक पहलू से भी जुड़े हुए हैं। इस दृष्टि से आप मणिपुरी छात्रों के लिए हिंदी पाठ्य पुस्तकों (विशेष रूप से प्रारंभिक कक्षाओं के लिए) के सृजन में संलग्न हैं। इस संदर्भ में अन्य सह-लेखकों के योग से आपके

द्वारा तैयार कक्षा 6 के विद्यार्थियों के लिए 'हिंदी शिक्षण माला भाग-1' विशेष रूप से उल्लेखनीय है। भले ही पुस्तक में कुछ मूलभूत त्रुटियाँ दिखायी पड़े परंतु दिशा और उद्देश्य विशेष रूप से सराहनीय है। इस क्षेत्र में श्री सिंह से हिंदी को बहुत कुछ आशाएँ हैं।

(ग) असम

डॉ० मलिक मुहम्मद ने लिखा है—"यह (हिंदी) किसी संप्रदाय-विशेष अथवा प्रदेश-विशेष की भाषा न होकर संपूर्ण राष्ट्र की भाषा है और इस पर सबका समान अधिकार है। भारतीय सामाजिक संस्कृति की जितनी स्पष्ट अभिव्यक्ति हिंदी भाषा और साहित्य के माध्यम से हुई है, उतनी किसी भी दूसरी भारतीय भाषा माध्यम से नहीं। प्रारंभ से ही इसका विकास अखिल भारतीय भाषा माध्यम के रूप में हुआ हैं। हिंदी का जो विपुल साहित्य हमें उपलब्ध है, उसके निर्माण में अनगिनत अहिंदी भाषी साहित्यकारों ने अमूल्य कार्य किया है।"

असम राज्य भी उक्त कथन का अपवाद नहीं है। इसका हिंदी साहित्य के सृजन में मध्यकाल से ही योगदान रहा है। इस तथ्य को प्रतिपादित करते हुए परेशचंद्र देव शर्मा ने लिखा है—"असम और बंगाल में ब्रजभाषा के ही एक रूप ब्रजबुलि में अनेक कवियों ने कविताएँ लिखी थीं। श्री शंकरदेव की कविता इसका प्रमाण है।" इस तथ्य को प्रकारान्तर से सत्यापित करते हुए चित्र महंत जी ने लिखा है—"असम में प्राचीन काल में हिंदी कितनी लोकप्रिय थी, यह बात हमें शंकरदेव और माधवदेव की रचनाओं से ज्ञात होती है।"[1] इस प्रसंग में यह उल्लेख कर देना भी उपयुक्त होगा कि ये दोनों ही असमिया भाषी हिंदी कवि ईसा के पंद्रहवीं सदी में महाकवि तुलसीदास एवं सूरदास जी से पहले हुए थे।

हिंदी साहित्य के लेखक हिंदी के प्रारंभिक साहित्यकारों में सिद्धों और नाथों का भी उल्लेख करते हैं और इस दृष्टि से सरहपा को हिंदी का पहला कवि स्वीकार करते हैं जिन्हें असम के बहुत से विद्वान कामरूप जिले के रानी (राज्ञी) गाँव का निवासी मानते हैं। मीनानाथ, मीनपाल, महेंद्रनाथ, मछंदरनाथ, (मत्स्येंद्रनाथ) आदि नामों से विख्यात यथार्थत: एक ही व्यक्ति थे। इन मीन-नाथ को कामरूप का मछुआ वंशीय स्वीकार किया जाता है।

तिब्बती ग्रंथों में इन्हें लुइया नाम दिया गया है। इन्हें गोरखनाथ का गुरु और नाथ पंथ का प्रवर्तक आचार्य भी माना जाता है। हिंदी साहित्य के लेखक इन मीनपा को भी हिंदी के आदि साहित्यकारों में स्वीकार करते हैं। उदाहरण के लिए डॉ० बड़थ्वाल का, 'योग प्रवाह' और पंडित हरप्रसाद शास्त्री का 'बौद्ध-

---

1. राष्ट्रभाषा—विकास, प्रचार और प्रसार, पृष्ठ संख्या 35, 36।

गान ओ दोहा' देखे जा सकते हैं। इन दोनों ही साहित्यकारों का हिंदी के आद्य कवियों के रूप में ऐतिहासिक महत्त्व मात्र है, जबकि साहित्य की दृष्टि से इनका साहित्य नगण्य ही है। इस दृष्टि से असमिया के हिंदी साहित्यकारों में जो प्रथम नाम उभरता है, वह तो शंकरदेव ही है।

(1) शंकरदेव (सन् 1449-1568 ई०)

शंकरदेव का जन्म अक्टूबर सन् 1449 ई० में और निधन सितंबर सन् 1568 ई० में हुआ था। जन्म स्थल होने का सौभाग्य प्राप्त है नौगाँव जिले के बरदोवा नामक गाँव को। जब शंकरदेव छह-सात वर्ष के थे, तभी माता-पिता दिवंगत हो गये। बचपन और संरक्षकहीनता ने बालक शंकरदेव को अपेक्षाकृत अधिक नटखट और बातूनी बना दिया। खेलने के साथ पैतृक संपत्ति गायन में मस्त रहने लगा। जंगल में हिरण और पक्षी पकड़ना, ब्रह्मपुत्र में तैरना नटखट बालक शंकरदेव के दैनिक खेल हो गये। गोचारण और उनके साथ-साथ जंगल में भ्रमण, बालक शंकरदेव के दैनिक कार्य बन गये। शिक्षा से इस प्रकार विरत शंकर को दादी खेरसुती ने झकझोरा—एक थे तुम्हारे पिता, दादा, परदादा आदि ने जो विद्वान और कुशल शासक थे; दूसरी ओर हो तुम ! इतने बड़े हो गये हो, पर अब भी धींगामस्ती नहीं छोड़ी, न पढ़ना, न लिखना, शिरोमणि मुइयां परिवार की प्रतिष्ठा को धूल में मिलाने के अतिरिक्त तुमसे और होगा ही क्या···। दादी की झिड़क काम कर गयी। बालक शंकर का वंशानुगत स्वाभिमान जाग उठा। जंगल का खिलाड़ी विद्यालय के क्षेत्र में कौशल दिखाने लगा। पुस्तकें पढ़ना, पढ़ने से मन उचटने पर सुपारी (तांबूल) और मसाले रोंथना व्यसन बन गया। विविध उल्लेख इस बात का साक्ष्य प्रस्तुत करते हैं कि सात-आठ वर्ष के अल्प काल में ही शंकरदेव ने पुराण, तंत्र, योग, व्याकरण, महाकाव्य आदि पर अधिकार कर लिया। कुछ जीवनी लेखकों का कथन है कि इस समय तक शंकरदेव कविताएँ भी लिखने लगे थे। कुछ विद्वानों का विश्वास है कि हरिश्चन्द्र उपाख्यान आपने इसी समय लिखी थी।

स्वजनों की इच्छानुरूप सूर्यवती से पाणिग्रहण हुआ। फिर मुइयां के पैतृक राज्य का शासन सूत्र संचालन और कुछ काल के उपरांत एक पुत्री को जन्म देकर सूर्यवती का स्वर्गारोहण हो गया। परिणामस्वरूप शंकरदेव में वैराग्य का जन्म और भारत भ्रमण हेतु सन् 1481 में प्रथम बार गृह त्याग। जीवनी लेखकों के लेखानुसार इस प्रथम यात्रा के अंतर्गत शंकरदेव ने गया, वाराणसी, प्रयाग, गोकुल, वृंदावन, गोवर्धन, कालीदह, मथुरा, कुरुक्षेत्र, बाराहकुण्ड, सीताकुण्ड, अयोध्या, बदरिकाश्रम, जगन्नाथपुरी, रामेश्वरम् आदि तीर्थों का भ्रमण किया। कहा तो यहाँ तक जाता है कि 'मन मेरि राम चरण सिंह लागु' नाम का बरगीत

शंकरदेव ने बदरिकाश्रम में लिखा था।

लौटने पर सन् 1497 में पुनः विवाह बंधन स्वीकार किया। इस दूसरी बार परिणीता पत्नी का नाम कालिंदी था, जिससे तीन पुत्र और एक पुत्री का जन्म हुआ।

रचनाएँ

शंकरदेव की रचगाएँ असमिया-संस्कृत और ब्रजबुलि अथवा (हिंदी) भाषाओं में मिलती है, जिनका भाषावार उल्लेख इस प्रकार है—

असमिया रचनाएँ— (1) उत्तरकाण्ड (रामायण), (2) महाभागवत, (3) हरिश्चंद्र उपाख्यान, (4) रुक्मणी हरण (काव्य), (5) कीर्तन घोषा, (6) गुणमाला, (7) भक्त प्रदीप, (8) भटिमा।

संस्कृत रचनाएँ— (1) भक्ति रत्नाकर, (2) तोटय।

ब्रजबुलि रचनाएँ—(1) बरगीत (गीत संख्या-47), (2) नाटक, जिनकी संख्या छः है और वे इस प्रकार हैं—कालियदमन नाट, केलिगोपाल नाट, रूक्तिमणी-हरण नाट, पारिजात-हरण नाट, राम-विजय नाट,[1] पत्नी-प्रसाद। इनके अतिरिक्त भटिमा, (चपय) श्री ब्रजबुलि की रचनाएँ ठहरती हैं।

बरगीत

कवि शंकरदेव के सभी बरगीत राग-बद्ध हैं। इन समस्त गीतों को तेरह रागों में विभाजित किया जा सकता है, जो इस प्रकार हैं—

(1) धनश्री, (2) गोरी, (3) आशोवरी, (4) माउर धनश्री, (5) श्री, (6) सुहाइ, (7) मल्लार, (8) केदार, (9) कल्याण, (10) भूपाली, (11) अहीर, (12) बसंत, (13) तुर-बसंत।

नाटक

'पत्नी प्रसाद' नाटक की कथावस्तु भागवत् के दशम स्कंध के तेइसवें अध्याय पर आधारित है।

'कालीयदमन नाट' इस नाटक को वनाग्नि पान लीला यात्रा नाम भी दिया गया है। नाटक की कथावस्तु भागवत् पर आधारित है।

'केलिगोपाल' इस नाटक को कामजय नाम भी दिया गया है। इस नाटक के कथानक का आधार भागवत् है। वैसे यह कथा विष्णुपुराण और हरवंश-पुराण में भी मिलती है।

---

1. डॉ० कृष्णनारायण 'मागध'—शंकरदेव : साहित्यकार और विचारक, (1976) पृ० 55.

'रुक्मिणी-हरण' नाटक की कथावस्तु का आधार भी भागवत है। हरिवंश पुराण का इस पर कोई प्रभाव नहीं दिखायी पड़ता। नाटक का मुख्य सौंदर्य कृष्ण-रुक्मिणी के विवाह में असमी रीति-रिवाजों के वर्णन और विविध रागबद्ध गीतों में दिखायी पड़ता है।

'पारिजात-हरण' नाटक की कथा का प्रेरणा स्रोत भागवत् और विष्णु-पुराण रहे हैं। इसमें कवि की नाट्यकला सर्वाधिक विकसित और प्रौढ़ रूप में दिखायी पड़ती है।

'रामविजय-नाट' कवि शंकरदेव की अंतिम रचना है। नाटक का कथानक वाल्मीकि रामायण से लिया गया है। परंतु कथा-संयोजन में कवि ने अपने विवेक से पर्याप्त अंतर भी किया है।

(2) माधवदेव (सन् 1489-1596)

शंकरदेव के समकालीन और असमिया के सूरदास के रूप में विश्रुत माधवदेव का जन्म लेटे कुपुखुरी में सन् 1489 में हुआ था और 1596 में आपका निधन हुआ था। आपके जनक का नाम गोविंदगिरि और जननी का नाम मनोरमा था। कवि का पैतृक गाँव बांडुका था। इसी बांडुका गाँव में माधवदेव ने समस्त कायस्थिका वृत्ति के साथ-साथ न्याय, तर्कशास्त्र, संस्कृत काव्य, व्याकरण, महाभारत, पुराण आदि का अध्ययन किया। इसी बीच पिता दिवंगत हो गये। माधवदेव बेम्बुबानी में आकर पान-सुपारी के व्यापार द्वारा जीवनयापन करने लगे। कुछ काल के उपरांत पुनः पैतृक गाँव बांडुका लौट आये।

समकालीन शंकरदेव से माधवदेव का परिचय गयापाणि ने कराया जो कि माधवदेव के बहनोई थे। साक्षात्कार के समय शंकरदेव और माधवदेव में विशद शास्त्र-चर्चा हुई। विभिन्न धार्मिक अनुष्ठानों के संबंध में माधवदेव के तर्क प्रवृत्ति-मार्गी थे। प्रत्युत्तर में शंकरदेव ने माधवदेव के तर्कों का समाधान प्रस्तुत करते हुए उनकी निरर्थकता प्रतिपादित की और एकमात्र अद्वैत ब्रह्म विष्णु अवतार कृष्णाराधना की महत्ता प्रतिपादित करते हुए निवृत्ति-मार्गी दृष्टिकोण को प्रधानता प्रदान की। परिणामस्वरूप माधवदेव ने शंकरदेव को गुरु मानकर अगले दिन उनसे विधिवत् दीक्षा प्राप्त कर ली। जीवनी लेखकों के मत से इस समय माधव देव की अवस्था 32 वर्ष थी। शंकरदेव के लिए अब माधवदेव 'बरार पो' और 'अप्राणरबांधव' थे और शंकरदेव उनके लिए 'बाप' थे। माधवदेव ने विवाह के लिए वचनबद्ध कन्या से विवाह न करने का निश्चय किया और आजीवन कौमार्य व्रत का संकल्प कर लिया। शंकरदेव की पत्नी कालिंदिनी ने सोचा कि वह अपनी छोटी पुत्री रुक्मिणी (अन्य नाम विष्णुप्रिया) का संबंध माधवदेव से कर दें और इस आशय की सूचना देते हुए शंकरदेव ने माधवदेव से कहा था—"मोर्चेबंदी

कर युद्धक्षेत्र में उतरना अच्छा है (गड़ बांधि युजिले सज)।" परंतु दृढ़वती माधव देव ने इस प्रकार उत्तर दिया था—"बिना गड़े युजिले युद्धारू।" कहने की आवश्यकता नहीं कि माधवदेव ने अपने इस कथन को जीवनपर्यंत निभाया और शंकरदेव द्वारा चलाये गये मत में केचलि (ब्रह्मचारी) भक्तों की परंपरा का सूत्रपात किया।

माधवदेव सुकंठ और संगीतज्ञ थे। फलत: उनके सुकंठपन ने नाम कीर्तन को सर्वाधिक लोकप्रिय बना दिया। अब माधवदेव काव्य रचना की ओर प्रवृत्त हुए और 'गुरु महिमा' का प्रणयन कर शंकरदेव को गुरु रूप में स्थापित तथा विंतापित कर दिया। माधवदेव को कर्मकांडियों का विरोध तो सहना ही पड़ा दुर्योगवश अहोम राजा सुकलेनमुंग (सन् 1539-1552) का कोपभाजन बनकर राजबंदी होना पड़ा। माधवदेव बंदीगृह से छूटने पर शंकरदेव की छाया बन गये। माधवदेव का गुरु-गृह में निरंतर निवास, गुरु परिवार की हर क्षण देखभाल, गुरु पत्नी कालिंदिनी का स्वजनों की अपेक्षा माधवदेव पर अडिग विश्वास, लोगों को और विशेष रूप से स्वजनों को अखरने लगा और लोगों में कानाफूसी शुरू हो गयी। इन अफवाहों से बचने के उद्देश्य से माधवदेव ने गुरुपत्नी से कोच-बिहार (कुछ के अनुसार गुवागाछा) चले जाने की अनुमति चाही। परिणाम-स्वरूप वे सुंदरीदिया चले गये और इस प्रकार सन् 1573 से 1585 तक वे वहाँ स्थायी रूप से रहे। यहाँ रहते हुए माधवदेव ने तत्त्व चिंतन, ग्रंथ लेखन, एक शरणनाम-धर्म के प्रचार आदि में जी-जान लगा दी। इसी स्थान पर वामघोषा की अनेक घोषनाएँ चोर-धरा, भूमि लेटोवा, पिम्परा-गुचोवा आदि अनेक झुमुराओं की रचना की। कुछ अनिवार्य कारणवश माधवदेव कोचबिहार चले गये। उनके समर्थकों और अनुयायियों की संख्या बढ़ने लगी। बहुतों को उन्होंने शरण भी दी। इतना ही नहीं, वरन् राजपरिवार के लोगों में से राजमाता, राज-महिषी, राजकुमार, राजकुमारी और बहुत-से राजकर्मचारियों ने माधवदेव के विज्ञापित नण्य वैष्णव मत की 'शरण' ले ली। मानवमात्र के कल्याण चिंतक माधवदेव की 'शरण' में कोच, मेच आदि त्याज्य समझी जाने वाली जातियाँ भी अनुयायी बन गये और उल्लेखनीय शिष्यों में बारह नाम प्रमुख हो गये। कुछ विद्वानों के अनुसार शिष्यों की यह संख्या 25 तक पहुँच गयी।

जीवन के अंतिम काल में माधवदेव गुर्दे के रोग से पीड़ित रहने लगे थे जिसके कारण अंततः सन् 1596 में माधवदेव जी दिवंगत हो गये।

रचनाएँ

माधवदेव की रचनाएँ काल की दृष्टि से दो भागों में बाँटी जा सकती हैं—

(1) पूर्ववर्ती रचनाएँ

ये रचनाएँ सन् 1540 से 1568 ई० तक के बीच में लिखी गयी थीं। जबकि शंकरदेव जी जीवित थे। अतः इन्हें शंकरदेव के जीवनकाल में रचित रचनाओं की श्रेणी में भी रखा जाता है, जो इस प्रकार है—

(1) बरगीत—अधिकांश गीत, (2) भटिमा—कई भटिमाएँ, (3) अर्जुन-मंजन यात्रा—सन् 1546 से 1585 ई०, (4) जन्म रहस्य (अनुदित)—सन् 1551 के आसपास, (5) आदि कांड (रामायण)—सन् 1551 से 1560 ई०, (6) राजसूय—सन् 1565 से 1570 ई०, (7) भक्ति-रत्नावली (अनुदित) संभवतः आंशिक में, (8) नामघोषा—अनेक घोषाओं की रचना।

(2) परवर्ती रचनाएँ

ये रचनाएँ संभवतः सन् 1568 से 1596 ई० के अंतराल में रखी गयी थीं। अतः इन्हें शंकरदेव की मृत्योपरांत काल की रचनाएँ कही जाती हैं।

(1) भक्ति-रत्नावली (अनुदित)—पूर्ववर्ती रचनाओं में क्रमांक 7 पर लिखित अपूर्ण भक्ति-रत्नावली का शेष अंश ही सन् 1570 के आसपास पूरा किया गया, (2) बरगीत—पूर्वोक्त क्रमांक-1 के क्रम में ही अन्य अनेक बरगीतों की रचना की, (3) भटिमा—इसके अंतर्गत पूर्वोक्त क्रमांक-2 के अतिरिक्त की भटिमाएँ गिनायी जाती हैं, (4) चोर-धरा-झुमुरा—सन् 1573 से 1585 ई०, (5) भूमि लेटोवा-झुमुरा, (6) पिम्परा-गुचोवा झुमुरा, (7) भोजन-व्यवहार झुमुरा—सन् 1586 से 1593 ई०, (8) ब्रह्म विमोहन झुमुरा, (9) भूषण हेरोवा झुमुरा, (10) कोटोरा-खेलोवा झुमुरा, (11) रास झुमुरा, (12) नाम-मालिका (अनुदित) —सन् 1595 ई०, (13) नामघोषा—अधिकांश घोषाओं का प्रणयन और सन् 1696 में उसका वर्तमान रूप में संग्रह।

चूँकि माधवदेव ने असमिया और ब्रजबुलि दोनों भाषाओं में रचना की थीं। अतः भाषाओं के आधार पर उनकी रचनाओं का उल्लेख इस प्रकार होगा—

(1) असमिया रचनाएँ

(1) जन्म रहस्य, (2) आदिकांड, (3) राजसूय, (4) भक्ति-रत्नावली, (5) नाम-घोषा, (6) नाम-मालिका।

(2) ब्रजबुलि अथवा हिंदी

(1) बरगीत, (2) भटिमा, (3) अर्जुन-मंजन, (4) चोरधरा झुमुरा, (5) भूमि-लेटोवा झुमुरा, (6) पिम्परा गुचोवा, (7) भोजन-व्यवहार झुमुरा, (8) ब्रह्म

विमोहन झुमुरा, (9) भूषण-हेरोवा झुमुरा, (10) कोटोरा-खेलोवा झुमुरा, (11) रास झुमुरा।

उक्त सभी रचनाएँ कथानक की दृष्टि से पुराणों, वाल्मीकि रामायण, महाभारत एवं अन्य संस्कृत रचनाओं की ऋणि है। अपनी रचनाओं के रहस्य को उद्घाटित करते हुए भक्त कवि ने स्वयं इस प्रकार लिखा है—

मोर पद यदि विष सम मैल, कृष्णर कथा अमृत ।
दोष विष तेजि करियोक पान, अमृत हरि चरित्र ॥

(3) गोपालदेव आता (सन् 1541-1611 ई०)

गोपाल आता के जन्म स्थान के विषय में विद्वानों में मतैक्य नहीं है। कुछ लोग इनका जन्म कलिता राज्य के अंतर्गत सादिया के उत्तर चेकखमहाट के समीप जिनह ग्राम को मानते हैं। तो कुछ विद्वान मानते हैं कि आपका जन्म स्थान खोखरा गाँव की सीमा पर स्थित नाचनी घाट था। इसके अतिरिक्त कुछ विद्वान गोपाल आता का जन्म आहोमी की राजधानी गड़गाँव के समीप नाजिराहाट में हुआ मानते हैं । उनके पिता का नाम कामेश्वर अथवा कामदेव, जननी का नाम बज्रांगी, कुल कायस्थ और जन्म वर्ष 1541 बताया जाता है। वे अभी शिशु मात्र ही थे कि पिता स्वर्ग सिधार गये और उनके लालन-पालन का दायित्व अकेली माता को ही सँभालना पड़ा। कोचो के निरंतर आक्रमण के कारण अशांत और असुरक्षित आहोम राज्य को छोड़कर बज्रांगी अपने 11 वर्षीय पुत्र को साथ लेकर बरपेटा के समीप भवानीपुर में आकर बस गयी। जो कि कोच राज्य के अंतर्गत था। यहाँ गोपालदेव को शारीरिक एवं मानसिक पूर्ण सुअवसर मिला। यहीं के हरिया कायस्थ की पुत्री से उनका विवाह भी हो गया जिससे दामोदर और कमललोचन नाम के दो पुत्र तथा पद्मप्रिया नाम की एक पुत्री उत्पन्न हुई।

गोपालदेव आता ने शंकरदेव के दर्शन अपने मामा के गाँव में किये थे परंतु उनसे दीक्षा लेने की आकांक्षा पूरी नहीं हो पायी थी। माधवदेव की सन् 1596 ई० में मृत्यु हो जाने के बाद गोपालदेव आता ने भवानीपुर से थोड़ी ही दूर पोरोला नदी के तट पर कालझार में अपना निवास बनाया, जहाँ पर वे जीवनपर्यन्त रहे। कालझार में आने के कुछ कालोपरांत गोपालदेव ने महापुरुषिया मत की एक नयी शाखा का प्रारंभ किया और उसका नाम स्थान के आधार पर काल-संहति रखा। अब भक्ति कवि ने ग्रंथ रचना, नाटकों का अभिनय, धर्म के प्रचार हेतु प्रवचन और धर्माचार्यों की नियुक्ति का काम सँभाला। उन्होंने छः ब्राह्मण और छः अब्राहण—इस प्रकार कुल बारह व्यक्ति धर्माचार्य के रूप में नियुक्त किये। अंततः सन् 1611 में कालझार में रहते हुए इस संसार से विदा ले गये।

महापुरुषिया मत की एक शाखा—कालसंहति के जन्मदाता के रूप में गोपालदेव का महत्त्व उल्लेखनीय है। इस संप्रदाय में गुरु को विशेष महत्त्व दिया गया है। गोपालदेव के ब्रजबुलि में दो नाटक का उल्लेख किया जाता है। पहला जन्मयात्रा और दूसरा गोपी-उद्धव संवाद। जन्म यात्रा नाम के नाटक में श्रीकृष्ण के जन्म से नंद द्वारा पुत्र के जन्मोतसव मनाये जाने तक का वर्णन है। कथावस्तु का आधार भागवत को बनाया गया है। गोपी और उद्धव संवाद में दोनों की पारंपरिक बातचीत को नाटकीय रचना के रूप में प्रस्तुत किया गया है। आपने अपने दोनों नाटकों में शंकरदेव तथा माधवदेव के गीतों को कथावस्तु में प्रभावी ढंग से संजोया है, जिसका परवर्ती नाटककारों ने अनुकरण किया है।

गोपी-उद्धव संवाद की सबसे बड़ी विशेषता यह रही है कि कवि ने जो कुछ एक-दो पद में कह दिया है, उसे अनेक कवि बीसियों पदों तक में नहीं कह पाये। यह समास शैली सचमुच स्तुत्य है। कुछ लोगों के अनुसार तो गोपालदेव के नाट्य-गीत कई दृष्टियों से माधवदेव की गीतों की कलातमकता के बाद ही रखे जा सकते हैं। भाषा भी स्थानीय प्रयोगों से बिल्कुल अछूती नहीं कही जा सकती।

रामचरण ठाकुर (सन् 1550-1600 ई०)

रामचरण ठाकुर संयोगवशात् माधवदेव के शिष्य और भानजे थे। उनके पिता का नाम रामदास और माता का नाम उर्वशी तथा जन्मकाल सन् 1550 के आसपास था। आपके पिता रामदास का दीक्षापूर्व का नाम गयपाणि था। वे होकोराकुची के निवासी थे और महापुरुष शंकरदेव के शिष्य। रामदास सन् 1546 के आसपास अपने मामा माधवदेव के साथ-साथ धुंवाहाट से आकर सपरिवार गणकुची में बस गये थे और संभवतः यहीं पर रामचरण ठाकुर का जन्म हुआ था।

रामचरण ने संस्कृत ग्रंथों और केथाली विद्या का ज्ञान माधवदेव से प्राप्त किया था। जब माधवदेव प्रस्थान कर गये तो रामदास ने घुसुरी को निवास स्थान बनाया। कहा जाता है कि 1579 ई० में रामचरण माता-पिता का आदेश पाकर माधवदेव का हालचाल पूछने सुंदरीदिया गये और वहीं पर हमेशा के लिए बस गये। माधवदेव से सत्र में 'पाठक' की नियुक्ति पाकर शंकरदेव-कृत भक्ति रचनाकार, विष्णुपुरी-कृत भक्ति रत्नावली के पाठ का कार्यभार सँभालने लगे। एक ओर माधवदेव की अवस्था बढ़ रही थी, दूसरी ओर उनका कार्यभार भी बढ़ता चला जा रहा था। अतः इसमें सहायता देना रामचरण का प्रमुख दायित्व हो गया। इस समय तक वे अविवाहित थे, ऐसा दैत्यारि ठाकुर मानते हैं। अब रामचरण माधवदेव की छाया बनकर रहने लगे। सन् 1594 के बाद इसी समय माधवदेव की अनुमति से रामचरण कामरूप लौट आये और शंकरदेव रचित

कीर्तन-घोषा के यत्र-तत्र बिखरे अंशों के संग्रह करने और तदुपरांत संपादन करने में लग गये। चरित पोथियों में इस प्रकार का कोई विवरण तो नहीं मिलता है फिर भी लोगों का विश्वास है कि अप्रैल, 1594 में रामचरण जी का पाणिग्रहण भी हो गया था। कीर्तन-घोषा का संग्रह करने के पश्चात् रामचरण माधवदेव जी के पास कोचबिहार चले गये और सन् 1596 ई० को उनके निधनकाल तक वहीं रहे। विद्वानों का विश्वास है कि रामचरण को संभवतः इसी वर्ष प्रथम पुत्र दैत्यारि ठाकुर की प्राप्ति हुई थी। इनके अतिरिक्त रामचरण के दो पुत्र और थे—त्रिपुरारि और नरहरि। इनके वंशजों ने आगे चलकर बहुत से सत्रों की स्थापनाएँ की थीं और धर्म प्रचार के कार्य को बहुत आगे बढ़ाया था।

पहले कहा जा चुका है कि रामचंद्र सुंदरीदिया में पाठक तथा भक्ति शास्त्र के व्याख्याता रह चुके थे। 'कीर्तन-घोषा' का संकलन और संपादन कर चुके थे।

ऐसा भी माना जाता है कि उन्होंने 'भक्ति रत्नाकर' का असमिया अनुवाद और शंकरदेव का चरित 'गुरु-चरित' नाम से रचा था। जिसके विषय में डॉ० महेश्वर नेओग का मत है कि इसे किसी अन्य ने रचकर रामचरण ठाकुर के नाम पर प्रचारित कर दिया होगा। रामचरण ठाकुर का ब्रजबुलि में लिखित कंस-वध नाम का नाटक भी मिलता है, जो "प्राचीन भाषा नाटक संग्रह" में संकलित और प्रकाशित है।

रामचरण ठाकुर के कंस-वध नाटक का कथानक भागवत् से लिया गया है और मूल कथा को अपरिवर्तित ही रखा गया है। नाट्य कला की दृष्टि से पूरा नाटक परंपरागत है जिसकी भाषा सुबोध और भावानुसरणी है। अन्य अंकिया नाटकों के समान ही कंस-वध नाटक में भी गीत का समावेश केवल परंपरा के लिए किया गया है। उदाहरण के लिए कंस-वध नाटक का एक पद्यांश दृष्टव्य है—

जय जय कृष्ण पूर्ण अवतारी।
जय जय कृष्ण भक्त भय हारी॥
जय जय कृष्ण ब्रह्म अविकारी।
जय जय कृष्ण भुवन आधारी॥

भूषण द्विज (सन् 1580-1650 ई०)

भूषण द्विज बरपेटा सब-डिवीजन के अंतर्गत आने वाले बरनगर (डिंगानगर) के रहने वाले और संस्कृत के प्रसिद्ध विद्वान पंडित चक्रपाणि के पौत्र तथा बैकुंठदेव के बेटे थे। इनके जीवन विषयक बहुत सत्य और तथ्य आज तक अनजाने ही हैं। यद्यपि "प्राचीन भाषा नाटक संग्रह" में इनके जन्म और मृत्यु का उल्लेख किया

गया है, जिसका मूल स्रोत कालिराममेधि की अंकावली रहा है। एतद् विषयक विद्वानों का मत है कि कालिराममेधि कृत अंकावली के दिये गये भूषण द्विज के जन्म वर्ष सन् 1507 और मृत्यु वर्ष सन् 1577 पूर्णतः अनुमानाधारित है। इनके द्वारा लिखे गये महापुरुष शंकरदेव के जीवन पर आधारित गुरुचरित के निरीक्षण-परीक्षण के पश्चात् डॉ० महेश्वर नेओग इस निष्कर्ष पर पहुँचते हैं कि बालक भूषण द्विज महापुरुष शंकरदेव के संपर्क में तो नहीं; माधवदेव के संपर्क में संभवतः आये होंगे (शंकरदेव एंड हिज टाइम्स, पृष्ठ 8-10)। डॉ० नेओग के मतानुसार बालक भूषण द्विज की आयु माधवदेव से भेंट के समय संभवतः 10-15 के मध्य रही होगी और इस आधार पर इनका जन्म सन् 1580 के आसपास स्वीकारा जा सकता है। शंकरदेव के पौत्र पुरुषोत्तम और चतुर्भुज भूषण द्विज के समसामयिक थे। डॉ० नेओग के मतानुसार भूषण द्विज ने अपनी रचना गुरुचरित संभवतः चतुर्भुज की मृत्यु वर्ष सन् 1648 ई० के आसपास लिखी थी। अतः इसके पश्चात् ही इनकी मृत्यु मोटे तौर पर 1650 ई० के आसपास ठहराया जा सकता है। तद्नुसार सन् 1580-1650 के अंतराल को भूषण द्विज का समय स्वीकार किया जा सकता है।

भूषण द्विज का "अजामिल उपाख्यान नाट" नाम केवल एक ही नाटक प्राप्त होता है, जिसकी भाषा ब्रजबुलि है और जो प्राचीन भाषा नाटक संग्रह में संकलित एवं प्रकाशित है। भूषण द्विज कृत इस ब्रजबुलि के नाटक की कथावस्तु का मूल आधार भागवत् के छठवें स्कंध में आये अजामिलोपाख्यान पर आधारित है। लेखकीय स्वतंत्रता का लाभ उठाते हुए नाटकीय अपेक्षानुसार नाटककार ने मूल कथा में कई परिवर्तन किये हैं। यह एकमात्र नाटक रचना भूषण द्विज को सफल नाट्यकार प्रतिपादित करती है। नाटक में आये विनय और भक्ति के पदों में भूषण के भक्त मन को सहज अभिव्यक्त रूप में देखा जा सकता है। भाषा में आंचलिक प्रयोग भी तुलनात्मक दृष्टि से नगण्य हैं। उदाहरण के लिए भूषण द्विज रचित "अजामिल उपाख्यान" नाट्य के एक पद्य का उदाहरण पठनार्थ प्रस्तुत है—

हरि हरि मोर गति, कांदे बिप्र भूमि लुटि,
सोके आति परि दुख मने।
मोर महा उपकारि, कैक दिला बांध छारि,
आगे देखा दिया एतिक्षणे।
मोक नरकर तारि, हे बंधु सिद्धचारि,
कैक गेला एड़ि पात किक।
तुमि सब अबिहने, घरो प्रान कि कारने,
मोहोर जीवन धिकधिक।

(6) दैत्यारि ठाकुर (सन् 1596-1650 ई०)

क्रमांक 4 के अंतर्गत उल्लिखित रामचरण ठाकुर (सन् 1550-1600 ई०) के ज्येष्ठ पुत्र दैत्यारि ठाकुर का अवतरण संभवतः गुवागाछा में सन् 1596 में हुआ था। इनके जीवन चरित्र के विषय में अभी तक पर्याप्त जानकारी उपलब्ध नहीं हो पायी। फिर भी उपलब्ध सामग्री के आधार पर यह अनुमान किया जा सकता है कि दैत्यारि ठाकुर सन् 1648 तक जीवित रहे होंगे। अतः कतिपय विश्वस्त अनुमानाधारों पर ही सन् 1596 से सन् 1650 ई० तक की अवधि में इनका जीवित रहना माना जाता है।

इनकी रचनाएँ प्रमाणित करती हैं कि दैत्यारि ठाकुर संस्कृत आदि के विद्वान व्यक्ति थे। हो सकता है कि इन्होंने संस्कृत का ज्ञान अपने पिता से प्राप्त किया हो। अब तक की जानकारी के आधार पर कहा जा सकता है कि दैत्यारि ठाकुर ने 'नृसिंह यात्रा' और 'स्थमंतकहरण' नाम के दो नाटकों की ब्रजबुलि में रचना की थी। ये दोनों ही नाटक प्राचीन भाषा नाटक संग्रह में देखे जा सकते हैं। इन नाटक रचनाओं के अतिरिक्त कवि ने कुछ स्फुट पद्य भी बनाये थे, जो अभी तक प्रकाशित नहीं हो सके हैं। डॉ० दशरथ ओझा ने दैत्यारि ठाकुर को 'शंकरदेव की नाट-परंपरा' का अंतिम प्रभावशाली नाटककार प्रतिपादित किया है। परंतु डॉ० दशरथ ओझा का प्रस्तुत मत न तो वैज्ञानिक है, न जन-सामान्य में प्रचलित परंपरा से पुष्ट ही, कारण दैत्यारि ठाकुर के उपरांत भी असम प्रदेश में ब्रजबुलि में नाटक रचना की परंपरा विद्यमान रही है और एकाधिक उत्तम नाटककार हुए हैं।

दैत्यारि ठाकुर का महत्व इस बात में है कि असम प्रदेश की वैष्णव परंपरा में महापुरुष शंकरदेव और माधवदेव के बरगीतों के उपरांत दैत्यारि ठाकुर के गीत ही बरगीत का विरुद प्राप्त कर सके हैं। इन दोनों नाटकों का कथानक भागवत् पर आधारित है। बहुत कुछ अंशों में अपरिवर्तित रूप में ही इसे प्रस्तुत किया है। नाटकों में नाटककार ने स्वरचित संस्कृत श्लोकों का समावेश किया है। इनमें समाहित गीत विषय की दृष्टि से विविधतापूर्ण हैं। जिनमें विनय गीतों की अधिकता है। नाटकों के इन गीतों में वैयक्तिकता की तुलना में जन-साधारण की वेदना ही घनीभूत रूप में मुखर हुई है। नाटककार के नृसिंह-यात्रा नामक नाटक के उदाहरण स्वरूप एक पद्य प्रस्तुत है—

जय जय जगत् जनक जगजीवन, यादव दनुज संहारि।
चतुर बयन हर आदि निरंतर, देवमनसेवक जाहारि॥
सयल संसार बिनोद जाहेरि, जाकेरि सम नहि कोई।
सज्जन रंजन दुर्जन-मंजन, पाबन पतित जन तोई॥

(7) श्रीराम आता (16वीं-17वीं शती)

श्रीराम आता के एक पूर्वज का नाम भट्टनारायण था, जो महापुरुष शंकरदेव के पूर्वज चंडीवर के साथ ही कामरूप में आ गये थे और बरदोवा में रहने लगे थे। भट्टनारायण के परंपरा में श्री गोविन्द मिश्र ही श्रीराम आता के जनक थे, जिनका निवास स्थान बालिगाँव था। श्रीराम आता कामरूप जिले के निवासी थे और गुरु-गृह में 12 साल तक शास्त्राध्ययन करने के उपरांत वंशी गोपालदेव के समीप डेवरापार चले गये थे। उसी स्थान पर यद्मणि आता के अधिक समीप आये और उन्हीं के साथ कामरूप लौट आये। जहाँ पर भवानी पुरिया गोपाल आता के शिष्य बन गये और कालांतर में इनकी गणना गोपाल आता के श्रेष्ठ शिष्यों में की जाने लगी। सन् 1611 में गुरु के दिवंगत हो जाने पर श्रीराम आता को कालाझार का सत्ताधिकार प्राप्त हुआ। शिष्य समाज और भक्ति समुदाय के आग्रह को ध्यान में रखते हुए श्रीराम आता ने मेड़ा गुरु की मंझली कन्या यमुना से विवाह-बंधन स्वीकार कर लिया। जिससे इन्हें कालांतर में परमानंद (बड़ा आता) और रामानंद (सरू आता) नाम के दो पुत्रों की प्राप्ति हुई।

श्रीराम आता द्वारा रचित फुटकल पद्य और अनेक अंकिया नाट प्राप्त होते हैं। ये दोनों प्रकार की रचनाएँ ब्रजबुलि में हैं। कवि नाटककार की कतिपय रचनाएँ असमिया लिपि में प्रकाशित हो चुकी हैं। फुटकल पद्यों में श्रीराम आता का दास्य-भाव ही अभिव्यक्त हुआ है, भले ही कुछ गीतों में राधा-कृष्ण-परिहास, वात्सल्य-विरह और गोपी-विरह जैसे विषय प्रतिपादित हुए हों, नाटकों में आपका सर्वाधिक प्रसिद्ध नाटक सुमदा-हरण है, जिस पर महापुरुष शंकरदेव कृत नाटक रुक्मिणि-हरण का प्रभाव दिखाई पड़ता है। कहने की आवश्यकता नहीं कि श्रीराम आता कवि नाटककार के रूप में कई दृष्टियों से महापुरुष शंकरदेव के ऋणि हैं।

वात्सल्य विरह विषयक फुटकल पद्यों में माता यशोदा का मातृ-हृदय और क्रीड़ाओं से संबंधित गीतों में बालक कृष्ण का बाल स्वभाव ही अधिक मुखर रहा है। विरहपरक गीतों में गोपियों की विरहाग्नि को अधिक अभिव्यक्त किया गया है। श्रीराम आता के गीतों की पूँजी उनके कथनों की विश्वसनीयता है। यह कहना भी अतिशयोक्तिपूर्ण न होगा कि श्रीराम आता के फुटकल गीत नाटकों की तुलना में महत्त्वपूर्ण हैं। एतद् विषयक एक फुटकल उदाहरण स्वरूप प्रस्तुत है।

आकुले पुछत चले जसोवा जननी।
काहा गैयो किवा जाने ओर यदुमणि ॥

ना दिलों यदुक लवनि रोषकय मन।
ना जानों के पथे गैल मोर जीव घन।।
अमिया पियायी निते नवनिधि परे।
अपुतीर पुत्र जानों निले कंस चोरे।।
यदु यदु बुलि डाक पारे यशोमाइ।
कालिंदीर कूले खेले पाइले यदुराइ।।
आनदे भरल गया बाँधि नंद जाया।
बोलय श्रीराम प्रभु दूर कस माया।।

(8) रामानंद द्विज (सन् 1615-1690 ई०)

रामानंद द्विज का जन्म कब हुआ था और मृत्यु कब हुई थी, ये दोनों ही सूचनाएँ अभी तक असम के हिंदी विद्वानों को अज्ञात हैं। विविध गुरुचरितों में आये तथ्यों के परिप्रेक्ष्य में विद्वान ऐसा अनुमान अवश्य लगाते हैं कि इनका आविर्भाव लगभग सन् 1615 ई० तथा निधन सन् 1690 ई० के थोड़ा बहुत इधर-उधर हुआ होगा। क्रमांक 7 में उल्लिखित श्रीराम आता के ये दूसरे बेटे थे और काल-संहति के अनुसारी थे। पिता के निधन के पश्चात् रामानंद द्विज कालझार सत्र के अधिकारी बने थे। आपने अपने निरंतर प्रयासों से पूर्वी असम में खाकरुडुबी भेदेलि भंडार, बाराजेगिनि, सरुचकुवा, कलियावर आदि जगहों पर सत्र स्थापित किये थे। इस क्रम में अंततः अहोम राज्य के प्रधान मंत्री बूढ़ागोहाई (सन् 1648-79 ई०) का समर्थ संरक्षण प्राप्त कर आहतगुरि (अश्वत्थ गुड़ी) में सत्र बनाकर वहीं पर स्थायी तौर से रहने लगे थे। खाकरुडुबी में जिस समय आप रह रहे थे, उसी समय सुप्रसिद्ध आहोम सेनापति लाचित बरफुकन ने इनसे दीक्षा ग्रहण की थी। और गुरु-दक्षिणा में भेदेलिभंडार में सत्र स्थापित कराया था। इनके रामगोपाल, रामगोविंद और हरगोविंद नाम के तीन बेटे थे, जिनमें से ज्येष्ठ पुत्र रामगोपाल को इनके निधनोपरांत औहतगुरी का सत्राधिकारी बनाया गया था।

प्रेम-कला नाट तथा फुटकल गीत नाम की ब्रजबुलि में रामानन्द कृत दो रचनाएँ प्राप्त होती हैं। प्रथम प्रेमकला नाट नाम की रचना जो अभी तक प्रकाशित नहीं है। परंतु 'श्रीराम आता आरू श्री रामानंद देवर गीत' में इनके कुल 78 गीत प्रकाशित हो चुके हैं। प्रेमकला नाट का कथानक कृष्ण की किशोर लीलाओं से संबंधित है लेकिन कवि नाटककार ने इस रचना में अपनी मौलिक रचनाशीलता का प्रशंसनीय उदाहरण प्रस्तुत किया है। कवि के मुक्तक गीत प्रधान रूप से कृष्णपरक हैं। कुछ गीत राम विषयक भी हैं। यद्यपि कथानक और भावाभिव्यक्ति की दृष्टि से रामानंद द्विज के अधिकांश गीत माधवदेव के गीतों जैसे हैं

परंतु इनमें कवि की मौलिकता की छाप स्पष्ट देखी जा सकती है। रामानंद द्विज ने अपने नाटक और गीतों में राधा को भी प्रमुख स्थान प्रदान किया है। दान लीला संबंधी गीत नूतन प्रसंगों की उद्‌भावना की दृष्टि से अधिक महत्त्व-पूर्ण हैं। गीत गोविंदकार जयदेव की शैली का प्रभाव भी इनके पदों पर स्पष्ट दिखाई देता है। साहित्यिक महत्ता की दृष्टि से इनके गीत माधवदेव के गीतों के समकक्ष ही ठहरते हैं। पाठकों के मूल्यांकन हेतु कवि का एक गीत प्रस्तुत है—

वृंदावने खेले फागु नंदलाल।
शारद सारंग हाथे बाजे करताल॥
संगे युवती किशोरी अपार।
लाल जरद फागु मारे आउर आर॥
गोपी आरू कानु करे प्रेमर विहार।
कंकरि कबरी खंसे गजमुति हार॥
अनंगरसत भोलल जगेत आधार।
कह रामानंद हरि करत बिहार॥

(9) हरिकांत

हरिकांतजी का ब्रजबुलि में लिखित 'स्यमंत-हरण' नाम का एक नाटक मिलता है। इस नाटक की एक पूर्ण प्रति बदनचंद्र शाइकिया तुरा कॉलेज, तुरा मेघालय राज्य ने नगाँव जिले से प्राप्त की है। जिनके अंत की मुक्ति मंगल भटिमा में नाटक लेखक का नाम हरिकांत तथा नाटक रचनाकार शकाब्द 1609 लिखा गया है। इसी आधार पर अब विद्वान यह मानने लगे हैं कि 'स्यमंत-हरण' नाटक का प्रणयन काल शक सम्वत् 1609 अर्थात् सन् 1687 ई० है। नाटक की कथावस्तु भागवत् पर आधारित है। नाटककार ने अपने इस नाटक में भागवत् के श्लोकों के साथ-साथ अपने स्वरचित श्लोकों का भी समावेश किया है। नाटककार हरिकांत ने नान्दी में श्रीकृष्ण की वंदना के अनंतर गुरु शंकरदेव की बदना की है। कहने की आवश्यकता नहीं कि नाटककार हरिकांत ने भागवत् कथा को गीतों और संवादों के सहारे नाटक रूप तो दे दिया है परंतु उसमें नाटक रचना कौशल तथा चारित्रिक विशेषताओं का सन्निवेश करने में सफल नहीं हो पाया है। अतः रचना सामान्य स्तर की ही बन पड़ी है। उदाहरणस्वरूप नाटक का एक गीत प्रस्तुत है, जिसमें कृष्ण-जाम्बवंती के विवाह वर्णन के माध्यम से आंचलिकता को उभारा गया है—

यथा— करत विवाह देव चक्रमाणि।
सुरासुरे लोकक आनंद मिलल, विवाह, कौतुक शुनि॥

दुइहान कैशक एकथान करिकहु जाम्बवंते बले जल।
मिलल उत्सव जय-जय रव उरूलि मंगल रोल।।
मृदंग शंख ढाक ढोल दुनदुभि हरि राबे पुरिल समाज।
कृष्ण विवाह महोत्सव मिलियाछे बोले राम-राम सबे राज।।

(10) दीनगोपाल (18वीं शती)

चरितकारों ने दीनगोपाल के जीवन के संबंध में सुनिश्चित रूप से कुछ भी नहीं लिखा है। अतः पांडुलिपियों में बिखरे सूत्रों को संयोजित करने पर ऐसा अनुमान किया जा सकता है कि दीनगोपाल ईसा की 18वीं शताब्दी में नगाँव जिले में विद्यालय रहे होंगे। ब्रजबुलि में दीनगोपाल की चार कृतियाँ उपलब्ध हैं—

(1) जरासंध-वध,
(2) दुर्वासा भोजन,
(3) सीता-हरण और
(4) बलि-छलन।

ये सभी कृतियाँ अंकिया नाट हैं। दुर्वासा भोजन को छोड़कर शेष तीनों ही 'अंकमाला' (पृष्ठ 51-132) में प्रकाशित हो चुकी हैं। वहाँ डॉ० सत्येंद्रनाथ शर्मा का मत है कि उक्त तीनों रचनाओं के रचनाकार अलग-अलग व्यक्ति हैं। उनके अनुसार दो-तीन गोपाल और एक गोपाल इन नाटकों के रचनाकार हैं। कृष्णनारायण मागध ब्रजबुलि पद्य साहित्य में तीनों नाटकों का रचनाकार एक ही व्यक्ति को स्वीकार करते हैं। इतना ही नहीं, बदनाचंद्र शाइकिया तुरा कालेज, तुरा मेघालय राज्य ने नगाँव के अनेक स्थानों से प्राप्त की गयी पांडुलिपियों और उनके अंतः साक्ष्यों के आधार पर तीनों रचनाकारों को एक ही व्यक्ति अर्थात् दीनगोपाल प्रतिपादित किया।

जरासंध-वध नाटक में दीनगोपाल ने महापुरुष शंकरदेव रचित 'कलिगोपाल' की भटिमा का प्रयोग किया है। अतः जरासंध-वध अन्य नाटकों से भिन्न रचना-भंगी नाटक की श्रेणी प्राप्त कर लेता है। इसकी कथावस्तु का मूल स्रोत भागवत् है। सीता-हरण नाटक का कथानक वाल्मीकि रामायण के पूर्वांचलीय पाठ का अनुसारी है। बलि-छलन नाम के नाटक का कथानक शंकरदेव के बलि-छलन काव्य पर आधारित है। साहित्यिक उपलब्धि की दृष्टि से सीता-हरण और बलि-छलन महत्त्वपूर्ण हैं। इन दोनों ही नाटकों में दीनगोपालजी कवि रूप में उभरे हैं, नाटककार रूप में नहीं। इन दोनों ही नाटकों में आंचलिक विशिष्टता का प्राधान्य दिखाई पड़ता है। बलि-छलन नाटक से उद्धृत एक उदाहरण दृष्टव्य है—

नाचतु ए शिव चरण चलाइ रे ।
करत कौतुक नित भोलानाथ सर्व विभूषित काइ रे ।
पंचानन नेत्र व्याघ्र चर्म शोभित हरिषे हेव दिया नाचे रे ।
सर्पर अलंकार कटि माहि बाघ छल डुब डुब डंबरू बाजे रे ।
भस्म विभूषित शिरे जंटाजूट थमकि-थमकि भोला नाचे रे ।
मृदंग दुंदुभि बाजे गंधर्व सब्र गावे बावे नाचे रे ।

(11) कैवल्यानंद (सन् 1715-1782 ई०)

कैवल्यानंदजी सन् 1715 ई० में पैदा हुए थे और सन् 1782 ई० में दिवंगत हो गये । कैवल्यानन्दजी दिहिंग सत्र के चतुर्थ सत्राधिकारी प्रेम भूषण के आत्मज तथा स्वयं पाँचवें सत्राधिकारी थे । महाराज राजेश्वर सिंह (सन् 1751-1769) इनकी मित्र-मंडली में प्रमुख थे । कैवल्यानंदजी चिकन गोसाई के नाम से भी लोकप्रिय थे । ब्रजबुलि में लिखा गया इनका कंस-वध नाटक प्रकाशित हो चुका है । इनके दो अन्य नाटक हैं—श्री रामचंद्र जन्म तथा अमृत-मंथन । इन दोनों नाटकों का गद्य संस्कृत में है और गीत ब्रजबुलि में । कंस-वध कहने को अंकिया नाटक है परंतु आकार की दृष्टि से अधिक विशाल है । इसका कथानक भागवत से संबंधित है । इसकी गद्य भाषा संस्कृत बहुला तत्सम प्रधान लययुक्त तथा बोझिल है । ये विशेषताएँ ही कंस-वध को दूसरे अंकिया नाटकों से पृथक् कर देती है । यह नाटक जहाँ गीतों की भाषा की दृष्टि से अन्य नाटकों जैसा ही हैं, वहीं पंडिताऊपन से ओतप्रोत है । उदाहरण के लिए एक पद्य दृष्टव्य है—

हरिक बिरहे गोपी देखे अंधियारी ।
संतापित तनु तावे बचन फोकारि ॥
सदृश मृतक तनु शुखाइल बचन ।
दुःखत मलिन मुख खसित बसन ॥
कुच शांख युक्त मैल धरे कृष्ण ध्यान ।
नेखेलावे अन्य मन चिलयुक्त येन ॥
कृष्ण वाक्य लीला गति स्मरि मोह याइ ।
बिरहे नेत्रेनीर फुरे आकुलित होई ।।
एक ठाइ हूया गोपी कातर करइ ।
भूषण चरणे रति कैवला भाई ॥

(12) महींद्र द्विज (18वीं शती)

ऐसा अनुमान किया जाता है कि महींद्र द्विज संभवतः 18वीं शताब्दी के अंतिम

दिनों में विद्यमान थे। इस अनुमान के अतिरिक्त इनके जीवन क्रुत से संबंधित कोई भी जानकारी अभी तक विद्वत्समाज को नहीं मिल पायी। ब्रजबुलि भाषा में लिखित इनकी 'बोधोदय नाट' नाम की रचना ही मिलती है। यह रचना 'अंक माला' (पृष्ठ 321-370) में प्रकाशित हो चुकी है। बोधोदय नाट परंपरागत अंकिया नाटकों की लीक से हटकर रचना कौशल, शैली और उपलब्धि की दृष्टि से संस्कृत के नाटक 'चंद्रोदय' के अधिक समीप है। अंकिया नाटकों की समस्त विशेषताएँ तो इसमें सुरक्षित हैं ही साथ ही प्रतीक शैली इसकी अपनी विलक्षणता है। इन गुणों के कारण ही इसे ब्रजबुलि के एक अन्यतम रचना स्वीकार किया जाता है। उदाहरण स्वरूप एक पद्य प्रस्तुत है—

जय नमो नारायण नित्य निरंजन परम पुरुष राम।
सुर मुनि वंदित पंकज निंदित निर्मल गुण गण धाम॥
जयति जनार्दन दुर्जन गंजन निज जन रंजन देव।
त्रिभुवन वांछित पंकज लांछित अरुण चरण करूँ सेव॥

(13) लक्ष्मीनाथ (19वीं शती)

लक्ष्मीनाथ के जीवन ब्रज से संबंधित सामग्री तो अभी तक अनुपलब्ध है ही, उनके नाम के विषय में भी विद्वानों में मतैक्य नहीं है। डॉ० सत्येंद्रनाथ शर्मा इनका नाम लक्ष्मीदानस मानते हैं। बदनचंद्र शाइकिया ने अनेक पांडुलिपियों के आधार पर इनका नाम लक्ष्मीनाथ माना है। ब्रजबुलि में इनकी पांच कृतियां मिलती हैं, जो इस प्रकार हैं—

(1) कुमार-हरण नाटक,
(2) सिंधुरा-यात्रा,
(3) जन्म-यात्रा,
(4) गोवर्धन-यात्रा, और
(5) दशानन-वध।

नाटककार ने कुमार-हरण नाटक को एकाधिक नाम दिये हैं परंतु उन एकाधिक नामों में कृष्ण-विजय को प्रधानता दी गयी है—

सोहि कृष्ण-विजय नाटक शुनहु जत नर-नारी।

नाटकांत में प्रयुक्त हुई भटिमा से ज्ञात होता है कि कृष्ण-विजय नाटक की प्रेरणा देने वाले महाराज चंद्रकांत सिंह (सन् 1810-1818 ई०) थे। यथा—

श्री चंद्रकांत राजा नृपति प्रधाना।
करावत ओहि नाट निरमाणा॥
—'कुमार-हरण', भटिमा।

इस भटिमा में ही नाटककार लक्ष्मीनाथ ने महापुरुष शंकरदेव को अवतारी पुरुष घोषित किया है और अन्य अवतारों के साथ-साथ इनका भी अवतारी के रूप में गुणगान किया है। नाटक के कथानक का आधार भागवत है। नाटक के कथानक में ऊषा-अनिरुद्ध की पुराण-कथा को बिना किसी परिवर्तन के सजाया गया है। नाटक में जो श्लोक संयोजित किये गये हैं, उनमें से कुछ भागवत के हैं और कुछ नाटककार द्वारा प्रणीत हैं। जो कुछ भी मौलिकता नाटक में दिखायी पड़ती है, वह मौलिकता केवल हरिहर के संग्राम और गीतों में है। उदाहरणार्थ कुमार-हरण नाटक से एक पद्य प्रस्तुत है—

प्राणनाथ देहु दरिशन ।
तोहारि बियोग मोर न रहे जीवन, ए प्राण वल्लभ ॥
मधुर आलाप तेरि हास्य निरीक्षण ।
सुमरि-सुमरि दहे शरीर मदन ॥
काहे गेल प्राणनाथ प्राण लैया मोरे ।
तुम बिन मजिलो बिपद दिंधु धोरे ।
ऐसन मोहन है। सर्वगुण लबित प्रभु श्याम गुणनिधि ॥
हाते दिया बंचिलेक कपटीया बिबि ।
एहि बुलि बिकलिनी करय क्रंदन ॥
कहे लक्ष्मीनाथे गति, नंदनंदन ।
…ऐ नाथ दरिशन देहु ॥

(14) विश्वंभर द्विज (19वीं शती)

पूर्व कवियों की भाँति विश्वंभर द्विज के जीवन-वृत्त से अभी तक विद्वान लोग अनभिज्ञ ही हैं। बदनचंद्र शाइकिया के शोधानुसार विश्वंभर द्विज जगाँव जिले के रहने वाले थे और उनका जीवनकाल 19वीं शताब्दी में पड़ना चाहिए। इनके द्वारा ब्रजबुलि में प्रणीत तीन नाटक मिलते हैं—

(1) शतस्कंध-वध
(2) रावण-वध
(3) प्रभास-यात्रा

'अंकमाला' (पृष्ठ 173-231) में शतस्कंध-वध और प्रभास-यात्रा डॉ० सत्येंद्र नाथ शर्मा द्वारा प्रकाशित किये जा चुके हैं। परंतु इन नाटकों में नाटककार के नाम का उल्लेख नहीं किया गया। बदनचंद्र शाइकिया तुरा कॉलेज, तुरा मेघालय राज्य ने नगाँव के विभिन्न सत्रों से जो पांडुलिपियाँ ढूंढ़ निकाली हैं, उनके आधार पर यह कहा जा सकता है कि उक्त दोनों नाटकों के रचनाकार

विश्वंभर द्विज ही हैं । शतस्कंध-वध नाटक का नाँदी में पूरा नाम 'श्रीरामविजय शतस्कंध वध नाटक मुक्ति-साधकम्' दिया गया है । इस नाटक का कथन रघुनाथ महंत की असमिया रचना अद्भुत रामायण से मिलता-जुलता प्रतीत होता है । इसी प्रकार प्रभास-यात्रा का कथानक राम सरस्वती द्वारा लिखित घोष-यात्रा (असमिया महाभारत) से साम्य रखता है । शतस्कंध नाटक में नाटककार ने राम के चरित्र-चित्रण में अधिक रुचि प्रदर्शित नहीं की है । परंतु सीता को शक्ति के रूप में चित्रित किया गया है । अतः कहा जा सकता है कि नाटककार विश्वंभर द्विज का लगाव शाक्त मत से था । यही कारण है कि नाटक के पात्र राम तथा सीता क्रमशः वैष्णव और शाक्त के प्रतीकात्मक चरित्र रूपायित हुए हैं ।

दूसरा प्रमुख नाटक 'प्रभास-यात्रा' है । जिसमें पांडवों को प्रभास तीर्थवासी निरूपित किया गया है । नाटक कला की दृष्टि से यह एक साधारण रचना है । विश्वंभर द्विज की भाषा शैली का परिचय कराने के लिए शतस्कंध-वध नाटक से एक पद्य उदाहरण स्वरूप प्रस्तुत है—

जय जय रघुकुल राम,
करोहों परिया प्रणाम ।
याहाक नित नाम गुण गाइ,
महा-महा पापी गति पाइ ।
हेन राम भार्यरो वाक्यत,
शतस्कंध हस्ते मैल पराजित ।
मनुष्यर चेष्टाक देखाइ,
करिलंत लीला अनेक ठाई ॥
सीता काली रूपक धरिता,
शतस्कंध बीरक बछिला ॥
राम पावे मने सार करि,
सघने धुबियों राम हरि ॥

स्पष्टीकरण

उक्त रचनाओं और रचनाकारों के अतिरिक्त अन्य बहुत-सी रचनाएँ ब्रजबुलि में मिलती हैं । इस प्रकार की ब्रजबुलि रचनाओं के मुख्यतः दो रूप हैं—

(1) स्फुट पद्य रूप, और

(2) अंकिया नाटक ।

अंकिया नाटकों में संवादों और सूत्रधारों के कथनों को मुख्यतः गद्य में रखा गया है । बीच-बीच में पद्य गीतों और पयार छंदों को संजोया गया है । असमिया

प्रवक्ता बदनचंद्र शाइकिया तुरा कॉलेज, तुरा मेघालय राज्य ने नगाँव जिले के आसपास से अनेक नये अंकिया नाटकों को खोज निकाला है। उन सभी अंकिया नाटकों की भाषा ब्रजबुलि है। उनके विषय में अभी पर्याप्त और निष्कर्षपरक अनुसंधान होना अवशिष्ट है।

ब्रजबुलि में प्रणीत सभी रचनाओं की पांडुलिपियाँ असमिया लिपि में ही मिलती हैं। इनमें से कतिपय प्राचीन पोथियाँ कैथाली अथवा कैथी लिपि में भी मिलती हैं। इस लिपि और उसके परिणाम स्वरूप वर्तनी अथवा, अक्षरी की भिन्नता के कारण ब्रजबुलि की रचनाएँ अथवा कृतियाँ समकालीन हिंदी के मानक भाषा रूप से बहुत कुछ भिन्न है। इसके अतिरिक्त असमिया उच्चारण से भी उन रचनाओं का प्रभावित होना सहज स्वाभाविक था। इन्हीं सब सहज अनिवार्य कारकों के परिणामस्वरूप ब्रजबुलि अपने समकालीन हिंदी के मानक रूप से बहुत कुछ दूर दिखाई पड़ती है।

(15) यज्ञाराम खारधरिया फुकन (सन् 1805-1837 ई०)

यज्ञाराम खारधरिया फुकन के पिता का नाम परशुराम था और वे हादिरा चौकी अथवा बंगाल हाट के दुवरिया का पैतृक अधिकार प्राप्त थे। परशुराम जी की सन् 1816 ई० में मृत्यु हो गयी। उस समय यज्ञाराम खारधरिया फुकन के चौदह वर्षीय बड़े भाई हरिराम ने हादिरा चौकी के दुवरिया का कार्य उत्तराधिकार रूप में प्राप्त कर लिया। इसी बीच बर्मियों ने आहोम राज्य पर आक्रमण शुरू कर दिये। जीवन की सुरक्षा के लिए हरिराम अपने छोटे भाई यज्ञाराम के साथ बंगाल चले गये और कालांतर में जब वहाँ से लौटे तो ग्वालपाड़ा के चंदरिया में आकर एक व्यवसाय केंद्र खोल दिया। चंदरिया से हलिराम अपने कुटुंब और भाई यज्ञाराम को लेकर मेजर डेविड स्काट की सलाह पर सन् 1826 ई० में गुवाहाटी आये और भरलुमुख में निवास करने लगे। राजा चंद्रकांत सिंह का दरबार उस समय गुवाहाटी में लगा करता था। उन्होंने यज्ञाराम को खारधरिया फुकन के पद पर आसीन कर दिया। खारधरिया फुकन का पद संभालने के कुछ समय बाद ही मेजर स्काट ने यज्ञाराम को राज्य के सर्वेक्षण का कार्य सौंप दिया। उसके बाद यज्ञाराम जोरहाट के पुलिस सुपरिटेंडेंट तथा अंत में गुवाहाटी के सदर अमीन बना दिये गये।

जब यज्ञाराम जोरहाट में पुलिस सुपरिटेंडेंट के पद पर कार्यरत थे, तभी उन्होंने अपने अनुभव के आधार पर यह निर्णय लिया कि असमिया भाषाओं के लिए बंगला की तुलना में हिंदी का ज्ञान अधिक लाभप्रद होगा। अतः हिंदी शिक्षण के प्रयोजन से एक उपयोगी ग्रंथ लेखन की ओर उनका ध्यान आकर्षित हुआ। फलतः यज्ञाराम ने **हिंदी व्याकरण और अभिधान** नाम के ग्रंथ लिखने की

योजना बना डाली। और उसे कलकत्ते से प्रकाशित होने वाले 'समाचार दर्पण' में 19 मई, 1832 ई० को प्रकाशित करा दिया। प्रकाशित घोषणा के आधार पर यह कहा जा सकता है कि यज्ञारामजी ने पूरी पुस्तक पहले बंगाक्षरों में लिखने का संकल्प किया था। परंतु 'कस्यचित् गुवाहाटी निवास ने' के प्रतिवाद और सुझाव स्वरूप उन्होंने 'बंगाक्षर' के स्थान पर 'नागराक्षर' में ग्रंथ लेखन का निश्चय किया और तदनुरूप ही लेखन कार्य को आगे भी बढ़ाया। दुर्योगवश आकस्मिक बीमारी और अकाल मृत्यु ने यज्ञाराम के स्वप्न को पूरा नहीं होने दिया। इस विषय में जो प्रमाण मिलते हैं, उनके आधार पर कहा जा सकता है कि यज्ञारामजी का वह ग्रंथ चार खंडों में पूरा होना था—

(1) वाक्यावली,
(2) इतिहास,
(3) व्याकरण, और
(4) अभिदान।

वर्तमान शताब्दी के प्रमुख साहित्यकार

(1) कमल नारायणदेव (मृत्यु सन् 1946 ई०)

आप मूलरूप से छपरा (बिहार) के रहने वाले थे और बाबा राघवदास की योजना के अनुसार सन् 1938 ई० में असम राष्ट्रभाषा प्रचार समिति, गुवाहाटी द्वारा लगाये गये प्रथम हिंदी शिक्षक शिविर में अध्यापक बनकर आये थे। कालक्रम से वे असम राष्ट्रभाषा प्रचार समिति के संचालक बने, तो हिंदी और असमिया के पारस्परिक सहयोग एवं आदान-प्रदान के सुदृढ़ सेतु भी प्रमाणित हुए। कमल नारायणदेव ने कामरूप जिले के रामपुर ग्राम की पुत्री नलिनीबाला दास को पत्नी रूप में स्वीकार कर अंतर्जातीय विवाह को बल दिया। उनके और उनकी मित्र-मंडली के निरंतर प्रयासों के परिणामस्वरूप ही असमिया साहित्यकार बंगला अध्ययन के स्थान पर हिंदी अध्ययन की ओर उन्मुख होने लगे। चूंकि आप हिंदी प्रगतिवादी काव्य आंदोलन से पूर्णरूपेण विज्ञ थे इसलिए असमिया तरुण-मंडली के स्नेह-पात्र बन गये। और जब 'जयंती' के पुनर्प्रकाशन का समय आया, तो उसका संपादक भी उन्हें ही बनाया गया। उनके संपादकत्व में 'जयंती' के अधिकांश अंक द्विभाषी (हिंदी और असमिया) हुआ करते थे, जिससे कि आज के असमिया हिंदी अध्यापक एवं तरुण अपरिचित ही हैं। अपने इन साहित्यिक और समर्पित प्रयत्नों से कमल नारायणदेव ने न केवल हिंदी के प्रचार को गति प्रदान की वरन् असमिया काव्य आंदोलन को नयी दिशा देने में जुटे साहित्यकारों का मार्गदर्शन भी किया। उस समय लेखकों का अभाव-सा था, अतः कभी-कभी

तो उन्हें और चक्रेश्वर भट्टाचार्य को ही जयंती की सारी सामग्री छद्म नामों से लिखनी पड़ती थी। यही कारण है कि कमल नारायणदेव जयंती के लिए असमिया में 'सत्यकाम' तथा हिंदी में 'देवनांप्रिय' के छद्म नामों से लिखा करते थे। कमल नारायणदेव जयंती के संपादन के अतिरिक्त 'वीणा' और 'माधुरी' जैसी असम के बाहर की पत्रिकाओं के लिए भी लिखा करते थे। लेखक के 'नलिनी बालादेवी', 'विहृगि कवि रघुनाथ चौधरी' बरगीत जैसी रचनाएँ उनके विविध निबंधरूपों की परिचायक हैं। डॉ० बिरिंचि कुमार बरूवा की 'हिस्ट्री ऑफ असमीज लिटरेचर' का आपने 'असमिया साहित्य की रूप-रेखा' के नाम से अनुवाद किया था, जो असम राष्ट्रभाषा प्रचार समिति द्वारा प्रकाशित है। आप सन् 1946 ई० में पत्नी और पुत्री को छोड़कर दिवगंत हो गये।

(2) चक्रेश्वर भट्टाचार्य (सन् 1917-1970 ई०)

चक्रेश्वर भट्टाचार्य कामरूप जिले के रहने वाले थे। कमल नारायणदेव के अभिन्न मित्र और सहकर्मी थे। जयंती के प्रमुख लेखक थे। कुछ काल के लिए आपने आकाशवाणी की सेवा में भी कार्य किया था।

आपने हिंदी में कुछ लेख भी लिखे हैं। चक्रेश्वर भट्टाचार्य की उल्लेखनीय देन अनुवाद के क्षेत्र में रही है। और असमिया की कविताओं का 'भारतीय कविता' सीरिज में रूपांतर कर पर्याप्त कीर्ति अर्जित कर ली। आपने एक ओर हिंदी पुस्तकों को असमिया में अनुदित किया तो दूसरी ओर असमिया उपन्यास 'जिवनर बाटत' को हिंदी में अनुदित भी किया जो अभी तक अप्रकाशित है। आप 'देवनांप्रिय' के छद्म नाम से असमिया में कविता, कहानियाँ भी लिखा करते थे।

(3) रजनीकांत चक्रवर्ती (जन्म सन् 1917 ई०)

रजनीकांत चक्रवर्ती, नवीनचंद्र कलिता तथा हेमकांत भट्टाचार्य के साथ ही सन् 1937 में हिंदी प्रशिक्षण प्राप्त करने हेतु बाबा राघवदास के आश्रम बरहज (उत्तर प्रदेश) गये थे और वहाँ से हिंदी का ज्ञान प्राप्त करने के मंतव्य से राष्ट्र-भाषा प्रचार समिति, वर्धा भी गये थे। प्रशिक्षण पूरा करने के उपरांत सन् 1938 ई० में रजनीकांत चक्रवर्ती हिंदी प्रचारक के रूप में असम लौट आये। प्रचार कार्य से संबंधित विभिन्न दायित्वों को पूरा करते हुए आपने असम राष्ट्रभाषा प्रचार-समिति के प्रधान सचिव का पद भी संभाला। समिति द्वारा प्रकाशित होने वाली विविध प्रचार पुस्तकों के सृजन से भी आपका योगदान रहा। इसके साथ ही साथ आप समिति के मुख-पत्र—राष्ट्रसेवक के संपादक भी रहे। आपकी दो किशोर-सहयोगी पुस्तकें विशेष रूप से उल्लेखनीय हैं—

(1) महापुरुष शंकरदेव और

(2) विद्यार्थी गांधी जी।

डॉ० कृष्ण नारायण मागध ने इनकी एक पांडुलिपि "असम में राष्ट्रभाषा प्रचार की झाँकी" का उल्लेख किया।[1]

राष्ट्रसेवक के विविध अंकों में भी आपके हिंदी लेख प्रकाशित होते रहे हैं। आपकी हिंदी प्रचार सेवाओं को ध्यान में रखते हुए ही प्रथम विश्व हिंदी सम्मेलन, नागपुर (1975) आपको सम्मानित कर चुका।

(4) महेश्वर महंत (जन्म सन् 1924 ई०)

महेश्वर महंत मूलतः हिंदी के प्रचारक के रूप में माने जाते हैं। संप्रति आप असम राष्ट्रभाषा प्रचार समित, गुवाहाटी के प्रधान सचिव हैं। साथ ही समिति के मुख-पत्र 'राष्ट्रसेवक' का संपादन कार्य भी कर रहे हैं। आपके कुछ लेख राष्ट्रसेवक में प्रकाशित हो चुके हैं।

(5) लोकनाथ भराली (जन्म सन् 1928 ई०)

भराली जी मूलतः निबंधकार हैं और उनके लेख देश की विभिन्न पत्र-पत्रिकाओं में प्रकाशित होते रहते हैं। आपने कई पाठ्य पुस्तकों की रचना की है। भराली जी एक सफल अनुवादक हैं और मनोमती, आइ आदि असमिया उपन्यासों का हिंदी में अनुवाद किया है। आपकी रचना 'आधुनिक मानस का संकट' भारत सरकार द्वारा पुरस्कार प्राप्त कर चुकी है। आप पिछले अनेक वर्षों से असम राज्य में हिंदी पदाधिकारी के रूप में कार्य करते आ रहे हैं। अद्यतन आप उपनिदेशक, हिंदी पूर्वांचल क्षेत्र के रूप में कार्य कर रहे हैं, जो कि भारत सरकार के अंतर्गत है।

(6) बापचंद्र महंत (जन्म सन् 1928 ई०)

बापचंद्र महंत असमिया और हिंदी दोनों ही भाषाओं में लिखा करते हैं। परंतु आप सच्चे अर्थों में हिंदी के समर्पित मौन सेवक मूलतः कवि और आलोचक हैं। आपकी एक काव्य कृति 'देश की पुकार' के नाम से प्रकाशित है। आपने अनेक आलोचनापरक और शोधपूर्ण निबंध भी लिखे हैं, जो विविध पत्रिकाओं में प्रकाशित हो चुके हैं। असम में मनसा देवी और मनसा साहित्य निबंध तो इतने दीर्घकाय हैं कि उन्हें लघु-पुस्तिका कहा जा सकता है। 'असम में भागवत् धर्म और महापुरुष शंकरदेव' बापचंद्र महंत का एक अलोचनापरक ग्रंथ है जो प्रकाशित

---

1. असम प्रांतीय हिंदी साहित्य, पृष्ठ 136,

हो चुका है। "राष्ट्रवाणी (पुणे) का महापुरुष शंकरदेव" विशेषांक आपके ही संयोजन और संपादन में प्रकाशित हुआ।

(7) सोमेश्वरदास (जन्म सन् 1928 ई०)

सोमेश्वरदास जी ने कतिपय निबंध और संस्मरण लिखे हैं और वे प्रकाशित भी हो चुके हैं। इतना होने पर भी आपको निबंधकार और संस्मरणकार के रूप में इतनी मान्यता नहीं मिली है, जितनी कि एक तुलनात्मक कोश कार्य के रूप में। आपके द्वारा निर्मित 'आदर्श असमिया-हिंदी कोश' एक ऐसा तुलनात्मक कोश ग्रंथ है, जो आपको समादृत और अमर बनाये रखेगा।

(8) छगनलाल जैन (सन् 1929 ई०)

छगनलाल जैन हिंदी के प्रचार और रचना दोनों कार्यों से संबद्ध हैं। बहुत दिनों तक 'पूर्व-ज्योति' नाम की साप्ताहिक हिंदी पत्रिका के संपादन और प्रकाशन का दायित्व भी संभाले रहे हैं। इनके बहुत से निबंध विविध पत्र-पत्रिकाओं में प्रकाशित हो चुके हैं। यद्यपि आप एक बहुमुखी साहित्यकार हैं फिर भी आपको कथाकार रूप में अधिक सफलता मिली है। अब तक आपकी निम्नलिखित रचनाएँ प्रकाश में आ चुकी हैं—

(1) हँसते-हँसते जीना (कहानी संग्रह)
(2) इंसान की खोज (ध्वनि नाटक)
(3) संघर्ष (नाटक)
(4) राह और रोड़े (उपन्यास)
(5) राष्ट्रभाषा और व्याकरण-शिक्षा
(6) राष्ट्रभाषा शब्द-संग्रह
(7) राष्ट्रभाषा-अभिधान

(9) तरुण आजाद डेका (जन्म सन् 1929 ई०)

तरुण आजाद डेका व्यवसाय से आकाशवाणी से संबंधित हैं। ये मूलतः नाटककार हैं और इनके सभी नाटक आकाशवाणी से प्रसारित तथा पत्र-पत्रिकाओं में प्रकाशित होते हैं। आपने सैकड़ों नाटकों का असमिया आदि से हिंदी में अनुवाद किया है अथवा नाट्य रूपांतरण किया है और जिनमें से अधिकांश आकाशवाणी के विविध केंद्रों से प्रसारित हो चुके हैं। आपका 'कवच' नाम का नाटक भारत सरकार द्वारा पुरस्कृत किया जा चुका है। इसके अतिरिक्त निम्नलिखित नाट्य कृतियाँ भी प्रकाशित हैं—

(1) इंसान

(2) मूला गाभरू
(3) नयी दुनिया (एकांकी)
(4) बरगीत
(5) बिहु
(6) गोपाल परिया—लोकगीत
(7) मणिपुर
(8) कामरूप (रूपक)

उक्त कृतियों के अतिरिक्त तरुण आजाद डेका ने कुछ पाठ्य पुस्तकें भी लिखी हैं।

(10) नरनाथ भट्टाचार्य (जन्म सन् 1931 ई०)

आप व्यवसाय से हिंदी के अध्यापक हैं और निबंध लेखन में आपकी विशेष अभिरुचि है। असम राष्ट्रभाषा प्रचार समिति के मुखपत्र 'राष्ट्रसेवक' में आपके अनेक हिंदी निबंध प्रकाशित हो चुके हैं। भट्टाचार्य मौलिक साहित्य सृजन द्वारा ही हिंदी साहित्य की श्रीवृद्धि नहीं कर रहे हैं, वरन् अनुवाद के द्वारा भी आप हिंदी साहित्य के भंडार को भर रहे हैं और इस दृष्टि से डॉ० वाणीकांत काकति के ग्रंथ 'पुरणि असमिया साहित्य' का आपका हिंदी रूपांतर विशेष रूप से उल्लेखनीय है।

(11) मोती मदरासी (जन्म सन् 1931 ई०)

मोती मदरासी मूलतः तमिल भाषी हैं, जिनका कि कार्य क्षेत्र असम प्रांत है। आपका मूल नाम एस० मुत्तु सुब्रह्मण्यम् है। ये साहित्यकार की दृष्टि से प्रमुखतः कहानीकार हैं। अब तक सरिता, मुक्ता, सुप्रभात, मनोरमा, नोक-झोंक, आज, सन्मार्ग, विश्वमित्र,साप्ताहिक हिंदुस्तान, कादंबिनी, जनरुचि, अनुपथ आदि पत्र-पत्रिकाओं में आपकी लगभग साठ कहानियाँ छप चुकी हैं। इनमें से कुछ आकाशवाणी केंद्र, गुवाहाटी से प्रसारित भी हो चुकी हैं। हास्य व्यंग्य इनकी कहानियों की विशेष पहचान है। 'कुछ कहानियाँ' नामक संकलन में इनकी तीन कहानियाँ संकलित हैं।

(12) जितेंद्रनाथ खादोंद (जन्म सन् 1931 ई०)

आप वृत्ति से गुवाहाटी विश्वविद्यालय, गुवाहाटी में हिंदी के प्रवक्ता हैं परंतु प्रवृत्ति से हिंदी के निबंधकार और समीक्षक हैं। हिंदी और असमिया के उपन्यासों का तुलनात्मक अध्ययन के नाम से आप डी० फिल् की उपाधि के लिए शोध प्रबंध लिख चुके हैं। असम राष्ट्रभाषा प्रचार समिति, गुवाहाटी के मुख-पत्र

'राष्ट्रसेवक', डॉ० कृष्णनारायण प्रसाद 'मागध' द्वारा संपादित मासिक 'प्राच्य भारती' शांति निकेतन विश्वविद्यालय की मासिक पत्रिका 'विश्व भारती' आदि ख्याति प्राप्त पत्रिकाओं में आपके अनेक लेख प्रकाशित हुए हैं। इसके अतिरिक्त आपने कुछ पाठ्य पुस्तकों का भी सृजन किया है।

(13) नवारुण वर्मा (जन्म सन् 1935 ई०)

नवारुण वर्मा असम राष्ट्रभाषा प्रचार समिति, गुवाहाटी में कार्यरत हैं। 'राष्ट्रसेवक' पत्र के संपादन माध्यम से कलम की मजदूरी और कलम की सिपाहीगिरी दोनों ही भूमिकाओं को निभा चुके हैं। इस अंतराल में असम राज्य का शायद ही कोई हिंदी साहित्यकार ऐसा रहा हो, जिसकी सर्जना पर इनकी लाल लेखनी ने कुछ लीपा-पोती न की हो। यद्यपि आप बहुमुखी सर्जक साहित्यकार हैं परंतु आपकी रुचि काव्य रचना की ओर दिखाई पड़ती है। इस प्रकार आप मौलिक रचनाकार तो हैं ही, परंतु यथावसर अपने अनुवादक रूप को भी उद्घाटित कर दिया करते हैं। 'राष्ट्रसेवक', 'मधुमति', 'सारिका', 'माध्यम', 'राष्ट्रभाषा पत्र', 'धर्मयुग', 'विश्व ज्योति', 'भाषा', 'युवक', 'गंधदीप', 'साप्ताहिक हिंदुस्तान', 'आजकल', आदि अनेक पत्रिकाओं के लिए आप लिखा करते हैं। आपकी कतिपय मौलिक रचनाओं का संक्षिप्त विवरण इस प्रकार है—

(1) लाचित बरफुकन
(2) युगदेवता शंकरदेव
(3) सिंधु-मंथन
(4) सती जयमति
(5) ब्रह्मपुत्र का नाविक
(6) कविता संकलन
(7) काला लोहित (उपन्यास)
(8) कहानी संकलन

रूपांतरकार के रूप में नवारुण वर्मा ने असमिया से हिंदी में कविताएँ, कहानियाँ, उपन्यास आदि का अनुवाद किया है। 'सागर देखिछा' (देवकांत बरूवा कृत), 'कका देओतार ताड़', 'डावर अरुनाइ' (योगेश दास) आदि रचनाओं का आप हिंदी में अनुवाद कर चुके हैं। 'कका देओतार ताड़' उपन्यास का अनुदित रूप 'बंधन' पुरस्कार प्राप्त कर चुका है।

(14) चित्र महंत (जन्म सन् 1936 ई०)

चित्र महंत मूलतः हिंदी के प्रचार और रचना कार्य से जुड़े रहे हैं। आप मौलिक लेखक, अनुवादक, संपादक आदि कई रूपों में ख्याति प्राप्त कर चुके हैं। असम

राष्ट्रभाषा प्रचार समिति, गुवाहाटी द्वारा प्रकाशित राष्ट्रसेवक का आपने वर्षों तक सफलतापूर्वक संपादन किया है। देश के विविध पत्र-पत्रिकाओं में आपके निबंध प्रकाशित हुआ करते हैं। आपकी उल्लेखनीय प्रकाशित रचनाएँ इस प्रकार हैं—

(1) असमिया साहित्य और साहित्यकार
(2) राष्ट्रभाषा : विकास, प्रचार और प्रसार
(3) लोकप्रिय गोपीनाथ बरदलै
(4) अतीत के अंचल में
(5) यह असम है

हिंदी के प्रचार और प्रसार में कार्यरत रहे अनाम सेवियों और संस्थाओं को प्रकाश में लाने की दृष्टि से आप प्रथम पांक्तेय कहे जायेंगे।

(15) परेशचंद्र देव शर्मा (जन्म सन् 1936 ई०)

परेशचंद्र देव शर्मा का जन्म सन् 1936 ई० में गुवाहाटी के पास के एक कस्बे में हुआ था। आप हिंदी शिक्षक प्रशिक्षण महाविद्यालय, उत्तर गुवाहाटी के संस्थापक प्रधान आचार्य के रूप में प्रख्यात हैं। हिंदी के प्रचार-प्रचार में संलग्न अनेक सरकारी तथा गैर-सरकारी संस्थाओं से किसी-न-किसी रूप से संबद्ध हैं। लेखिनी और वाणी पर समान अधिकार रखते हैं। आपकी पाठ्य पुस्तकों के सृजन में सराहनीय भूमिका रही है। आपकी 'असमिया' नामक पुस्तक हिंदी माध्यम से असमिया का ज्ञान कराने वाली पुस्तकों में प्रमुख स्थान ले चुकी है।

(16) मोहन कोइराला (जन्म सन् 1962 ई०)

असम के हिंदी साहित्यकारों में उभरते हिंदी कवि हैं—मोहन कोइराला। आपका जन्म 26 जुलाई, 1962 को काठनिवारी में हुआ था। यह स्थान पत्रालय लहरीजान, जिला शोणितपुर के अंतर्गत आता है। 'आत्म कथ्य' के अनुसार आपकी हिंदी प्रचार तथा प्रसार कार्य में विशेष रुचि है। कविता करना कवि के लिए ऐयाशी नहीं है बल्कि जीवन के लिए संजीवनी स्वरूप है। काव्य रचना कवि की मार्गदर्शक तथा अभिव्यक्ति का एक माध्यम है। 'प्रवेश' शीर्षक के अंतर्गत दी गयी संपादकीय टिप्पणी[1] के अनुसार कवि द्वारा प्रेषित कविताओं में आधुनिक जीवन की विसंगतियों और विडंबनाओं को अभिव्यक्त किया गया है और इसी काव्य विशेषता के कारण मोहन कोइराला को 'प्रवेश' ने वरीयता दी है। कवि की कविताओं के कुछ उदाहरण इस प्रकार हैं—

1. कादंबिनी अप्रैल, 1984

सिलसिला

मेरे वाक्य अर्थहीन तब होंगे
जब,
कर्म और ईमान
आत्मा और परमात्मा
समय और मानवता
अर्थपूर्ण हो जायेंगे
मेरे शब्द अशुद्ध तब होंगे
जब इनकी
चमक में कलिता
और
शांति में युद्ध छिड़ेंगे
मेरे अक्षर उल्टे तब दिखेंगे
जब मैं स्वयं
संवेदना खो जाऊँगा
और उन्हें
संशय से निहारूँगा
तब सब कुछ अर्थपूर्ण हो जायेंगे।

बेरोजगारी क्रम

दफ्तरों के चक्करों ने
चप्पल घिसा दिये हैं मेरे
गर्मियों के थपेड़ों ने
कपड़े फटा दिये हैं मेरे
सुबह गया तो शाम लौटा
किसी ने "बंडलों" से
पानी फिरा दिया है दामन में मेरे
आश्वासनों के वाक्यों ने
मस्तिष्क भर दिया है मेरा
बोझिल संघर्षों ने
पैर भी थका दिये हैं मेरे
थकान ने मुझे हँसा दिया है

आराम लेने बिठा दिया है
फिर चप्पल घिसाने हेतु
पैरों को चला दिया है मेरे

आवाहन

मैं कदापि
यह सहन नहीं कर पाऊंगा
यहाँ जो न होना चाहिए था
वही हो रहा है
दर्द के काँटे बोये जा रहे हैं
उनके प्रभाव से
हम भी ग्रसित हुए हैं
व्यक्तिवादी
जहर फैलने लगा है
तुम आओ सूरज
इन जहरीले काँटों को
उखाड़ फेंक दे

अनुयायी

मेरे शब्दों का नीड़ टूट गया
अनगिनत अतृप्त आशय को लेकर
एकत्र करने का प्रयास
विफलताओं में उलझ गया
मेरे ही समक्ष वे
संसारी दानवों के बाजुओं में
जकड़कर लुप्त हो गये
मगर
विश्वास उपल रहा मन में
उनके अटूट बंधन से भी मुक्त होकर वे
मेरे ही पास आयेंगे
क्योंकि
वे मेरे अनुयायी जो हैं ।

शर्माजी एक सफल निबंधकार भी हैं। संपादन में भी प्रवीण हैं। 'भाषा विविधा' आपके द्वारा संपादित हिंदी शिक्षक प्रशिक्षण महाविद्यालय, उत्तर

गुवाहाटी द्वारा सन् 1972 में प्रकाशित निबंध संकलन है। इस निबंध संकलन के निबंध शिक्षा की बहुत-सी मौलिक समस्याओं और पहलुओं पर पूर्वाग्रह से मुक्त रहकर प्रकाश डालते हैं। अधिकांश निबंध व्यवहारिक अनुभवों से अनुप्राणित हैं। फलत: मौलिकता से युक्त हैं। निबंधों के विषय में दी गयी संपादकीय टिप्पणी सर्वथा ध्यातव्य है—"इनमें शोध ग्रंथ की सामग्री तो मिल सकती है लेकिन इन्हें शोधपरक रचना कहने का हम अभिमान नहीं कर सकते।"

इस समय आप 'हिंदी-असमिया कोश' पर कार्य करने में जुटे हुए हैं।

(17) श्रीमती केशदा महंत (जन्म सन् 1439 ई०)

श्रीमती केशदा महंत असमिया, संस्कृत और हिंदी की विदुषी हैं। क्रमांक 6 में उल्लिखित साहित्यकार बापचंद्र महंत की गृहिणी हैं। श्रीमती केशदा महंत एक सफल निबंधकार और समर्थ समीक्षिका हैं। पांचजन्य, हिंदू विश्व परिषद पत्रिका (पटना), राष्ट्रसेवक आदि अनेक स्तरीय पत्र-पत्रिकाओं में आपके बहुत से उत्कृष्ट लेख प्रकाशित हो चुके हैं। डॉ० कृष्णनारायण प्रसाद 'मागध' की सम्मत्यानुसार "इनके निबंध जितने गंभीर होते हैं, उतने ही गवेष्णात्मक भी। हिंदी को इनसे अनेक आशाएँ हैं।"

नवोदित रचनाकार

उक्त साहित्यकारों के अतिरिक्त कुछ ऐसे काव्य संकलन भी प्रकाशित हुए हैं, जो असम प्रांत के नवोदित हिंदी रचनाकारों की ओर संकेत करते हैं। यथा—

(1) असम की हिंदी कविताएँ

चिरंजीलाल जैन द्वारा संपादित सन् 1968 में 'भारती प्रकाशन, गोपाल बाजार, नलवाड़ी (असम) द्वारा प्रकाशित कविता संकलन है। इस कविता संकलन में चिरंजीलाल जैन के अतिरिक्त श्यामसुंदर जालान, सुमन लता जालान, धर्मचंद काला, प्रफुल्ल कुमार शर्मा, उषा देवी जैन, दामोदर जोधानी, नंदलाल जोधानी, (कुल आठ कवियों) की 27 कविताएँ सम्मिलित हैं। पुस्तक के प्रारंभ में प्राक्कथन के 6 पृष्ठ हैं जिसकी टिप्पणी के अनुसार "इसके कवि न किसी एक वाद से संबंध रखते हैं और न किसी विचारधारा के वाहक हैं।" संग्रह की अधिकांश रचनाएं बाल-मानसिकता की परिचायक तुकबंदी मात्र हैं। कवित्व एवं कथ्य की दृष्टि से चिरंजीलाल की रचनाएँ कुछ जानदार अवश्य हैं।

(2) मुट्ठी-मुट्ठी अक्षत

भारती प्रकाशन, गुवाहाटी, (असम) द्वारा सन् 1969 ई० में प्रकाशित कविता

संग्रह है। जिसमें आनंद कुमार शर्मा, 'चंचल', मदनलाल जाउ 'अमल', महेन्द्रनाथ चतुर्वेदी, राजकुमार 'कलम', रामचंद्र, रामविलास महतो, वगीशदत्त तिवारी, हीरालाल—आठ कवियों की 57 रचनाएँ सम्मिलित हैं। 'दो शब्द' में कहा गया है—"ये आठों मुट्ठियाँ कामकाजी मध्यवर्गीय बुद्धिजीवियों की हैं, जो किसी आग्रह अथवा वाद से निर्लिप्त कामकाज से समय निकालकर ईमानदारी से लिखते हैं।" यह कथन कविता संग्रह की सभी रचनाओं पर लागू होता है। यद्यपि संकलन की सभी रचनाएँ कवित्वपूर्ण हैं, परंतु इस दृष्टि से कवि रामचंद्र ही सर्वश्रेष्ठ ठहरते हैं और उन्हीं की टक्कर के दूसरे कवि राम विलास महतो, कहे जा सकते हैं।

निष्कर्ष

संक्षिप्त रूप में हम कह सकते हैं कि हिंदी साहित्य के विकास एवं प्रचार-प्रसार के क्षेत्र में पूर्वांचलीय प्रदेशों में कुछ स्थानों पर बहुत पहले से और कुछ स्थानों पर आधुनिक युग में कार्य हुआ है। आज स्थिति ऐसी है कि अनेक लेखकों और कवियों ने हिंदी को अपनी अभिव्यक्ति का माध्यम बना लिया है। एक ओर तो क्षेत्रीयता, राजनीति और कतिपय अन्य कारणों से हिंदी का विरोध किया जा रहा है और दूसरी ओर वहाँ के छात्र, अध्यापक तथा अन्य वर्ग के लोगों में हिंदी सीखने की बलवती प्रवृत्ति होती चली जा रही है। पचासों संस्थाएँ और सहस्रों लोग इस कार्य में तथा हिंदी साहित्य और भाषा कोष को समुद्र बनाने में संलग्न हैं।

यह सही है कि पूर्वांचलीय हिंदी लेखकों और कवियों की कृतियाँ साहित्यिक दृष्टि से बहुत ऊँची कोटि की नहीं हैं तथापि भारतवर्ष की सांस्कृतिक एकता की दृष्टि से यह एक शुभ लक्षण है।

अध्याय-7

उपसंहार

भारतवर्ष के पूर्व अंचल के राज्यों को हम 'पूर्वांचल प्रदेश' की संज्ञा देते हैं। इस पूर्वांचल के अंतर्गत छोटे-बड़े पूर्ण दर्जा प्राप्त और केंद्र राज्य शासित कुल आठ राज्य (प्रांत) सम्मिलित किये जाते हैं। ये राज्य हैं—मिज़ोरम, त्रिपुरा, मणिपुर, नागालैंड, अरुणाचल, सिक्कम, असम और मेघालय।

पेटर शिमिट ने एक बड़े भाषा-परिवार को सिद्ध किया था। इसके बोलने वाले निकट और बृहत्तर भारत में मिलते हैं और इंडोनेशिया, मैलेनेशिया होते हुए मैडागास्कर तथा न्यूजीलैंड तक चले गये हैं।

आस्ट्रो-एशियाटिक भाषाओं के अंतर्गत मानख्येर की 'खासी' भाषा मिलती है, जो असम प्रदेश के खासी एवं जयंतिया पहाड़ियों के लोगों की बोली है। इसका जो भी साहित्य उपलब्ध है, वह मिशनरियों की देन है। खासी से संबद्ध लिंगम सिंटेग, वार आदि बोलियाँ हैं। हिमालय के पूर्वोत्तर असम प्रदेश से लेकर पूर्वोत्तर पंजाब तक अधिकांश लोग तिब्बती-बर्मी भाषाओं के विभिन्न रूपों का व्यवहार करते हैं।

तिब्बती-बर्मी शरण के अंतर्गत "तिब्बती-बर्मी भाषा-भाषी सर्वप्रथम यांगत्सी तथा ह्वांगहो के ऊपरी भाग में स्थित अपने मूलस्थान से इरावदी तथा चिंदविन के उत्तर की ओर आये। यहाँ से कुछ तिब्बत में जाकर बस गये।"

"असम में इसी परिवार के अन्य लोगों से जो असम घाटी से होकर ब्रह्मपुत्र के निचले भाग में आये थे, इनका संपर्क हुआ और ये उनमें घुलमिल गये। नदी के बड़े मोड़ पर, बर्तमान धुबरी शहर के समीप ये जातियाँ दक्षिण की ओर मुड़ीं और इन्होंने सर्वप्रथम गारो पहाड़ियों तत्पश्चात् आज के टिपरा पर्वत को अधिकृत कर लिया। इसके और गारो पहाड़ियों के बीच के जिन्हें आजकल खासी तथा जयंतिया पहाड़ी कहते हैं, पर्वतीय प्रदेशों पर ये अधिकार करने में सफल सिद्ध हुए और यह आज भी मानख्येर भाषा-भाषियों का स्थान रह गया है। इस तिब्बती-बर्मी दल के अन्य सदस्य असम घाटी के उत्तर में रुक गये और वहाँ से दक्षिण

की ओर चले आये। इन लोगों ने नामा पहाड़ियों पर अधिकार कर लिया और यहाँ मिश्रित जातियों के पूर्वज के रूप में रहने लगे। इनकी भाषा को हम सुविधा की दृष्टि से नामा वर्ग के नाम से पुकारते हैं। इसी वर्ग के अन्य कुछ लोग मणिपुर की ओर गये, वहाँ से पश्चिमी नामा प्रदेश में गये और आज भी उत्तर की ओर प्रस्थान करने के इनके चिन्ह दिखायी पड़ते हैं। इन सबके वंशज एक दूसरी से भिन्न लगभग तीस भाषाएँ बोलते हैं, जिनका पारस्परिक संबंध है। इन्हें मेइथेई के साथ कुकी-चिन वर्ग में स्थान दिया गया है।"[1]

जार्ज ग्रियर्सन का अनुमान है कि "संभवत: वन्य 'मन' जाति के आदि चीनी पूर्वज हैं, जो अब फ्रेंच-हिंद तथा चीन में पाये जाते हैं। चिन पर्वत इनका उपनिवेश रहा। आधुनिक युग में ये लोग लुशाइ भूमि तथा कचार की ओर गये।" 1228 ई० में जब चीन में कुबलाई खान अपना शासन स्थापित कर रहा था, अहोम नामक शान जाति ने आसाम में प्रवेश किया। यह यहाँ बस गयी। अहोम शब्द वस्तुत: असम/आसाम का ही एक अन्य उच्चरित रूप है। 1540 ई० में इन लोगों ने दीमापुर पर विजय प्राप्त की और इस प्रकार 'अहोम' संपूर्ण असम घाटी के स्वामी बन गये और 17वीं शताब्दी के अंत तक ये शासक बने रहे। इसी काल में ये हिंदू धर्म से प्रभावित हुए। 1824 ई० की अंग्रेजों की विजय के पश्चात् 'अहोम' लोगों का पतन हुआ। कालांतर में इनकी भाषा मृत हो गयी और अब मात्र कुछ पुरोहित ही रह गये हैं जिनके यहाँ इनकी प्राचीन परंपराओं और विश्वासों का एक रूप देखा जा सकता हैं।

नयी शताब्दियों तक शासन करने के बावजूद अहोम लोगों ने यहाँ की भाषा को बहुत कम प्रभावित किया। लगता है कि उनकी संख्या कम रही।

उत्तरी असमिया शाखा के अंतर्गत अक, अबोर, मिरी, डफ्ला और मिश्मी बोलियाँ आती हैं। असम-बर्मी शाखा की भाषाओं में बोडो, नागा, काचिन, कुकी-चिन, वर्मी, लालोमोसो और लुई की गणना की जाती है। बोडो समूह की बोलियों में काचारी, लालुंग, दीमा-सा, गारो, कोच राभा, त्रिपुरा, चुटिया और मोराम प्रमुख हैं। नागा-समूह के अंतर्गत नागा, व नागा-कुकी और कई अवर्गीयुत बोलियाँ आती हैं। पश्चिम नागा समूह के अंतर्गत रेंग्मा, अंगामी, उन्जा और कोझामा नामक बोलियाँ हैं। मध्य नागा समूह के अंतर्गत आओ, ल्होता, सेंताम, थुकुमि और यचुमि बोलियाँ हैं। पूर्वी नागा-समूह में अनग्वांकु, चिंगमेग्नु, वन्परा, मूतेनिया, मोहोगिया, नमूसंगिया, मोशोण, शांतो आदि बोलियाँ हैं। नागा-कुकी उपसमूह के अंतर्गत मिकिर, सोपवोमा, मराम्, मियोगुरवांग, ववोइरेग, ताङखुल

1. दृष्टव्य : भारत का भाषा सर्वेक्षण, खंड-1, भाग-1
लेखक—सर जार्ज अब्राहम ग्रियर्सन, पृष्ठ 80-85,

और मरिंग बोलियाँ हैं। कचिन के अतिरिक्त कुकी-चिन उपसमूह में मेइथेई, उत्तरी चिन, मध्य चिन, पुरानी कुकी, दक्षिणी चिन और कई अनिर्णित बोलियाँ हैं ।

मणिपुर राज्य के प्राचीन कुकी बोलने वाले लोगों की कुल 11 बोलियाँ हैं—एमोल, चिरु, कोलरेन, कोम, चोते, मुंतुक, करुम्, पुरुम्, अनाल, हिरोइल-मूगांग और वेफ़ेई ।

पूर्वांचल के भाषिक सर्वेक्षण से ज्ञात होता है कि मिज़ोरम में 8, त्रिपुरा में 9, मणिपुर में 11, नागालैंड में 14, अरुणाचल में 16, सिक्किम में 3, असम में 24 और मेघालय में 6 बोलियाँ बोली जाती हैं। भाषा वैज्ञानिकों ने पूर्वांचलीय बोलियों को तिब्बती-चीनी परिवार के अंतर्गत माना है। इस परिवार की तिब्बती-बर्मी जैसी अन्य शाखाएँ भी मानी गयी हैं । भारतीय संविधान के अनुसार मिज़ोरम, त्रिपुरा, मणिपुर, नागालैंड, अरुणाचल और मेघालय की राजभाषा 'अंग्रेजी' मानी गयी है। असम की राजभाषा असमिया और बंगाली स्वीकृत है। छः पूर्वांचलीय राज्यों की राजभाषा अंग्रेजी है किंतु इस कारण से भी उन राज्यों में हिंदी प्रचार-प्रसार में कोई विशेष कमी नहीं आयी है । इन राज्यों के लोगों में हिंदी सीखने के लिए उत्कट आग्रह और प्रेम है ।

1918 ई० में शिवसागर के समीप वक्ता नामक गाँव में एक निःस्वार्थ स्वामी जी ने "असम पोलीटेकनीक इंस्टीट्यूशन" की स्थापना की। 1926 ई० में इस विद्यालय में हिंदी को भी एक विषय के रूप में रखा गया। इसके पूर्व वहाँ हिंदी-विकास, प्रचार-प्रसार का कोई नामो-निशान नहीं था। उस समय इस संस्था में तीसरी से आठवीं कक्षा तक हिंदी की अनिवार्य शिक्षा की व्यवस्था की गयी। आठवीं से दसवीं तक हिंदी को एक ऐच्छिक विषय के रूप में रखा गया। इस कार्य हेतु बलिया के पंडित सूर्यकांत मिश्र और गुवाहाटी के श्री रजनीकांत चक्रवर्ती की नियुक्ति की गयी । बाद में सर्वश्री सर्वेश्वर मजुमदार, सूर्यकांत बरपाथ गोहोइ और मोहम्मद सफी अहमद ने भी इस प्रचार कार्य में योग दिया । इस संस्था में छात्रों के अतिरिक्त बड़े-बूढ़े भी हिंदी सीखने के लिए आने लगे। असम प्रदेश में हिंदी प्रचार का इतिहास शुरू होता है ।

महात्मा गांधी की हिंदी प्रचार-प्रसार योजना के अंतर्गत बाबा राघवदास को पूर्वांचल में हिंदी-प्रचार का दायित्व दिया गया । उन्होंने 1934 ई० में कई व्यक्तियों की सहायता से यह कार्य शुरू किया । परिणामस्वरूप जोरहाट, डिब्रूगढ़ शिवसागर, नगाँव, गुवाहाटी और गोलाघाट स्थानों में हिंदी प्रचार का कार्य व्यापक रूप से प्रारंभ हुआ।

वस्तुतः असम में हिंदी-प्रचार का कार्य आज से लगभग पाँच सौ वर्ष पूर्व श्री शंकरदेव ने शुरू किया था। इन्होंने 'बरगीत' और 'कंकीया नाटक' की रचना हिंदी में की थी । किंतु यह एक व्यक्ति का कार्य था । वहाँ हिंदी का वास्तविक

प्रचार महात्मा गाँधी के हिंदी प्रचार आंदोलन से ही आरंभ होता है। तरुणराम फुकन, नवीनचंद बरदलै, गोपीनाथ बरदलै, कृष्णनाथ शर्मा, भुवनचंद गर्ग, हरे कृष्ण दास, पीतांबर गोस्वामी, कुलधर चालिहा, हेमचंद बरुवा, अमल प्रभा दास, नीलमणि फुकन, श्रीकांत बरूवा, डॉ० सूर्यकांत भूया, विष्णुराम मेथी, कालोनाथ शर्मा, डॉ० बिरंचि कुमार बरूवा प्रभृति प्रचारकों ने हिंदी प्रचार कार्य में ठोस योग दिया। बाबा राघनदास अपने देवरिया स्थित आश्रम से ही असम में हिंदी प्रचार कार्य का संचालन करते रहे। 1937 ई० में वर्धा की राष्ट्रभाषा प्रचार समिति की ओर से असम में हिंदी शिक्षण की व्यवस्था की गयी। इसी वर्ष असम में बाबा राघवदास, काका कालेलकर, दादा धर्माधिकारी, श्री मन्नारायण जैसे हिंदी प्रचारकों का आगमन हुआ। असम के नेताओं ने भी गांधी जी के इस कार्य में योग देना शुरू किया। बाद में वर्धा समिति की ओर से हिंदी का प्रादेशिक संचालक नियुक्त किया गया।

दक्षिण भारत हिंदी प्रचार सभा, मद्रास की ओर से 1938 ई० में यमुना प्रसाद श्रीवास्तव हिंदी प्रचारक बनाकर भेजे गये। 3 नवंबर, 1938 को असम में हिंदी प्रचार समिति की स्थापना की गयी और इस प्रकार असम प्रदेश में हिंदी के प्रचार-प्रसार ने धीरे-धीरे व्यापक रूप प्राप्त कर लिया। उस समय हिंदी प्रचार समिति के प्रतिष्ठाता श्री गोपीनाथ बरदलै हुए। कुछ समय बाद बरदलै जी कांग्रेस संयुक्त सरकार के नेता बने और असम के मुख्यमंत्री बने। उन्हीं के प्रयास से असम में पाँचवीं श्रेणी से हिंदी शिक्षण की व्यवस्था हुई। काका साहब कालेलकर के प्रस्ताव के अनुसार इस समिति का नाम "असम राष्ट्रभाषा प्रचार समिति" रखा गया। इस समिति ने मणिपुर और असम प्रदेश में हिंदी प्रचार-प्रसार का अभूतपूर्व कार्य किया। बरदलै जी के ही आदेश से नार्मल स्कूलों में हिंदी शिक्षकों की नियुक्तियाँ की गयीं। धीरे-धीरे चौथी कक्षा से आठवीं कक्षा तक असम में हिंदी अनिवार्य विषय बन गयी।

संप्रति असम प्रदेश में लगभग डेढ़ सौ हिंदी प्रचार विद्यालय, कार्यरत हैं। लगभग तीन हजार से अधिक हिंदी प्रचारक इस कार्य में संलग्न हैं। असम और वर्धा समिति के साथ ही शिलांग शहर में हिंदी प्रचार मंडल नामक एक संस्था भी हिंदी प्रचार कार्य में संलग्न है। मेघालय में भी असम राष्ट्रभाषा प्रचार समिति हिंदी प्रचार का कार्य कर रही है।

सन् 1972 ई० तक मिज़ोरम असम का एक जिला मात्र था। संप्रति मिज़ोरम केंद्र शासित अंचल है। असम का एक जिला होने के कारण वहाँ हिंदी की शिक्षा व्यवस्था असम जैसी ही थी। श्री सेलेतथङा मिज़ोरम के प्रथम हिंदी प्रचारक हैं। उन्होंने मिज़ोरम की कई संस्थाओं में रह कर हिंदी प्रचार कार्य किया, अध्यापन भी किया। 1955 ई० में असम राष्ट्रभाषा प्रचार समिति ने

श्री चित्र महंत को मिज़ोरम में हिंदी प्रचारक नियुक्त किया। 1956 ई० के बाद शत-शत विद्यार्थी हिंदी की विभिन्न परीक्षाओं में सम्मिलित होने लगे। धीरे-धीरे लुङ लेइ, आइज़ोल, कोनपुइ, कोलासीब आदि स्थानों में हिंदी प्रचार केंद्र खुल गये। असम के आदिवासी जिलों में से मिज़ो पहाड़ी जिले में हिंदी के प्रति जो आग्रह देखा जाता है, ऐसा अन्य अंचलों में नहीं देखा जा सकता।

आजकल पुनर्गठित मिज़ो प्रदेश में हिंदी के प्रति आग्रह पूर्वापेक्षा अधिक दिखायी दे रहा है। नयी सरकार ने मिज़ो छात्रों में हिंदी प्रचार के लिए अनेक कार्यक्रमों को अपनाया है।

असम प्रदेश के दो जिले खासी और जयंतिया पहाड़ तथा गारो पहाड़ को लेकर 'मेघालय' का पुनर्गठन किया गया। असम में 1948 ई० में (शिलांग) असम राष्ट्रभाषा प्रचार समिति ने अपना काम शुरू कर दिया था। मेघालय में माहाम् सिंह, बैकुंठनाथ सिंह, केशव शर्मा, विश्वनाथ उपाध्याय, पद्‌मनाथ बरठाकुर आदि ने हिंदी प्रचार-प्रसार का कार्य प्रारंभ किया। असम राष्ट्रभाषा प्रचार समिति ने मेघालय में अपना प्रचारक भी नियुक्त किया। उसकी ओर से एक शाखा कार्यालय भी स्थापित किया गया। 1960 में वहाँ एक स्वतंत्र मुख्य कार्यालय स्थापित किया गया।

1952 में मिसामरी हिंदी प्रशिक्षण केंद्र में दूर-दूर से लोगों को प्रशिक्षणार्थ बुलाया जाने लगा। श्री आइटि ग्रिटिस लिंबा ने इस केंद्र से प्रथम बार उपाधि प्राप्ति की। इनके प्रयत्नों ने 'जोवाई' और उसके पास के खासी जयंतिया पहाड़ी अंचलों में हजारों लोगों को हिंदी शिक्षा मिली। इस संस्था से हर वर्ष उपाधि प्राप्त करके निकलने वाले लोगों में से अधिकांश ने मेघालय में हिंदी प्रचार-प्रसार का कार्य किया है। संप्रति चेला, जोवाई, चेरापूंजी, नङ्पो, नया बांगलो, अपर शिलांग में इस समिति के केंद्र हिंदी प्रचार में संलग्न है। असम राष्ट्रभाषा प्रचार समिति के साथ ही 'असम राष्ट्रभाषा प्रचार समिति' की ओर से भी वहाँ केंद्रीय कार्यालय की स्थापना की गयी है और वर्धा राष्ट्रभाषा प्रचार समिति की परीक्षाओं के लिए छात्रों को हिंदी शिक्षा दी जा रही है। "हिंदी प्रचार मंडल, शिलांग की ओर से भी इस क्षेत्र में हिंदी प्रचार-प्रसार हेतु प्रयत्न किये जा रहे हैं। 1950 ई० से ही गारो पहाड़ी क्षेत्र में असम राष्ट्रभाषा प्रचार समिति की ओर से हिंदी प्रचार का काम किया जा रहा है। श्रीमती फ्लोरेस संगमा इस क्षेत्र की प्रख्यात हिंदी प्रचारिका हैं। तुरा, बाघमारा, डालु, माइटवारी, निशान-ग्राम, डामस, टिक्री किहला, फूलवारी में भी असम राष्ट्रभाषा प्रचार समिति की ओर से हिंदी प्रचार का कार्य किया जा रहा है।

भारतीय संविधान में हिंदी को महत्त्वपूर्ण दर्जा दिया गया और हिंदी का महत्त्व स्वीकार किया गया। अभी तक हिंदी प्रचार कार्य गैर शासकीय स्तर पर

ही चल रहा था। पूर्वांचलीय राज्यों में भी 1951 ई० तक हिंदी प्रचार कार्य इसी रूप में चलता रहा।

1952 में असम सरकार ने राज्य के माध्यमिक विद्यालयों में चौथी कक्षा से हिंदी को अनिवार्य विषय के रूप में पढ़ाने का निर्णय लिया। उसी वर्ष 140 विद्यालयों में हिंदी अध्यापन की व्यवस्था की गयी। चौथी कक्षा से आठवीं कक्षा तक हिंदी को अनिवार्य विषय के रूप में स्वीकृत किया गया। प्रारंभ में सरकार ने असम राष्ट्रभाषा प्रचार समिति के प्रचारकों को नियुक्ति देकर यह कार्य शुरू किया। हिंदी शिक्षकों के अभाव की पूर्ति हेतु सरकार ने गोवालपारा जिले के दुधनै नामक स्थान पर 1951 में एक हिंदी प्रशिक्षण केंद्र की स्थापना की। इस केंद्र में 125 हिंदी प्रशिक्षकों को प्रशिक्षित करने की व्यवस्था की गयी। 1962 में चीनी आक्रमण के कारण यह स्थान भारतीय सेना का अड्डा बना और हिंदी प्रशिक्षण केंद्र मिकिर जिले के डिफु नामक स्थान में स्थानांतरित कर दिया गया है और वही स्थिति आज तक चल रही है। 1970 ई० में उत्तर गुवाहाटी में भी एक हिंदी शिक्षक प्रशिक्षण महाविद्यालय खोला गया है। प्रतिवर्ष इसमें लगभग 50 शिक्षकों को प्रशिक्षित किया जाता है। इस महाविद्यालय की स्थापना के पूर्व पूर्वांचलीय प्रदेश के हिंदी प्रशिक्षार्थियों को आगरा भेजा जाता था, किंतु अब उन्हें इसी महाविद्यालय में प्रशिक्षित किया जा रहा है।

माध्यमिक स्तर पर हिंदी को स्वीकृति और लोकप्रियता मिलने के पश्चात् केंद्रीय सरकार की ओर से पूर्वांचलीय छात्रों को छात्रवृत्ति मिलने लगी और इस प्रकार से भी हिंदी अध्ययन को प्रोत्साहन मिला। पूर्वांचल के अनेक छात्रों को के० एम० मुंशी इंस्टीट्यूट आगरा में प्रशिक्षणार्थी भेजा गया। संप्रति, पूर्वांचल के अनेक महाविद्यालयों में हिंदी सिखाने की व्यवस्था की गयी है। 1958 ई० में केंद्र सरकार की सलाह से पूर्वांचल में एक हिंदी अधिकारी की नियुक्ति की गयी—जो हिंदी शिक्षा संबंधी योजनाओं को समन्वित करने के कार्य में संलग्न है। 1981 ई० में एक हिंदी सलाहकार समिति की स्थापना की गयी।

पूर्वांचलीय राज्यों में प्रमुख रूप से असम में माध्यमिक, उच्च माध्यमिक तथा उच्चतर माध्यमिक विद्यालयों के साथ ही संस्कृत और उर्दू शिक्षण संस्थाओं में भी हिंदी अध्ययन की व्यवस्था की गयी। 1952 ई० के उच्चतर माध्यमिक विद्यालयों में चौथी से दसवीं कक्षा तक हिंदी को अनिवार्य विषय बनाया गया था और इस योजना के अंतर्गत 2000 से अधिक विद्यालयों में हिंदी शिक्षकों की नियुक्तियाँ हो चुकी हैं।

1971 ई० में गुवाहाटी विश्वविद्यालय में हिंदी में स्नातकोत्तर पाठ्यक्रम भी प्रारंभ कर दिया गया। 1973 ई० के पश्चात् स्थिति में परिवर्तन हुआ है। अब पाँचवीं से सातवीं कक्षा तक हिंदी अनिवार्य विषय है और आठवीं से दसवीं

कक्षा तक हिंदी एक ऐच्छिक विषय के रूप में स्वीकृत है। संप्रति अकेले असम प्रदेश में माध्यमिक स्तर के विद्यालयों—जहाँ हिंदी शिक्षण की व्यवस्था है—की संख्या 3500 से अधिक है।

'नेफा'—उत्तर-पूर्व सीमांचल—संवैधानिक दृष्टि से 1971 ई० तक असम प्रांत का ही अंग था। 1971 के पश्चात् उसे केंद्र शासित राज्य का दर्जा प्राप्त हो गया। स्वतंत्रता प्राप्ति के पश्चात् से 1971 तक 'नेफा' में भी हिंदी के पठन-पाठन की व्यवस्था असम राज्य के ही अनुसार चलती रही।

'नेफा' के आदिवासी छात्रों को हिंदी सिखाने के लिए 1954 में व्यवस्था हुई। मार्पेरिटा में हिंदी शिक्षकों को प्रशिक्षित करने के लिए विद्यालय की स्थापना की गयी। यहाँ से प्रशिक्षित अध्यापकों ने 'नेफा' के कोने-कोने में राष्ट्रभाषा का संदेश पहुँचाने का प्रयास किया है। एक समय ऐसा भी आया, जब यहाँ हिंदी को शिक्षा का माध्यम बनाने का निश्चय भी कर लिया गया—और इसी समय से यहाँ हिंदी का विरोध शुरू हो गया।

अरुणाचल प्रदेश के लोगों को हिंदी में प्रशिक्षित करने के लिए पासीघाट और ट्वेनसांग में दो प्रशिक्षण केंद्र खोले गये हैं। अरुणाचल प्रदेश के स्कूलों में माध्यमिक स्तर पर हिंदी को अनिवार्य विषय के रूप में रखा गया।

1952 से ही 'असम राष्ट्रभाषा प्रचार समिति' अरुणाचल प्रदेश के विभिन्न अंचलों में हिंदी प्रचार का कार्य करती आ रही है।

इम्फाल नगर में "मणिपुर हिंदी परिषद्" की स्थापना 1953 में हुई। 1954 ई० से इस संस्था ने नियमित रूप से हिंदी परीक्षाओं का संचालन शुरू किया। 1958 ई० में यह संस्था 'रजिस्टर्ड' हुई। राज्य सरकार ने इसकी हिंदी परीक्षाओं को मान्यता दी। 1961 में भारत सरकार ने इसकी दो परीक्षाओं को हाई स्कूल और इंटर स्तर की मान्यता दी। तब से यह संस्था अपने सहस्रों प्रचारकों और सैकड़ों हिंदी विद्यालयों के माध्यम से हिंदी प्रचार कार्य में संलग्न है। इसकी हिंदी प्रबोध, हिंदी विशारद और हिंदी रत्न परीक्षाएँ भारत सरकार द्वारा क्रमशः हाई स्कूल, इंटर और बी० ए० के समकक्ष मान्य है। इस संस्था के 1975 ई० तक 75 परीक्षा केंद्र थे। संप्रति इसके कुल परीक्षा केंद्रों की संख्या 120 है। परिषद् से संबद्ध 87 हिंदी विद्यालय कार्यरत हैं। परिषद् इम्फाल, नंबोल, विष्णुपुर, ककचिंग और उखरूल में एक-एक हिंदी महाविद्यालय का संचालन करती है। इन महाविद्यालयों को भारत सरकार से अनुदान मिलता है। इसके 47 विद्यालयों को मणिपुर राज्य से अनुदान मिलता है।

1929 ई० में लाहौर कांग्रेस में पूर्ण स्वतंत्रता के लक्ष्य की घोषणा की गयी और स्वतंत्रता प्राप्ति के कार्यक्रमों में भारत की भावी राष्ट्रभाषा के रूप में हिंदी को भी स्थान दिया गया। उसी के परिणामस्वरूप गुवाहाटी में 1934 ई० में एक

'हिंदी प्रचार समिति' की स्थापना की गयी। उसके अध्यक्ष थे बरदलै और सचिव लक्ष्मीधर बराजी! उन्होंने पूर्वांचल में 3 अक्टूबर, 1936 से हिंदी प्रचार का श्रीगणेश किया। कालांतर में यही संस्था "असम राष्ट्रभाषा प्रचार समिति" के रूप में विकसित हुई। बाद में जब असम के मुख्यमंत्री गोपीनाथ बरदलै बने तो इस संस्था ने दिन-दूनी रात-चौगुनी प्रगति की। 1948 ई० से इस संस्था ने अपनी परीक्षाओं का संचालन शुरू किया। प्रारंभ में प्रथमा, प्रवेशिका और विशारद— ये तीन परीक्षाएँ ही ली जाती थीं। प्रथमा में छात्रों को हिंदी भाषा और साहित्य का सामान्य परिचय कराया जाता था, विशारद परीक्षा का स्तर बी० ए० का रखा गया। विशारद उत्तीर्ण छात्र स्कूलों में अध्यापक बनते हैं, अत: उसी दृष्टि से उन छात्रों को भाषा, भाषा विज्ञान, साहित्य और भाषा साहित्य शिक्षण के लिए तैयार किया जाता था। गुवाहटी के अलावा समिति का एक और केंद्र हिंदी प्रशिक्षण केंद्र 'आठगाँव' में खोला गया।

समिति की परीक्षाओं के हेतु हिंदी प्रचार कार्य में संलग्न 3500 प्रचारकों का पंजीयन (1975 ई० तक) किया गया था। इन प्रचारकों के प्रचार-कार्य का परिणाम है कि असम के पहाड़ी ग्रामीण और अन्य स्थानों में भी हिंदी का प्रवेश होता गया है। असम, मेघालय, नागालैंड, अरुणाचल और मिज़ोरम के 500 से अधिक केंद्रों पर प्रतिवर्ष पचास हजार से अधिक परीक्षार्थी समिति की परीक्षाओं में सम्मिलित होते जा रहे हैं। इस समिति के प्रचारक हिंदी प्रचार के साथ ही भारतीय सामाजिक संस्कृति के प्रचार समन्वय प्रसार में संलग्न है।

1952 ई० में दरंग जिले के 'मिसामारी' नामक स्थान में पूर्वांचल के हजारों छात्र-अध्यापक एकत्र हुए। उनका लक्ष्य था राष्ट्रभाषा के माध्यम से वर्तमान और भावी पीढ़ी को एकता के सूत्र में बाँधना। इसी लक्ष्य की पूर्ति के लिए 1953 ई० में "असम राष्ट्रभाषा सेवक संघ" की स्थापना की गयी। इस संघ का उद्देश्य बना—समग्र असम, मणिपुर, मेघालय, त्रिपुरा, मिज़ोरम, नागालैंड तथा अरुणाचल में हिंदी का प्रचार करना और उसके द्वारा भारतीय सामाजिक संस्कृति की नींव को सुदृढ़ बनाना; साथ ही पूर्वांचलीय हिंदी और उसके प्रचारकों, छात्रों के सामने आने वाली कठिनाइयों को दूर करना। इन लक्ष्यों की पूर्ति के लिए 1952 ई० से आज तक यह संघ सतत् प्रयत्नशील है।

प्रस्तुत अध्ययन एक प्रारंभिक सर्वेक्षण का परिणाम है। सर्वेक्षण के द्वारा जो कुछ सामने आया है, यथासंभव भाषा वैज्ञानिक और समाज-भाषा वैज्ञानिक दृष्टि से उसे विश्लेषित करके सामने रखने का प्रयास किया गया है। बहुत से ऐसे तथ्य भी सामने आये हैं, जो हिंदी के प्रति सामान्य लोगों की आस्था को प्रकट करते हैं। उदाहरण के लिए एक अधिकारी का यह कथन—'मिज़ोरम के बालकों को अखिल भारतीय स्तर का बालक बनाने के लिए जरूरी है कि "हिंदी को मिज़ो

भाषा के साथ-साथ कक्षा एक से प्रारंभ किया जाये"—उद्धृत किया जा सकता है। एक अन्य अधिकारी का तो यह कहना है कि "हमें आपस में मिज़ो का और मिज़ो जहाँ माध्यम नहीं बन सकती वहाँ हिंदी का व्यवहार करना चाहिए। अंग्रेजी को तो पूर्णतया विदेशी परिस्थिति में ही बोलना चाहिए।"

जहाँ तक हिंदी व्यवहार की शुद्धता और अशुद्धता का प्रश्न है, व्यवहार क्षेत्र की विस्तृति के कारण वह हमेशा बना रहेगा। हिंदी के विभिन्न क्षेत्रीय स्वरूप हैं (अंग्रेजी की तरह ही), मिज़ोरम में भी उसका एक अपना स्वरूप है। निश्चित रूप से यह मिज़ो स्वरूप अभी पूरी तरह स्थिर नहीं हो पाया है और उसके भीतर भी अलग-अलग स्तर भेद (वेरीएशंस) हैं, किंतु इसकी अवस्थिति को अस्वीकार नहीं किया जा सकता है।

मिज़ोरम में हिंदी की शिक्षा पाँचवीं से आठवीं तक अनिवार्य विषय के रूप में दी जा रही है। हिंदी के शिक्षकों के लिए प्रशिक्षण पाठ्यक्रम चलाये जा रहे हैं। इसी प्रकार रेडियो पाठ्यक्रम की व्यवस्था भी की गयी है, जो काफी लोकप्रिय सिद्ध हो रही है। इनका प्रभाव निश्चित रूप से बोलचाल की हिंदी को और परिनिष्ठित एवं परिमार्जित बनाएगा।

सरकारी स्तर पर किये जा रहे इन प्रयासों के साथ-साथ कुछ स्वैच्छिक संस्थाएँ भी हैं, जो विभिन्न प्रकार के पाठ्यक्रम चला रही हैं। मिज़ोरम हिंदी प्रचार समिति एवं राष्ट्रभाषा प्रचार समिति (वर्धा) के प्रयासों से हिंदी पढ़ने के लिए इच्छुक लोगों को विविध स्तरों के पाठ्यक्रम सहजता से उपलब्ध हैं। पूर्वांचलीय प्रदेश में हिंदी के प्रचार और प्रसार में हिंदी फिल्मों एवं टेलीविजन का योगदान भी महत्त्वपूर्ण है। असम, मणिपुर, नागालैंड, त्रिपुरा, मेघालय, अरुणाचल सभी पूर्वांचलीय राज्यों में हिंदी फिल्मों की धूम मची हुई है। इन प्रदेशों में हिंदी फिल्में अत्यधिक लोकप्रिय हैं। सुदूरवर्ती मिज़ोरम प्रदेश के किसी भी क्षेत्र में नयी पीढ़ी के लोग फिल्मी गीतों और संवादों को गाते-सुनाते मिल सकते हैं। वस्तुतः संपूर्ण पूर्वांचल में हिंदी फिल्मों एवं टेलीविजन ने हिंदी प्रचार में महत्त्वपूर्ण भूमिका अदा की है।

हिंदी भाषा और साहित्य के विकास प्रचार-प्रसार की दिशा में यह शुभ लक्षण है कि भारतवर्ष के पूर्वांचलीय राज्यों में संप्रति हिंदी का प्रचार-प्रसार हो रहा है। परिणामस्वरूप आज पूर्वांचल के अनेक कवियों-लेखकों ने हिंदी को अपनी अभिव्यक्ति का माध्यम बना लिया है। जहाँ पूर्वांचलीय भाषाओं और बोलियों के समन्वय से हिंदी भाषा कोष की श्रीवृद्धि हो रही है, वहाँ पूर्वांचलीय लेखकों की कृतियों से हिंदी की समृद्धि हो रही है। पूर्वांचलीय लेखकों-कवियों की कृतियाँ भले ही अभी बहुत प्रौढ़ न हों, किंतु उनका ऐतिहासिक महत्त्व तो निःसंदिग्ध है। राष्ट्रभाषा के विकास प्रचार-प्रसार के साथ ही भारतीय सांस्कृतिक राष्ट्रीय एकता की दृष्टि से भी उनका बड़ा महत्त्व है।

परिशिष्ट

1. संदर्भ ग्रंथ सूची
   (1) हिंदी तथा अन्य
   (2) पत्र-पत्रिकाएँ एवं अन्य
   (3) इंगलिश

2. परिशिष्ट सूची
   (1) पूर्वांचल की तिब्बती-चीनी परिवार की भाषाओं का वर्गीकरण
   (2) पूर्वांचल की भाषाएँ : अकारादि क्रम : प्रदेश एवं जनसंख्या के विवरण के साथ
   (3) जनसंख्या के क्रम से पूर्वांचल की भाषाओं का विवरण
   (4) पाठ्यचर्या में पूर्वांचल की भाषाओं की स्थिति

संदर्भ ग्रंथ सूची

(1) पुस्तकें

कृष्णनारायण प्रसाद मागध : असम प्रांतीय हिंदी साहित्य

कृष्णनारायण प्रसाद मागध : शंकरदेव-साहित्यकार और विचारक 1976 ई०।
माधवदेव-व्यक्तित्व और कृतित्व 1979 ई०।

गोकुलचंद्र शर्मा : अंतर्नाद शतक
द्वितीय अंतर्नाद शतक
तृतीय अंतर्नाद शतक
शुद्ध नाद
वीर नाद
प्रगीत संग्रह

गोकुलचंद्र शर्मा	: लैचन हुम्फु (कविता संग्रह) पामजबा लैचन (एकांकी संग्रह)
कैवल्यानंद	: कंस-वध
चित्र महंत	: असमिया साहित्य और साहित्यकार, विनोद पुस्तक मंदिर, होस्पिटल रोड, आगरा-3 (संस्करण 1970 ई०)। यह असम है। अतीत के आँचल में राष्ट्रभाषा : विकास, प्रचार और प्रसार राष्ट्रभाषा : विकास, प्रचार और प्रसार, प्रकाशक—असम राष्ट्रभाषा सेवक संघ, गुवाहाटी-3, संस्करण—अप्रैल, 1975
दीन गोपाल	: जरासंध वध सीता हरण बलि छलन
ना० नागप्पा	: हिंदी साहित्य का अध्यापन, प्रकाशक—केंद्रीय हिंदी संस्थान, आगरा।
भूषण द्विज	: अजामिल उपाख्यान नाट
माधवदेव	: बरगीत भटिमा अर्जुन भंजन चोरधरा भूषण हेरोना कोटोरा रास झुमुरा
डॉ० रवींद्रनाथ श्रीवास्तव	: प्रयोजनमूलक हिंदी (केंद्रीय हिंदी संस्थान, आगरा) बहुभाषिकता और हिंदी समाज-भाषा (विश्व हिंदी सम्मेलन अंक), केंद्रीय हिंदी निदेशालय, नयी दिल्ली।
राजीवलोचन शर्मा	: जनजातीय जीवन और संस्कृति, प्रकाशक—किताब घर, आचार्य नगर, कानपुर-3, सन् 1967 ई०।
डॉ० रामकृपाल कुमार	: नागा भाषा-भाषी छात्रों की हिंदी सीखने की समस्याएँ, कुमार प्रकाशन, भगवानपुर, वैशाली।

डॉ० रामविलास शर्मा : भारत के प्राचीन भाषा परिवार और हिंदी, भाग-1, 2, 3
राजकमल प्रकाशन प्राइवेट लिमिटेड, नयी दिल्ली।

लक्ष्मीनाथ : कुमार हरण नाटक
सिंधुरा-यात्रा
जन्म यात्रा
गोवर्द्धन यात्रा
दशानन वध

डॉ० विजय राघव रेड्डी : पूर्वांचल की भाषाओं और साहित्य के विशेषज्ञ।

डॉ० विजयेन्द्र कुमार माथुर : ऐतिहासिक स्थानावली (प्र० सं०), प्रकाशक—वैज्ञानिक एवं तकनीकी शब्दावली आयोग, शिक्षा मंत्रालय, भारत सरकार, नयी दिल्ली।

विश्वभंर द्विज : प्रभास यात्रा
सं० चिरंजीलाल जैन,
असम की हिंदी कविताएँ।

शंकरदेव : उत्तरकांड (असमी)
महाभागवत (असमी)
हरिश्चंद्र उपाख्यान (असमी)
रुक्मिणी हरण (असमी)
कीर्तनघोषा (असमी)
गुणमाला (असमी)
भक्तप्रदीप (असमी)
भक्ति रत्नाकर (संस्कृत)
बरगीत (ब्रजबुलि)
पारिजात हरण (असमिया)
साहित्यकार और विचारक।

शंकर भट्ट : भारत दर्शन
प्रकाशक—किताब घर, मेन रोड, गांधी नगर, दिल्ली-110031,
प्रथम संस्करण—1982.

एस० गोपेंद्र शर्मा : मणिपुरी संस्कृति, 1972.

सर जार्ज अब्राहम ग्रियर्सन : हिंदी अनुवादक—डॉ० उदयनारायण तिवारी, प्रकाशक—हिंदी समिति, सूचना विभाग, लखनऊ, उत्तर प्रदेश।

सिद्धेश्वर शास्त्री चित्राव : भारतवर्षीय प्राचीन चरित्र कोश, प्रकाशक—भारती चरित्र कोश मंडल, पूना-41

सी०एच० निशान नितम : गबन—हिंदी से मणिपुरी में अनुदित
गोदान—हिंदी से मणिपुरी में अनुदित
चित्रलेखा—हिंदी से मणिपुरी में अनुदित

हरिकांत : स्यमंत-हरण

हेम बरूवा : लौहित्य और नीलांचल
प्रकाशक—असम राष्ट्रभाषा प्रचार समिति, गुवाहाटी, प्रथम संस्करण, मई, 1961 ई०।

(2) पत्र-पत्रिकाएँ एवं अन्य

'क्षितिज सा ध्येय'—प्रकाशक—आनंद कृष्ण साहित्य, कला संगम, उरिपोक, इम्फाल, 1976.

भारत दर्शन—नागालैंड, केंद्रीय हिंदी निदेशालय, शिक्षा मंत्रालय, भारत सरकार, नयी दिल्ली।

परिषद् पत्रिका, वर्ष—19, अंक-2, जुलाई, 1979 ई०

असम की हिंदी : अतीत और वर्तमान

राजभाषा भारती, अंक—2, 3, कादंबिनी, अप्रैल, 1984.

धर्मयुग, 9 फरवरी, 1975 ई०।

हिंदुस्तान, 4 मार्च, 1982 ई०।

दिनमान, 14-20 दिसंबर, 1980 ई०।

(3) ENGLISH

(1) Religion and Culture of North-Eastern India—
Raghuvir Sinha, Abhinav Publications,
New Delhi-110016,
Publisher Shakti Malik, Abhinav Publications,
E-37, Hauz Khas, New Delhi,
First Edition : 1977.

(2) Statistical Account of Manipur,
By—R. Brown F. R. C. S. E.,
First Published 1874, Reprinted 1975,
Published by—K. N. Mittal,

Sanskaran Prakashak, 65-F, Anand Nagar,
Delhi-110035 (India).

(3) Arunachal Panorama, by—J. N. Chowdhury,
Published by—Shrimati Jaya Chowdhury,
Quinton Road, Shillong-1,
Meghalaya, Ed 1973.

(4) A Brief Historical Account of Nagaland,—
Naga Institute of Culture, Kohima,
Nagaland, First Edition, 1970.

(5) Statistical Handbook—Mizoram, 1981,
Department of Economis & Statistics,
Government of Mizoram, Aizawl.

(6) This Beautiful India—Sikkim—Sukhdev Singh Chib,
Punjab University, Chandigarh,
Ist Edition, 1977.

(7) Nagaland—Varrier Elvin, 1961, Shillong.

(8) Distribution of Information 1982,
Government of Mizoram.

(9) Mizoram Today, Vol. V, Issue I,
Directorate of Information 1982,
Government of Mizoram.

(10) The Sociology of Functional Hindi
By—Ravindranath Shrivastava, Central Hindi
Institute, AGRA, 1975.

परिशिष्ट सूची

परिशिष्ट-1

पूर्वांचल की तिब्बती-चीनी परिवार की भाषाओं का वर्गीकरण

- तिब्बती बर्मी का उपचार
  - तिब्बती-हिमालय शाखा
    - भोटया समूह (सिक्किम समूह) — (क)
      - (1) बंगाली (?)
      - (2) भोटिया
      - (3) मोनपा
    - हिमाचय समूह — (ख)
      - (1) लेप्चा
  - उत्तरी असमिया शाखा
    - मिरि समूह — (ग)
      - (1) आदि
      - (2) आपतानी
      - (3) कछारी
      - (4) गालोङ
      - (5) तगिन
  - असमिया बर्मी शाखा
    - बोरो समूह — (घ)
      - (1) कोछ
      - (2) गारो
      - (3) जमातिया
      - (4) त्रिपुरी
      - (5) दिमसा
    - नागा समूह — (ङ)
      - (1) अंगामि
      - (2) आओं
      - (3) काबुई
      - (4) कोन्याक
      - (5) खियमङ्न
    - कुकी-चिन समूह — (च)
      - (1) कुकी
      - (2) थादो
      - (3) पाइते
      - (4) विष्णुप्रिया
      - (5) मणिपुरी
    - बर्मी समूह — (छ)
      - (1) मघ/मग

(6) निशि	(6) देउरी	(6) चाङ	(6) मिज़ो
(7) मिजु (?)	(7) बोरो	(7) चाखेसाङ	(7) लखेर
(8) मिनियोङ	(8) मिकिर	(8) जेतेकयाङ	(8) वाइफे
(9) मिरि	(9) रभा	(9) तांखुल	(9) म्हार
(10) मेह	(10) रियाङ	(10) ताङसा	
	(11) लालुङ/ टिया	(11) नोक्ते	
		(12) फोम	
		(13) बोङमी	
		(14) माशो	
		(15) चिमचुङर	
		(16) रेङमा	
		(17) लोथा	
		(18) वाङगो	
		(19) नाङतम	
		(20) सेमा	

(?) चिह्नित भाषाओं के संबंध में संदेह है कि वे किस समूह की हैं।

कुछ लोग इसे भारतीय आर्य परिवार की भाषा मानते हैं। खासी आस्ट्रिक परिवार के अस्ट्रो-एशियाटिक उप परिवार की मान खमेर शाखा की भाषा मानी जाती है। चकमा भारोपीय परिवार के आर्य उप परिवार की पूर्वी शाखा के अंतर्गत बंगला समूह की भाषा मानी जाती है।

परिशिष्ट-2

पूर्वांचल की भाषाओं का अकारादि क्रम, प्रदेश एवं जनसंख्या के विवरण के साथ

1.	अंगामि	(नागालैंड)	43,567
2.	आओं	(नागालैंड)	65,275
3.	आदि	(अरुणाचल)	27,151
4.	आपतानी	(अरुणाचल)	13,083
5.	कछारी	(असम)	34,669
6.	काबुई/रोडमय	(मणिपुर)	48,600
7.	कुकी	(नागालैंड/असम/मणिपुर)	30,254
8.	कोछ	(असम/त्रिपुरा)	13,842
9.	कोन्याक	(नागालैंड)	72;338
10.	खासी	(मेघालय)	3,84,006
11.	खियमडन	(नागालैंड)	14,414
12.	गारो	(मेघालय/असम)	4,11,532
13.	गालोड	(अरुणाचल)	36,864
14.	चकमा	(त्रिपुरा/मिज़ोरम)	68,711
15.	चाखेसाड	(नागालैंड)	10,310
16.	चाड	(नागालैंड)	15,816
17.	जमातिया	(त्रिपुरा)	22,446
18.	जेलियाड	(नागालैंड)	12,891
19.	तगिन	(अरुणाचल)	22,077
20.	ताङखुल	(मणिपुर)	59,167
21.	ताडसा/लुइयाड	(अरुणाचल)	10,000
22.	त्रिपुरी	(त्रिपुरा)	2,68,948
23.	थादो	(मणिपुर)	42,344
24.	दिमस	(असम)	37,900
25.	देउरी	(असम)	14,937
26.	निशि/दफला	(अरुणाचल)	33,857
27.	नोक्ते	(अरुणाचल)	21,981
28.	पाइते	(मणिपुर)	27,151
29.	फोम	(नागालैंड)	18,017
30.	बंगनी	(अरुणाचल)	21,981

31.	विष्णुप्रिया	(असम)	14,169
32.	बोडमी	(मणिपुर)	11,113
33·	बोरो	(असम)	5,09,006
34.	भोटिया	(सिक्किम)	25,158
35.	मणिपुरी	(मणिपुर)	7,80,871
36.	माओ	(मणिपुर)	19,968
37.	मिकिर/कर्बी	(असम)	1,98,973
38.	मिज़ो	(अरुणाचल)	77,719
39.	मिज़ो	(मिज़ोरम)	2,70,312
40	मिनियाड	(अरुणाचल)	17,016
41.	मिरि/मिशिङ	(असम)	1,80,684
42.	मेछ	(असम)	12,919
43.	मग	(त्रिपुरा)	12,891
44.	मोनपा	(अरुणाचल)	23,921
45.	चिमचुडर	(नागालैंड)	13,564
46.	राभा	(असम)	51,129
47.	रियाड	(मिज़ोरम/त्रिपुरा)	74,931
48.	रेडमा	(नागालैंड)	10,000
49.	लखेर/मरा	(असम)	11,867
50.	लालुङ/टिया	(असम)	10,650
51.	लेप्छा	(सिक्किम)	11,044
52.	लोथा	(नागालैंड)	36,949
53.	वाइफे	(मणिपुर)	12,209
54.	वाङ्चु	(अरुणाचल)	28,649
55.	साडतम	(नागालैंड)	19,998
56.	सेमा	(नागालैंड)	65,227
57.	म्हार	(मणिपुर/मिज़ोरम)	38,207

परिशिष्ट-3

जनसंख्या के क्रम से पूर्वांचल की भाषाओं का विवरण

1.	मणिपुरी	7,80,871
2.	बोरो	5,09,006
3.	गारो	4,11,532
4.	खासी	3,84,006
5.	मिज़ो	2,70,312
6.	त्रिपुरी	2,68,948
7.	मिकिर	1,98,973
8.	मिरि/मिशिङ	1,80,684
9.	मिज़ु	77,719
10.	रियाङ	74,931
11.	कोन्याक	72,338
12.	चकमा	68,711
13.	आआ	65,275
14.	सेमा	75,227
15.	तांखुल	58,167
16.	रभा	51,129
17.	काबुई	48,600
18.	अंगामि	43,569
19.	थादो	42,344
20.	म्हार	38,207
21.	दिमस्	37,900
22.	लोथा	36,949
23.	गालोङ	36,864
24.	कछारी	34,669
25.	विशि	33,857
26.	कुकी	30,254
27.	वाङ्चो	28,649
28.	पइते	27,151
29.	आदि	27,151
30.	भोटिया	25,158

31.	नोकते	24,330
32.	मोनमा	23,921
33.	जमातिया	22,446
34.	तगिन	22,077
35.	बंगली	21,981
36.	साइतम	19,998
37.	माओ	19,968
38.	फोम	18,017
39.	मिनियोड	17,016
40.	चाज	15,816
41.	देउरी	14,937
42.	खियमडन	14,414
43.	विष्णुप्रिया	14,169
44.	कोछ	13,842
45.	चिमचुडर	13,564
46.	आपतानी	13,083
47.	मेथ	12,919
48.	जेलियाड	12,891
49.	मग	12,891
50.	वाइफे	12,209
51.	लखेर	11,867
52.	बोडमी	11,113
53.	लेप्छा	11,044
54.	लालुड	10,650
55.	चाखेंसाड	10,310
56.	ताङ्सा	10,000
57.	रेडमा	10,000

नोट— दस हजार से कम संख्या बोलने वालों की भाषाएँ इसमें सम्मिलित नहीं हैं।

परिशिष्ट-4

पाठ्यचर्या में पूर्वांचल की भाषाओं की स्थिति

क्रमांक	भाषा का नाम	अनिवार्य विषय के रूप में किस कक्षा से किस कक्षा तक	ऐच्छिक विषय के रूप में किस कक्षा से किस कक्षा तक	माध्यम भाषा के रूप में किस कक्षा तक
1.	अंगामी	1—10	—	6
2.	आआ	1—10	—	6
3.	कुकी	1—5	—	5
4.	कोन्याक	1—8	—	6
5.	खासी	ए.बी. 1—11	7—11	6
6.	खियमन	1—5	—	5
7.	गारो	ए.बी. 1—6	7—11	6
8.	चाखेसाङ	1—8	—	6
9.	चाङ	1—5	—	5
10.	जेलियाङ	1—5	—	5
11.	फोम	1—5	—	5
12.	बोरो	ए.बी. 1—6	7—11	6
13.	भोटिया	प्राइमरी में	—	प्राइमरी में
14.	मणिपुरी	1—12	7—11	10
15.	मिज़ो	1—11	7—11	6
16.	चिमचुङर	1—5	—	5
17.	रेङमा	1—5	—	5
18.	लेप्छा	प्राइमरी में	—	प्राइमरी में
19.	लोथा	1—8	—	6
20.	साङतम	1—5	—	5
21.	सेमा	1—8	—	6
22.	म्हार	ए.बी. 1—6	—	3

नोट—स्नातक तथा एम०ए० स्तर तक मणिपुरी में पढ़ाई की व्यवस्था है।